Thomas Gifford
EXITUS

Thomas Gifford
EXITUS

Thriller

Aus dem Amerikanischen von
Barbara Först

Sonderausgabe für GALERIA Kaufhof GmbH
November 2009

Titel der amerikanischen Originalausgabe: The Suspense Is Killing Me
© 1990 by Thomas Gifford

© für die deutschsprachige Ausgabe 2006 by
Verlagsgruppe Lübbe GmbH & Co. KG, Bergisch Gladbach

Umschlaggestaltung: Kirstin Osenau
Umschlagmotive: © shutterstock/konstantynov;
© shutterstock/optimarc

Satz: hanseatenSatz-bremen, Bremen
Druck und Verarbeitung: CPI – Ebner & Spiegel, Ulm

Printed in Germany
ISBN 978-3-404-77355-8

Für Rachel und Tom

Von Zeiten zu künden,
die Herzen entzünden.
– Rimbaud

Mein Gott, wie die Zeit vergeht.
– JC Tripper

Vorbemerkung

Jeder Schriftsteller wird einmal nach der Herkunft seiner Charaktere gefragt. Sind sie wahren Menschen nachempfunden? Oder hat er sie aus mehreren Personen zusammengefügt? Sind sie vielleicht völlig seiner Fantasie entsprungen? Geht das überhaupt? Schriftsteller versuchen sich meist um eine Antwort zu drücken, häufig deshalb, weil sie die Geburt einer Romanfigur gar nicht mehr so genau festlegen können.

Doch das ist nicht immer der Fall.

Eine Figur, die ich in diesem Buch besonders interessant und ansprechend finde, ist Annie DeWinter. Sie tritt zwar erst relativ spät auf, ist jedoch eine zentrale Gestalt. Sie brauchen mich gar nicht zu fragen, woher ich die Inspiration für Annie DeWinter genommen habe, denn ich sage es Ihnen sowieso.

Ich fand sie in Greenwich Village. Sie arbeitete in einem Buchladen drei Blocks entfernt von meinem Zuhause. Was mir – und sicherlich den meisten Männern – zuerst an ihr auffiel, war ihre fast beängstigende Schönheit. Eine große, schlanke Frau mit breiten Schultern, heller Haut und nachtschwarzem Haar. Als Nächstes stachen mir ihre Ohrringe ins Auge. Sie waren sehr ungewöhnlich und passten perfekt zu Annie DeWinter. Diese Frau war das ideale Modell für Annie DeWinter. Sie hieß Michelle.

Bislang war Annie eine Lücke in der Geschichte gewesen. Nun wurde sie durch Michelle verkörpert. Ich fragte, ob ich auch ihre Ohrringe benutzen dürfte, und sie erzählte mir, wie sie an die Dinger gekommen war – und auch dieses Detail habe ich, wenn auch nur angedeutet, in den Roman eingefügt. Annie wurde Michelle. Und so habe ich eine meiner Schlüsselfiguren gefunden.

Annies Persönlichkeit ist natürlich eine ganz andere: Ihre Erfahrungen, ihre Generation, ihr Leben haben nichts mit Michelle zu tun. Aber sie wäre nicht Annie geworden, hätte ich nicht Michelle kennen gelernt. Daher möchte ich mich an dieser Stelle noch einmal bei Michelle bedanken.

Dies als kleines Beispiel. So mysteriös ist das alles nicht.

Thomas Gifford

New York City,

Februar 1990

Grüße ...

Komme gerade von einer Stippvisite bei meinem Anwalt und meinem Bankier. Ich nenne es immer den »Besuchstag«. Nicht dass sie im Knast sitzen, aber dazu könnte es eines Tages kommen, wenn sie weiterhin ihre miesen Deals abwickeln. Morris und Harold, so will ich sie mal nennen, finden, dass ich ein Scherzkeks bin, aber daraus sollte man nicht schließen, dass ich besonders viel zu lachen habe. Auch sie lächeln kaum bei meinen Besuchen. Selbst wenn sie diese Kunst einst erlernen sollten – heute hatten sie nicht viel zu lachen. Als ich mit ihnen fertig war, hatten sie die Mäuler aufgesperrt wie tote Fische. Ich unterzeichnete unter ihren Argusaugen eine handgeschriebene Erklärung, und wir stopften den Schrieb in den Safe. Harold Berger sah aus, als würde er gerade etwas sehr Schlimmes tun, dessen Bedeutung ihm jedoch entging. Ehrlich gesagt war ich der Einzige, der so etwas wie ein Lachen von sich gab. Den Safeschlüssel überreichte ich Morris Dicker. Der sah mich zweifelnd an. Es war der Blick eines Mannes, den die Überwachungskamera bei der Übergabe einer dicken Tüte Koks erwischt hat. »Wird schon wieder«, sagte ich. »Alles ist cool. Stellt keine Fragen und entspannt euch, Leute.«

Morris schaute Harold an. Harold schaute mich an und sagte: »Ich hasse dich, Lee.«

Morris nickte. »Du bist ein verdammter Blödmann, Lee. Was anderes will mir zu dir nicht einfallen.«

»Komm mir nicht mit diesem Scheiß«, gab ich ihm zu verstehen. Zum besseren Verständnis klärte ich ihn freundlich lächelnd über seinen Platz in der Großen Ordnung der Dinge auf. Erzählte die Geschichte von dem Anwalt, der in ein Haifischbecken fällt und heil wieder herauskommt. Als er zurück ins Boot klettert, sagt er zu seinen erstaunten Gefährten: »Man ist eben höflich unter Kollegen.« Es passiert ziemlich häufig, dass Anwälte ihren Platz in der Großen Ordnung vergessen, dann muss man sie daran erinnern. Das Gleiche gilt für Investmentbanker, die mit schöner Regelmäßigkeit noch zu jung sind, um ihren Platz zu kennen. Harold war allerdings kein Investmentbanker. Er war einfach Bankier, durch und durch.

Zum Teufel mit diesem Scheiß. Mein Fehler, dass ich immer über Anwälte und Bankiers schwafeln muss. Morris und Harold sind schon okay. Lahmarschig, aber okay. Und ich hab noch keinen der beiden dabei erwischt, wie er kleine Kinder belästigte.

Mir war nun besser zumute, da ich mich um die Sache gekümmert hatte. Ich möchte mir nämlich Kummer und Herzeleid und Durcheinander ersparen, falls es später hart auf hart kommt. Damit will ich jetzt nicht sagen, dass unbedingt was passieren *muss*, aber es *könnte* ja sein, und deshalb möchte ich lieber auf Nummer sicher gehen. Hör auf die weisen Sprüche deiner Großmutter, dann liegst du nie besonders falsch. Das ist mein Rat. Und auch der, dass ein Dummkopf und sein Geld nicht lange zusammenbleiben.

Und jetzt wappnen Sie sich für diese Story, denn die ist – das sage ich ganz offen – randvoll mit Täuschung und Verrat und Gewalt. Ab und zu dürfen Sie auch mal lachen und sich entspannen, aber dann kommen wieder ungeschminkte, freche Lügen. Ich werde die Geschichte so erzählen, wie sie passiert ist, mit Lügen und allem Drum und Dran, und ich wünsche Ihnen viel Glück. Glauben Sie diesen Leuten kein einziges Wort und fahren Sie nie den Weg zurück, den Sie gekommen sind.

Mein Name ist Lee Tripper.

Und ich würde Sie ganz bestimmt nicht belügen.

Nur wenn es nicht anders geht.

PROLOG

Das Paket kam mit UPS. Einer der smart gekleideten Portiers, dessen heiteres, hilfsbereites Wesen zeigte, dass er genau wusste, auf welcher Seite sein Croissant gebuttert war, unterzeichnete in meinem Auftrag und brachte es hinauf in meine Eigentumswohnung. Fast hätte er bei der Übergabe noch salutiert. Stattdessen trat er gewandt einen Schritt zurück, als ich in meiner Tasche nach Trinkgeld kramte. »Gehört doch zu meinem Job, Tripper«, sagte er, wie stets. Er wusste genau, dass das Trinkgeld am Ende des Jahres höher ausfallen würde, wenn er die Eigentümer nicht jahraus, jahrein um Pfennigzuwendungen belatscherte.

Ich ging mit dem Paket hinaus auf die Terrasse, wo die Hitze eines frühen Sommertages bereits durch die längeren Nachmittagsschatten gebrochen wurde. Eine Brise aus dem Central Park wehte frische, saubere Luft herauf. Noch hatte der Sommer Manhattan nicht in die Knie gezwungen.

Der Absender sagte mir nichts. Eine Straße irgendwo in Seattle, die Initialen lauteten ABM. Ich schlitzte Schnur und Klebeband mit dem alten Schweizer Armeemesser auf, das ich als Brieföffner verwende, und riss das Umschlagpapier ab. Dann hob ich den Deckel des Kartons, der ein wenig größer war als eine Schuhschachtel.

Im Karton befanden sich ein Brief, ein alter Umschlag mit

der Aufschrift HARRIGAN'S DELUXE HOCHGLANZ-FOTOPAPIER, und ein längliches, in Öltuch gewickeltes Päckchen, das fest mit Gummibändern verschnürt war. Der Brief war kurz. Unterzeichnet von jemandem, den ich nicht kannte.

Lieber Mr Tripper,
vor kurzem ist mein Vater Martin Bjorklund, den Sie früher gekannt haben, verstorben. Unter seinen Besitztümern fanden wir diesen Karton sowie die Anweisung, dass er nach seinem Tod an Sie geschickt werden sollte. Ich weiß nichts über den Inhalt des Kartons, doch seien Sie versichert, dass wir ihn nicht geöffnet haben und alles sich noch in dem Zustand befindet, in dem Vater es hinterlassen hat. Vielleicht sind es ja Erinnerungen, die Ihnen beiden etwas Besonderes bedeuten.
Mit freundlichen Grüßen,
Anita Bjorklund Montgomery

Meine Güte ... Marty Bjorklund. Ich hatte ihn seit zwanzig Jahren nicht gesehen; zuletzt waren wir uns in Tanger begegnet.

Als Erstes riss ich den Umschlag auf.

Darin lagen vier uralte Fotos. Alle zeigten dasselbe. Polaroid-Fotos. Harrigan hatte nichts mit ihnen zu tun gehabt, außer dass er einen passenden Umschlag heraussuchen musste. Es waren Bilder eines Toten.

Danach versuchte ich die Gummibänder abzustreifen. Sie waren alt und mürbe und zerrissen schon bei der Berührung. Ein paar Gummireste blieben an dem Öltuch kleben, das selbst ausgetrocknet und mürbe war. Langsam faltete ich es auseinander, während mir allmählich dämmerte, was ich darin vorfinden würde. Endlich lag das schwere eingeölte Ding in seiner ganzen Pracht vor mir auf dem Tisch.

Eine Mauser Parabellum, Neun Millimeter Automatik, mit

einem schlanken, vier Zoll langen Lauf. Diese Waffe ist der Schweizer Luger nachgebildet.

Fotos und eine Pistole.

Wie die Beweise in einem Mordfall ...

1.

Diese Story wird so schnell heftig werden, dass ich für einen sanften Anfang plädiere, mit Saxophon und ein paar Streichern, am besten ein Arrangement von Nelson Riddle. Denn wir kommen noch früh genug zu den Death's Head Rangers und der Traveling Executioner's Band, und manchmal werden Sie sich nur noch die Ohren zuhalten und abwarten, bis es vorbei ist. Also, fangen wir lieb und nett an, wie es sich gehört. Wussten Sie übrigens, dass der Herausgeber dieser Geschichte eine hohe Belohnung ausgesetzt hat für den Leser, der die meisten versteckten Songtitel findet? Halten Sie sich ran.

Wir lernen uns kennen, wenn – also, lassen Sie mich mit dem Tag anfangen, als ich meine erste Leiche fand. Das hat mir echt die Suppe versalzen. Das war besonders bedauerlich, weil der Tag so gut angefangen hatte. Lange schon war es mir nicht mehr so gut gegangen. Und ehrlich gesagt, wenn ich darüber nachdenke, dann hatte ich nie im Leben so ein gutes Gefühl, und das will schon etwas heißen, denn ich bin allgemein für mein sonniges Gemüt bekannt. Natürlich konnte dieses Wohlgefühl nicht ewig anhalten. Das würde kein normaler Mensch erwarten. Aber direkt eine Leiche? Wie oft passiert einem das schon, dass eine Leiche die euphorische Augenblicksahnung von wahrer Zufriedenheit zunichte macht? Nicht so verdammt oft, möchte ich meinen.

Ich saß noch bei Kaffee und Zeitung auf der weiträumigen Terrasse meines kürzlich erworbenen Heims, einer Eigentumswohnung in einem gravitätischen, eindrucksvollen Bau, der von Geld und dem entsprechenden Status eines New Yorker Bürgers zeugte. Adresse Central Park West. Mit Ausblick auf die schmucklosen Türme von Ilium, auf die Teiche und Rasenflächen des Parks, das Delacorte Theater, das Tavern on the Green. Alles brütete in der Hitze. Auf der anderen Seite des Parks das Metropolitan Museum und die wie Klippen wirkenden Gebäude der Fifth Avenue. Mia und ihre Kinderschar wohnten nicht weit entfernt; Woody war auch in der Nähe und überwachte den Schnitt seines neuen Films, und ich hörte buchstäblich die Gershwin-Musik aus *Manhattan*. Ich hörte die Musik tatsächlich, weil die Platte nämlich auf dem Plattenteller lag, während ich mir mein Frühstück zu Gemüte führte und die Aussicht genoss. Sie mögen jetzt vielleicht einwenden, dass das alles ja auch zu schön sei, um so zu bleiben. Doch ich muss zugeben, dass ich die zwangsläufig folgende Katastrophe nicht vorhergesehen hatte. Ich war nämlich völlig unbedarft und glaubte, endlich das erreicht zu haben, was ich immer schon verdiente. Tja, und so ähnlich kam es ja dann auch.

Die gestreifte, mit Fransen versehene Markise über der Terrassentür flatterte in der sanften Morgenbrise. Meine Topfpalmen wiegten sich träge wie übrig gebliebene Partygäste, die noch nicht nach Hause wollen. Ich fühlte mich so kräftig und gesund und froh, dass ich am liebsten lauthals gegrölt und mir auf die Brust getrommelt hätte. Und das nicht ohne Grund.

Die schlimmen Kiffertage lagen hinter mir. Ich dachte nicht einmal mehr an jene Zeit zurück. Wenn Sie, geneigter

Leser, diese Seiten in der Hoffnung studieren, irgendwelche dramatischen, reißerischen Geschichten aus meiner Vergangenheit zu hören, werden Sie kein Glück haben. Wie Katharine Hepburn einst zu mir sagte – und mein Bruder JC bei anderer Gelegenheit: »Du bellst einen Baum an, den du gar nicht besteigen kannst.« Ich werde hier keine Erinnerungen an drogenselige Zeiten ausbreiten. Vielleicht muss ich hie und da auf die Abenteuer meines berühmten Bruders eingehen, aber von meinen eigenen werde ich nichts verlauten lassen. Oder jedenfalls sehr wenig.

Dieser selige Geisteszustand einer Mary Poppins war für mich relativ neu. Lassen Sie mich berichten, wie ich den Bezug zur Realität verlieren und mich in diese gute Laune hineinversetzen konnte.

Jahre zuvor schlug ich mich als Möchtegern-Journalist durch und versuchte, aus dem Ruf meines verstorbenen Bruders Kapital zu schlagen. In manchen Kreisen wurde ich als eine Art viertklassige Rock-Ikone behandelt, weil ich doch immer dabei gewesen war, immer mit JC zusammen – so jedenfalls reden diese Schwachköpfe. Ich war zwischen einer Rock-Fantasie à la James Dean und einer Nostalgiewelle gefangen. Ich war ein Mann mit einer äußerst zweifelhaften Zukunft und der ziemlich schmutzigen Vergangenheit eines Typen aus der Rockgeneration, die den Bach runtergegangen war. Es war alles so unglaublich demütigend, wenn man einmal auf dem Gipfel gewesen ist, auch wenn es ein Gipfel voller Müll war. Und obwohl ich in der Hackordnung der postmodernen Rockstars tiefer und tiefer sank, beschwerte ich mich nicht: Ich hatte meine Gründe, um die Anonymität vorzuziehen. Und außerdem: Das waren die goldenen Tage gewesen, oder etwa nicht? Zumindest einige davon.

Wie auch immer – mehr als zehn Jahre lang trieb ich mich in Europa und auf einigen weniger bekannten und kaum lohnenswerten Kontinenten herum, hielt mich verborgen wie ein Ball im hohen Gras, wie Robert Ryan zu Dean Jagger in *Stadt in Angst* sagt. Ich hatte jede Menge Zeit für Filme und Bücher und müßiges In-den-Himmel-Starren. Irrtümlicherweise glaubte ich, meine Seele zu suchen, da ich nach den wilden Zeiten nach Erholung lechzte, nach all diesen wirren Rockträumen, über die alle damals so viel geschwafelt haben. Ich wurde älter, mein Haar wurde allmählich grau und ging büschelweise aus. Ich gewöhnte mich an den Anblick meines bartlosen Gesichts im Spiegel und meine zunehmend runderen Wangen. Fast konnte man sie schon Hängebacken nennen. Wenn frühere Bekannte mich auf den Straßen von Paris oder Brisbane oder Asunción sahen – damals durfte ich zur Abwechslung mal etwas *tun* und als Funker in einem Team mitarbeiten, das nach Martin Bormann suchte, aber das ist eine *ganz* andere Geschichte –, gingen sie an mir vorüber, ohne mich zu erkennen. Eine Zeit lang lebte ich in Paris, reiste ein wenig durch die Dordogne und die Toskana, versuchte mich sogar törichterweise in Körperertüchtigung und joggte durch den Bois de Boulogne. Einmal geriet ich mit ein paar besonders unerfreulichen, ordinären Schurken aneinander. Es ging um die Sache, die ich als den Großen Schwindel mit Jesus in den Anden bezeichne. Doch hauptsächlich ließ ich die Jahre an mir vorüberziehen. Ich sah zu, wie der Fluss der Zeit die alten Tage und viele meiner Sünden fortspülte – JC Tripper und seine Traveling Executioner's Band und die riesige Attrappe von einem elektrischen Stuhl sowie JCs endlose Reihe von Freundinnen – und nicht zuletzt diesen dummen August, der jahrelang an JCs Seite verharrte: mich. Mir gefiel dieses Gefühl, fortgetragen zu werden. Die Erinnerungen wurden unscharf, auch die Erinnerung an mein früheres Ich. Ich kam mir vor wie ein Schnappschuss, den man auf dem Fensterbrett in der

Sonne liegen gelassen hat und der mit der Zeit immer mehr verblasst. Gut so. Genau so wollte ich es haben. Und es war kein großer Verlust, das dürfen Sie mir glauben. Und dann schließlich war es an der Zeit heimzukehren.

Als ich endlich aus der großen Beziehungslosigkeit namens Ausland wiederkehrte, kreuzte ich den Weg einer gewissen Sally Feinman, einer Journalistin, die freiberuflich für verschiedene Magazine arbeitet. Als sie meinen Namen erfuhr, benahm sie sich, als wäre sie auf eine Goldader gestoßen. Nachdem sie einen Monat lang heftig auf mich eingeredet und ich ebenso heftig geatmet hatte, schrieb sie ihren berühmten Artikel für das *New York Magazine*: »Die letzte Reise des Traveling Executioner.«

Sally war von der dünn gesäten Spezies Mensch, der nicht den ganzen Erfolg allein einheimsen muss. Als sich das Verlagshaus Hawthorne und Hedrick an sie wandte mit dem Vorschlag, ein Buch über die letzten Tage von JC Tripper zu schreiben, erhob sie Einspruch und bestand darauf, dass ich der richtige Mann für das Projekt sei.

Ein Lektor namens Tony Fleming brachte die Sache ins Rollen. Er nahm Verbindung mit mir auf und wedelte mit dem Vertrag und einem Vorschuss in Höhe von 50.000 Dollar. Vielleicht nicht gerade eine fürstliche Summe, aber mir gefiel seine Art und die Tatsache, dass ich auf die Hälfte des Honorars nicht zu warten brauchte, denn der Scheck lag schon bei. Außerdem eine gewisse Summe für Spesen. Ich sollte die wahre Geschichte über JCs Tod in Tanger erzählen. Nun ja, hier war das Geld, und ich war damals dabei gewesen. Als Augenzeuge. Mehr oder weniger. Wahrscheinlich hatte ich einige bedeutsame Ereignisse nicht mitgekriegt, weil ich zu bekifft gewesen war, aber es hatte keinen Sinn, derartige Trivialitäten mit dem netten, großzügigen Tony zu diskutieren. Dann wäre sein Vertrauen in meine Person rapide geschwunden, und daran hatte ich wiederum kein Interesse.

Die Sache war die: Natürlich war mein Bruder damals in Tanger gestorben, aber Sie wissen ja, wie das mit diesen Rock-and-Roll-Ikonen ist. Er starb an einer Überdosis und einer in Bourbon ersäuften Leber und verheerenden Depressionen – »black dogs«, wie er sie frei nach Churchill zu nennen beliebte. Außerdem starb er an maßloser Verehrung, sexueller Hysterie und den Sorgen, die er sich wegen dieser Dinge machte. Er hörte einfach auf zu existieren; nur sein Image blieb bestehen, und da war letzten Endes nicht viel dran, wenn Sie meine Meinung hören wollen. Mein Bruder starb, nachdem er den größten Teil von dreißig oder vierzig Millionen durchgebracht hatte. Er starb an einem aufgeblähten, kranken Ego – ähnlich wie ein angeschlagener alter Boxer, der der irrigen Überzeugung anhängt, *einen* Kampf um den Meisterschaftstitel werde er noch schaffen.

Was diese Ikonen wie JC und Jim Morrison und Janis Joplin – und nicht zu vergessen der dickste Fisch von allen, Elvis – so besonders macht: Niemand will einsehen, dass sie *wirklich tot* sind. Sie sind unwiderruflich weg vom Fenster; nie mehr werden sie ins Scheinwerferlicht treten und ihre Gitarren malträtieren, nie mehr werden sie schluchzen und tanzen, nie mehr schwitzen und schreien. Ihr Tod ist der Tod von Jugend und Hoffnung, der Tod all dessen, was sie in der Vorstellung ihrer kleingeistigen, unfertigen, hormongesteuerten Fans geworden sind. Verdammt, eigentlich sollten sie unsterblich sein … obwohl die meisten von ihnen in Wahrheit selbstzerstörerische, eigensüchtige Arschlöcher waren, die gerade noch zur rechten Zeit den Löffel abgaben. Zumindest einige von ihnen.

Das Gerücht, dass JC Tripper überlebt hätte, sein vorgetäuschter Tod in einem rückständigen Winkel der Welt, wo man jeden Beamten schmieren kann, um den Totenschein zu bekommen, sein angebliches Untertauchen, weil er den Druck nicht mehr aushalten konnte und was nicht alles ... War an diesen Gerüchten irgendetwas dran? Oder war er tatsächlich tot? All diese Leute, die in The Four Seasons und Mortimer's und Area herumsaßen und einander wissende Blicke zuwarfen, wenn JC erwähnt wurde ... Jeder wusste, dass in dieser Geschichte ein lohnendes Buch steckte. Und Tony Fleming bezahlte mich dafür, dieses Buch zu schreiben.

Ich tat, was jeder in meiner Lage getan hätte: Ich nahm das Geld, reiste auf Spesen in der Weltgeschichte herum, von Tanger zum Moon Club in Zürich und wieder zurück, überprüfte meine alten Tagebuchaufzeichnungen und versuchte den Job zu machen – oder wenigstens den Eindruck zu erwecken. Ich berichtete Fleming, dass ich die verrückten letzten Jahre von JCs Leben durchgespielt hätte und nun zu der Überzeugung gekommen sei, dass mein Bruder – wie ich ihm bereits mitgeteilt hatte – tot war und seine Asche vor mindestens tausend Jahren über die marokkanische Wüste verstreut wurde.

JC war nach Meinung vieler Leute einer der Größten der Rockära gewesen. Vielleicht aber auch nicht. Doch was spielte es schon für eine Rolle, ob das stimmte oder nicht? Jedenfalls schrieb ich das Buch und führte den Leser durch diese Zeit, durch die Endrunde der ersten großen Rockära. Tony Fleming kriegte schon was für sein Geld.

Während ich in New York über dem Buch brütete, schrieb Sally Feinman eine Story für das *Sunday Times Magazine*, und zwar über mich, über meine Suche nach der Wahrheit. Es war eine tolle Werbung, und Tony gab der Story den Titel: *Er rockt sich zu Tode – JC Trippers Zeit in Tanger*. Die Hardcoverausgabe verkaufte sich über hunderttausend Mal und stieg bei Auktionen im Wert; die nachfolgenden Rechte am Taschenbuch brachten 700.000 ein, und MagnaFilms erwarb die Filmrechte für 450.000. Sie zahlten Sally Feinman hunderttausend für das Urheberrecht ihrer beiden Storys, damit sie nur ja nicht in andere Hände gelangten, und weil ich ihnen verklickert hatte, dass der Deal mit mir vom Deal mit ihr abhinge. So war fast über Nacht eine mittlere JC-Tripper-Vermarktung entstanden.

Und MagnaDisc brachte seine Musik auf LP, CD und Kassette heraus, mit einem wirklich fetzigen Cover. Als JCs einziger Erbe kassierte ich natürlich auch an dieser Front ab. Die beiden ersten Alben, die auf CD erschienen – *Fried Psychos* und *Defective Wiring* – schossen sofort an die Spitze der Charts. Eine wahre Goldgrube, meine Freunde. Und es sollten noch dreizehn Alben kommen. Recycling ist das Gold der Zukunft.

Natürlich war nicht alles eitel Sonnenschein, wie Somerset Maugham einst bemerkte. Lassen Sie mich ein Beispiel nennen. Der Kritiker der *Time* handelte mein Buch in ein paar kurzen, abwertenden Paragrafen ab; er nahm Ihren ergebenen Diener so richtig aufs Korn. Nannte mich ein »Mitleid erregendes Überbleibsel einer drogenverseuchten, sexbesessenen Subkultur, deren Einfluss eine ganze Generation daran hinderte, sich zu gewissenhaften, verantwortungsvollen Erwachsenen zu entwickeln«. Das klang mir ganz so, als habe er mein Buch wirklich gelesen und verstanden, worauf ich hinauswollte. Ich war ein trauriger Schwachkopf, der von der heldenhaften Vergangenheit seines berühmten Bruders lebte, und so weiter, und so fort. Unsere Generation lud aber auch förmlich zur Kritik ein, finden Sie nicht? Wer waren denn die Überlebenden? Eine Horde graubärtiger Ex-Hippies, die noch nicht ganz mitgekriegt hatten, dass der Zug abgefahren war. Und der Rest war in die alles verschlingende Politik abgewandert, kleidete sich zuweilen in die alten Jeans und T-Shirts und träumte von alten Zeiten. Wenn ich aber mal gründlich nachdenke, bin ich unsicher, ob eine Horde rotznäsiger, postadoleszenter und moralisch verkümmerter Masters of the Universe, die im Dienste multinationaler Unternehmen Verbrechen begehen, mit Erpressermethoden Firmen aufkaufen und wertlose Aktien verticken, einen so großen Fortschritt auf der Leiter der Evolution darstellen. Diese kleinen Gierhälse würden ihre eigene Großmutter verkaufen, um die nächste Rate für die neue Eigentumswohnung oder den BMW zu bezahlen. Aber was reg ich mich auf ... Etwas besonders Originelles hab ich dazu sowieso nicht zu sagen. Und welche Generation steht nach genauerer Betrachtung wirklich gut da? Wir sind doch alle nur verwirrte Fahrgäste in der U-Bahn, ob gestern, heute oder übermorgen, und drehen uns im Kreis.

Also, zurück zu dem Tag, an dem es begann.

Ich traf diese Frau, Heidi Dillinger. Eine der ältesten und treu befolgten Regeln des Filmemachens besagt, dass Menschen sich in einer »witzigen Situation« kennen lernen sollen. Somit hätten Heidi und ich glatt in einem Film mitspielen können – auf welche Weise wir uns kennen lernten, war schon ziemlich witzig. Es hielt nicht lang, aber es war witzig.

Ich verließ meine Wohnung mit der vagen Vorstellung, erst mal bei Dunhill und J&R ein paar Zigarren zu besorgen, dann bei Scribner's in Büchern zu wühlen – und nebenbei zu schauen, wie es mit dem Nachschub meines Werks bestellt war, das sich neun Monate nach Erscheinen immer noch gut verkaufte, dank dem guten alten JC. Dann wollte ich noch beim Ausstatter Paul Stuart vorbeischauen, um einen Blick auf die neueste Mode für coole Typen zu werfen.

Damit konnte ich meine Zeit locker bis zum Nachmittag hinbringen. Dann wollte ich mich auf die schattige Seite der Fifth Avenue begeben, vielleicht eine Stunde oder so spazieren gehen und mich zur rechten Zeit in Sallys Loft in Soho einfinden. Erst mal einen Cocktail bei ihr nehmen, dann vielleicht zum Dinner in einen etwas ärgerlichen Schuppen namens Raoul's, wo wir vermutlich die einzigen Gäste sein würden, die nicht Französisch plapperten. Die Leute glauben, Raoul's sei immer noch der In-Schuppen für gepflegtes europäisches Futter, aber eigentlich sind die meisten inzwischen zur Küche Indochinas gegenüber von Joe Papp's abgewandert. Wie sich herausstellte, sollten Sally und ich es nicht zu Raoul's schaffen, aber jetzt habe ich ein wenig vorgegriffen. Nichts lief an dem Tag so, wie es sollte, und zwar ab dem Zeitpunkt, als ich auf der Fifth Avenue in Höhe von Nummer 666 auf Mellow Yellow stieß.

Mellow Yellow war ein behänder junger Mann von schwarzer Hautfarbe, ungefähr eins fünfundneunzig groß und einen Meter zwanzig breit; er wog um die dreihundertfünfzig Pfund und könnte mit dem Begriff »beinhart« gekennzeichnet werden. Er trug meistens ein gelbes T-Shirt mit der Aufschrift MELLOW YELLOW auf der Brust, die aussah wie zwei aufgeblähte Säcke mit nassem Zement. Zusammen mit seinen fünf Kumpeln betrieb er das Kümmelblättchenspiel auf der Fifth und der Sixth Avenue sowie auf der Fortysecond Street zwischen der Sixth und Broadway. Auf seine Art war er eine Touristenattraktion wie die Freiheitsstatue, nur größer. Mit den Cops der Gegend hatte er ein Abkommen, und sie zogen ihn nur einmal am Tag von einem seiner bevorzugten Plätze ab. Somit nahmen Mellow und seine lustige Bande täglich um die zweitausendfünfhundert Dollar ein. Als ich anhielt, kam er gerade auf Touren, lockte die Touristen mit seinen Sprüchen, mit seiner unglaublichen Fingerfertigkeit.

Es war wahrlich eine Show, und der Preis war gerechtfertigt. Mellow, fand ich, war vielleicht der einzige Mensch in Amerika, der nach seinen Fähigkeiten bezahlt wurde.

Ich kannte mal einen Mann in Zürich, der behauptete, die simpelsten Tricks seien die besten und beruhten auf nichts anderem als den Grundlagen der Psychologie und hoch entwickelter Geschicklichkeit. Der Trickbetrüger kann eine derartige Fertigkeit erreichen, dass er mit nahezu absoluter Sicherheit auf sich selber wetten kann. Außerdem gehört zum Handwerk, die Provinzler zu überreden, dass sie dir unbedingt ihr Geld geben wollen. Mellow hatte das begnadete Talent, an sich selbst zu glauben, und da er niemals verlor, musste er wohl einen inneren Frieden gefunden haben, um den man ihn nur beneiden konnte.

Ihn bei der Arbeit zu beobachten war ein bisschen so wie einem berühmten Jazzpianisten zuzuschauen. Seine großen schwarzen Finger bewegten sich in einer Art Zen-Trance, ganz ihrer Aufgabe hingegeben, als erinnerten sich die Muskeln noch an das vererbte Wissen der Mississippi-Bootsleute in den Jahren vor dem Bürgerkrieg. Mellow benutzte zwei Pikkarten und eine Karokarte, die er aus einem Binokelspiel zog. In einer fließenden Bewegung schob er diese Karten vor und zurück, wobei er ständig die Hände überkreuzte. Jede Karte war an der gleichen Stelle geknickt, aber heute hatte die Karokarte in der einen Ecke einen Extrakniff, und auch der Allerdümmste hätte sie unter den dreien erkannt. Nur ein Blinder nicht – und genau das war natürlich der Trick.

Mellow spielte vor einer bunt zusammengewürfelten Menge aus zwanzig bis dreißig Passanten. Seine Strohmänner hatten sich strategisch zwischen den Zuschauern verteilt. Es war ein heißer Tag, und er hatte seinen Stand im Schatten der Arkade aufgebaut. An solchen Tagen bot er manchmal Gratislimonade an – er war wirklich ein Geschäftsmann, der Donald Trump der Straße. Und es war ja auch dieselbe Straße: die Fifth Avenue.

Ich hatte bereits fünf oder zehn Minuten zugeschaut, als mir eine Frau auffiel, die neben mir stand. Sie war groß und betrachtete Mellows Spiel mit geneigtem Kopf. Mir widmete sie nicht die geringste Aufmerksamkeit, folglich hatte ich Muße, sie in aller Ruhe zu betrachten. Eins dreiundsiebzig bis eins fünfundsiebzig groß, kurz geschnittenes blondes Haar, das zwei kleine, perfekt geformte Ohren frei ließ, und ein langer, schlanker Hals. Im Nacken lief das Haar zu einer Spitze zusammen. Ein ovales Gesicht, leicht gerundet in Höhe der Wangenknochen, blasse Augenbrauen, kurze, gerade Nase, eine flache Stirn, ungewöhnliche blassbraune Augen, ein breiter Mund mit dünnen, geraden Lippen, die sich zu einem höhnischen Grinsen verzogen hatten. Die Frau trug ein blaues ärmelloses Sommerkleid mit weißen Paspeln und eine Kette mit weißen holzartigen Kugeln, die ihre Sonnenbräune betonten. Blau-weiße Pumps. Armband passend zur Kette. Die braun-schwarze Aktentasche war ein Markenprodukt, das schätzungsweise tausend Dollar gekostet haben mochte. Diese Frau gehörte zweifellos zum Management; sie machte keine kurzlebigen Modetrends mit. Ein Ausbund an Effizienz; wahrscheinlich hatte sie schon längst vergessen, was Privatleben oder die Beziehung zu einem anderen menschlichen Wesen bedeuteten. Sie war sehr hübsch, doch auf den ersten Blick konnte ich nichts besonders Anziehendes an ihr entdecken. Alles an ihr schien zu sagen: *Wage es ja nicht, sonst wirst du sehen, was du davon hast ...* Diese Frau war der leibhaftige Fehdehandschuh, eine Fleisch gewordene Herausforderung. Wenn sie eine Schwäche hatte, dann vielleicht das Spiel. Sie war genau das passende Opfer für einen Kerl wie Mellow. Ein Blick auf diese Frau, und er würde sich die Lippen lecken: Sie war so gut wie Geld auf der Bank. Und dabei hielt sie sich für die Klassenbeste.

Mellows Spiel entwickelte sich programmgemäß.

Drei von Mellows Kobeträgern tippten hintereinander auf die falsche Karte – jedem in der Menge war klar, wo die Karokarte liegen musste. Für diese Lockvögel hätte es beim Film einen Preis gegeben. Ein geschniegelter Yuppie im Dreiteiler, Mitte zwanzig, mit einem Vuitton-Aktenkoffer unter dem Arm, sah aus, als wäre er auf dem Weg zu einem erlesenen Lunch, bevor er zurück in die Wall Street eilen musste. Ein anderer war der klassische Tourist aus der Provinz: Frotteepolohemd, flotte Karo-Bermudas, schwarze Kniestrümpfe und Ledersandalen. Die weibliche Komplizin war hispanischer Herkunft, hatte ein intelligentes Gesicht mit großen, schönen Augen und trug eine Baumwollbluse sowie hauteng Designerjeans aus der Fourteenth Street. Ihre Füße steckten in mittelhohen Espadrilles, die Zehennägel waren leuchtend rot lackiert. Eine lederne Schultertasche vervollständigte das Bild. Die drei schafften es, in fünf Minuten ein paar hundert Dollar zu *verlieren*; natürlich fühlten sich die übrigen Zuschauer diesen drei Idioten überlegen und stöhnten jedes Mal, wenn einer auf die falsche Karte tippte. Schließlich brachte Mellow ein paar Sprüche von wegen »einem Baby seinen Schnuller wegnehmen« und nahm einen vierten Mitspieler dazu. Nun ging der Betrug erst richtig los, immer rascher wurden die Karten hin und her geschoben. Und immer noch war der verräterische Knick in der Karokarte.

Vierzig Dollar Einsatz lagen auf dem Tisch.

Aber die rote Karokarte war ein Pik.

Achtzig Dollar Einsatz.

Doch jetzt war die rote Karokarte das andere Pik.

Das war das Problem. Nichts war so, wie es zu sein schien.

Die Frau neben mir kicherte belustigt, dann drehte sie sich zu mir und schüttelte ihren hübschen kleinen Kopf. Kein Härchen verschob sich. »Die Leute sind ja so dumm.« Sie hatte eine tiefe Stimme.

»Also, Mellow ist schon ein richtiger Künstler. Auf seine Art sogar ein Genie.«

»Sie missbrauchen die Sprache«, lautete ihre Entgegnung.

»Es ist keine wichtige Kunst, aber dennoch eine Kunst.«

»Sie sind wohl ein Romantiker. Er ist ein Mistkerl, der es in einem Scheißspiel zu einer gewissen Meisterschaft gebracht hat. Jeder, der einigermaßen Grips besitzt, kann ihm das Genick brechen.« Sie hatte eindeutig keine Geduld mit diesem dämlichen Spiel.

»Ich habe einen vollständigen Grips«, gab ich zu bedenken. »Die volle Besetzung. Und ich hätte gegen diesen Mellow keine Chance.« Ich ließ mein verwittertes, jungenhaftes Grinsen aufblitzen. »Und Sie, wenn ich hinzufügen darf, auch nicht.«

Sie richtete den Blick ihrer blassbraunen Augen auf mich. Ihrer Miene war nichts zu entnehmen. »Das meinen Sie hoffentlich nicht ernst!«

»Ich sag Ihnen was, wir können ja wetten. Ich wette um eine Einladung zum Lunch, dass Sie es nicht schaffen.«

Sie warf einen Blick auf ihre goldene Rolex, dann schaute sie wieder mich an. »Es kommt mir vor, als würde ich Sie kennen. Sind Sie vielleicht so ein stadtbekannter Loser?«

Ich zuckte die Achseln. »Wird Sie einen Lunch kosten, das rauszufinden.«

Wieder schaute sie auf die Uhr, dann holte sie ein paar Zwanziger aus ihrem Kroko-Filofax. Drängte sich durch die Menge nach vorn und wedelte mit den Scheinen vor Mellows Nase herum. Der grinste so breit, dass man sämtliche Goldzähne sah. Das Hin-und-her-Geschiebe begann, die Karten suchten ihren Platz. Die Frau legte den Kopf zur Seite und betrachtete in aller Gemütsruhe Mellows Hände, während ein winziges Lächeln ihre Mundwinkel umspielte. Auf ihrer Oberlippe standen winzige Schweißperlen. Und das machte mich an.

Die Karten lagen. Sofort, als hätte sie gar nicht hingeschaut, als hätte sie jegliches Interesse am Spiel verloren, zeigte sie auf eine. Nur der Schatten einer Überraschung glitt über Mellows breites Gesicht.

Er drehte sie um. Es war die Karokarte.

»Noch einmal«, verlangte sie. »Ich möchte doch nicht glauben, dass Sie mich extra gewinnen lassen. Würde mich interessieren, wie ausgekocht Sie wirklich sind, Mellow. Ich bin Ihr Test, der Mensch, den Sie niemals treffen wollten.«

Mellow grinste, und sie gewann ein zweites Mal und noch ein drittes Mal. Sie sammelte das Geld ein und stopfte es in ihr Filofax. Mellow starrte sie nur gelassen an, weder wütend noch besiegt, einfach nur erleichtert, dass sie endlich von der Bildfläche verschwand. Am Ende war es sogar gut für sein Geschäft, könnte ich mir vorstellen. Alle seine Zuschauer glaubten nun, wenn diese heiße Braut das konnte, könnten sie es auch – aber das konnten sie eben nicht.

Wieder schaute sie auf ihre Uhr.

»Es sollte ein Gesetz geben gegen Leute wie mich«, lautete ihr Kommentar. »Nun müssen Sie mich einladen. Ein Dummkopf und sein Geld ... und Ausreden lasse ich nicht gelten. Mellow hat ja nicht gewusst, dass ich ihm seinen fetten schwarzen Arsch versohlen werde ... Sie, mein Freund, hingegen schon.«

»Ach ja?«

»Ich hab's Ihnen doch vorausgesagt. Und ich lüge nie.«

»Mich interessiert das Spiel«, sagte sie. »In jeder Form.« Sie nahm einen Schluck aus dem schlanken Glas Eistee. Über unseren Köpfen flatterten die gelben Sonnenschirme. Überall waren Blumen. Wasser plätscherte unter dem goldenen Standbild des Prometheus, der über die Caféterrasse des Rock Center schaute. Aus den Lautsprechern rieselte Musik. Hunderte von Touristen lehnten am Geländer und starrten auf das gelbe Meer hinunter, ein Feld voller Gänseblümchen. »Heute zum Beispiel ist der hundertsoundsovielte Todestag von Wild Bill Hickock. Als er in Deadwood in South Dakota am Pokertisch saß, hat ihm ein Kerl in den Rücken geschossen. Er hielt gerade zwei Paare in der Hand, Asse und Achten. Seither nennt man dieses Blatt die ›Hand des Toten Mannes‹.« Sie lächelte mich an, doch ihre Augen blieben distanziert, kühl und vorwurfsvoll. »Sie wirken auf mich wie ein Mann, dem die Hoffnung nie ausgeht. Sie versuchen immer, die fehlenden Karten zu einem Straight Flush zu erwischen und können von Glück sagen, wenn Ihnen das fünfmal im Leben gelingt.«

»Wie haben Sie das mit Mellow hingekriegt?«

»Ich kenne den Trick. Eigentlich ist es kein richtiges Spiel. Mellow geht kein Risiko ein, er darf nicht verlieren. Es ist kein Sport, es ist sein Geschäft. Wenn ich mich an einem Glücksspiel beteilige, versuche ich mögliche Risiken so weit es geht auszuschalten. Mellow tut das auch. Es ist eine Investition. Ich verliere nicht gern. Warum auch?«

»Wie haben Sie's gemacht?«

»Es geht um seine rechte Hand. Er kann zuerst die obere oder die untere Karte abwerfen. Wenn er den Trick vorbereitet und alles ganz einfach aussehen soll, wirft er zuerst die obere Karte ab, dann die untere. Die obere – das hat er beim ersten Mal gezeigt – ist die Karokarte. Die Leute konzentrieren sich darauf. Aber wenn er's auf die Börsen seiner Opfer abgesehen hat, ist die obere eben nicht die Karokarte ...«

»Aber was ist dann mit dem Knick in der Karokarte?«, wandte ich naiv ein. Sie schien wirklich Bescheid zu wissen.

»Oh, Mellow macht seine Sache gut. Er hat den Knick aus der Karokarte entfernt und dafür ein Pik geknickt, und zwar so blitzschnell, dass kein Mensch es mitkriegen konnte. Aber als er die Karten ablegte, war eines ganz gewiss – die Karokarte würde keinen Knick haben.« Langsam fuhr sie mit der Zungenspitze um ihre Lippen. »Verstehen Sie, die Leute werden gefesselt. Sie wollen unbedingt gewinnen, und in ihrer Aufregung vergessen sie, dem Trickbetrüger genügend Grips und Geschicklichkeit zuzutrauen. Ich hingegen lasse mich nicht fesseln und würde keinen Menschen unterschätzen.«

Es war ja so *heiß*. Wir bestellten, und ich ruckte nervös in meinem verschwitzten Leinenanzug auf dem Stuhl. Die Falten des Anzugs saßen so, wie sie sitzen sollten, nämlich für ungefähr fünfundachtzig Dollar pro Falte. Dazu trug ich ein Hemd mit lavendelfarbenen Streifen, eine große, schlaffe, limettengrüne Fliege, ein lavendelfarbenes Taschentuch in der Brusttasche und schokoladenbraune Kalbslederschuhe. Und alles fühlte sich feucht an. Sie hingegen war übernatürlich kühl und trocken, perfekt in Form. Das machte mich verrückt.

»Wie heißen Sie?«, fragte ich, um auf den Punkt zu kommen.

»Dillinger.« Wieder ein Lächeln, ein winziges Lächeln. Sie schäkerte.

»Demnach fließt das Blut des verstorbenen Volksfeindes Nummer eins in Ihren Adern?«

»Könnte gut sein. Ich bin schon nach Greencastle in Indiana gepilgert.«

»Ach ja?«

»Da ist das Gefängnis, aus dem John Dillinger mit einer Pistole ausbrach, die er aus einem Stück Seife geschnitzt und mit Schuhcreme schwarz gefärbt hatte. Gefällt mir an dem Mann.«

»Was?«

»Dass er wagemutig ist. Sich keinen Deut um die Risiken schert.«

»Aber Sie versuchen immer, die Risiken für sich auszuschalten?«

»Ich rede jetzt nicht über mich. Ich rede über Männer. Wagemut bei Männern finde ich toll. Köpfchen ist nicht so wichtig. Ich habe Köpfchen. Mein Vorname ist Heidi. Sie haben doch bestimmt auch einen Namen?«

»Lee Tripper.«

»Aaach«, sagte sie langsam. »Tripper. Sie kamen mir doch gleich bekannt vor – ich habe nämlich das Buch über Ihren Bruder gelesen. Was für ein Arschloch! Jetzt sehe ich die Ähnlichkeit. Ist er wirklich tot?« Lachend schüttelte sie den Kopf. »Nein, vergessen Sie's. Das müssen Sie sich wahrscheinlich ständig anhören. Sie sind also Bruder von Beruf ...«

»Das ist aber taktlos, Miss Dillinger. Sie haben mich verletzt.«

»Ach, lassen Sie doch den Schmus. Sie können viel mehr vertragen. Müssen sich doch nicht wegen Heidis Geschwätz in die Hose machen!«

»Was tut eine Frau wie Sie für ihren Lebensunterhalt?«

Anmutig aß sie einen Bissen Geflügelsalat und tupfte sich den Mund mit der Serviette ab. »Ehrlich gesagt bin ich ein Anhängsel der schreibenden Zunft. Eine Ein-Frau-Tochterfirma, die sich auf Recherche spezialisiert hat.«

»Und wem gehört die Firma?«

»ABC. Nein, nicht der Sender. *Meine* ABC ist die Allan Bechtol Corporation.«

Alles, was sie sagte, erregte unbedingte Aufmerksamkeit. Allan Bechtol ist ein weltbekannter Bestsellerautor – meiner Meinung nach sind seine Romane unlesbar, aber er hat noch nicht gemerkt, dass ich sie nicht mehr kaufe. Er lebt sehr zurückgezogen und schreibt derart umfangreiche Thriller, dass man sie glatt nach Gewicht verkaufen könnte. In jedem seiner Romane steckt eine Menge Information, und wenn man so einen verdammten Schinken durchgeackert hat – auch wenn die Handlung vielleicht keinen besonderen Sinn ergibt –, hat man immerhin das Gefühl, etwas gelernt zu haben. Zum Beispiel hat er ein Buch über Computerhacker und Computerviren geschrieben, und das Wochenmagazin *People* brachte einen Artikel darüber, wie es den Verkauf von Heimcomputern angekurbelt hatte. Einmal hat er ein Werk verbrochen, das in einem Nationalpark spielte. Ein verfolgter russischer Spion hatte mitten unter kranken Bären Zuflucht gefunden. Bei diesem Schinken war wirklich nach siebenhundertfünfzig Seiten der Lack ab. Aber das ganze Land war danach verrückt nach Bären. Also war es die sorgfältige Recherche, die Bechtols Bücher zu etwas Besonderem machten. Und verantwortlich dafür war Heidi Dillinger. In der Presse hieß es, Bechtols Vorschuss für einen neuen Roman betrage neuerdings fast fünf Millionen Dollar.

»Sie müssen ja eine ganz nette Entschädigung für Ihre Mühe erhalten«, bemerkte ich. »Ohne die Früchte Ihrer Arbeit müsste er seine Leser bezahlen, damit sie sich den Scheiß überhaupt antun.«

»Ich komme ganz gut zurecht, aber Sie blicken natürlich hinter die Kulissen. Also komme ich doch nicht ganz so gut zurecht. Dass ich meinerseits Bechtol besäße, wäre wirklich die bessere Lösung. Da nehme ich kein Blatt vor den Mund.«

»Allerdings nur hinter Bechtols Rücken.«

Sie lachte mir ins Gesicht. »Glauben Sie etwa, ich hätte ihm das noch nicht gesagt? Machen Sie sich doch nichts vor. Sie sind wirklich ein Romantiker. Sich selber was vormachen – das ist Ihr Stil.«

»Sind Sie in voller Lebensgröße Bechtols Braue entsprungen oder haben Sie auch vorher schon was getan?«

»Also, erfunden hat er mich nicht. Nach der Uni arbeitete ich als Computer-Ass, und plötzlich fiel mir auf, dass alle um mich herum absolute Computerfreaks waren und ich nur ein paar Hunderttausend im Jahr verdiente. Damals machte ich eine Therapie. Die Frau sagte mir, ich sei ein ›Menschentyp‹. Zwei Dinge geschahen. Erstens ging mir auf, dass ich meine geheimsten Gedanken, Ängste, Hoffnungen und Träume keinesfalls einer Frau erzählen konnte, die Begriffe wie ›Menschentyp‹ in den Mund nahm. Aber ich erkannte auch, dass sie in gewisser Weise Recht hatte. Computer waren wirklich nicht mein Lebensinhalt, und ich hatte nichts gegen Menschen ... vorausgesetzt, sie wuschen sich täglich und dergleichen. Also sagte ich dem Computerbusiness und meiner Therapeutin Lebewohl, nahm mit Bechtol Kontakt auf und blendete ihn mit meinem Grips und – in geringerem Maße – mit meinem Aussehen. Das war vor vier Jahren. Jetzt bin ich einunddreißig.« Wieder schaute sie auf die Uhr. »Ich muss jetzt wirklich los. Hat Ihnen unser kleiner Schwatz gefallen, Mr Tripper?«

»Ich glaube schon.«

»Eine kluge Antwort. Nicht unbedingt schüchtern. Ich neige dazu, Menschen einzuschüchtern, und ich geb auch zu, dass es mir Spaß macht. Sie können gut zuhören – das gefällt mir bei einem Mann. Sie werden es vielleicht nicht glauben, aber ich spreche selten über mich. Heute war wohl der Tag dafür. Hat vielleicht etwas mit meinen Tagen zu tun. Wäre es nicht nett, wenn wir uns wieder treffen – und Sie können in aller Ruhe entscheiden, ob Ihnen meine Gesellschaft zusagt. Wie wär's mit Dinner morgen Abend?«

»Sollten Sie nicht lieber in Ihrem Filofax nachsehen? Vielleicht haben Sie morgen Abend eine Wachsbehandlung?«

»Hab ich bereits. Geben Sie mir Ihre Nummer, und ich ruf Sie an und sag Ihnen Zeitpunkt und Restaurant. Ist übrigens meine Einladung. Sie haben doch einen Anrufbeantworter.«

»Aber ja. Bin technisch total auf dem neuesten Stand.«

»Das möchte ich bezweifeln.« Sie schob ihren Stuhl zurück und war aufgestanden, bevor ich mich rühren konnte. »Mr Tripper, Sie sind wirklich sehr, sehr locker und ...«

»Das gefällt Ihnen an einem Mann.«

Sie tätschelte meinen Arm. »Ich ruf Sie morgen an. Stehen Sie nicht auf. Essen Sie in Ruhe zu Ende. Sie sehen aus wie ein Mitglied im Iss-deinen-Teller-auf-Club.«

Und weg war sie. Ein wirklich witziges Kennenlernen.

Und ich fragte mich, ob ich sie angebaggert hatte oder sie mich.

2.

Später am Nachmittag stieg das Thermometer auf siebenunddreißig Grad. Selbst auf der Schattenseite der Fifth war es zu heiß zum Leben, vom Spazieren ganz zu schweigen. Auch die Chance, ein Taxi mit Klimaanlage zu erwischen, war zu gering, als dass es den Aufwand des Winkens gerechtfertigt hätte. Deshalb ging ich zu Fuß und versuchte jedes kühle Lüftchen zu erhaschen. Ich schlenderte über den Washington Square, wo der Triumphbogen in der Sonne kochte und Hitzewellen aussandte, die man auf der Haut spürte. Es war wie in einem dieser Furcht einflößenden Filme mit einer Atombombenexplosion. Eine Ein-Mann-Steelband hämmerte vor sich hin und läutete das Ende der uns bekannten Zivilisation ein, und ein paar Skater zuckelten lustlos um den Brunnen. Mehr war nicht los. Alle anderen dämmerten vor sich hin.

Auf der Houston Street war der Kühlerverschlussdeckel eines T-Bird abgesprungen und halb durch die Motorhaube gestoßen; das Ding sah aus wie ein Igel, der nach Schatten sucht. Ich war Augenzeuge, als der Deckel hochflog. *Flupp – peng, klonk*. Der Fahrer fuhr einfach an den Bürgersteig, hielt neben einem Jungunternehmer, der die Menschenmassen mit Crack versorgte, und sackte über seinem Lenkrad zusammen. Ein gebrochener Mensch, der seine hübsche Wohnung in Jersey vielleicht nie mehr sehen würde. Inzwischen hatte ich mein Jackett ausgezogen und lässig über die Schulter gehängt, und meine Schuhe klebten förmlich an Pflaster und Bürgersteig. Es war der reinste Kampf. Das Einzige, das mich aufrecht hielt, war die Aussicht auf Sallys sagenhaft große Klimaanlage, die sie in ihrem Loft auf der Prince Street installiert hatte. So was mag ich an einer Frau.

Ich musste immer noch an Heidi Dillinger denken. Sie hatte mehr über sich erzählt, als bei einer Frau ihres Typs zu erwarten war, doch wie sie zugegeben hatte, war sie zum Reden aufgelegt gewesen – oder es lag doch an ihrer Periode. Doch ihr Gesicht, besonders die blassen milchkaffeebraunen Augen, verriet nichts, sondern schien stets einen Punktestand aufzuzeichnen und alle möglichen Faktoren zu berechnen. Sie war nicht der Typ, der sich abschleppen ließ. Aber vielleicht hatte sie es ja gerade darauf angelegt.

Sally Feinman war das genaue Gegenteil. Geboren und aufgewachsen in Brooklyn als Tochter ehrbarer Sympathisanten, die der Kommunistenhatz in den Fünfzigern zum Opfer fielen, reifte sie in den Sechzigern zum Teenager heran und blieb einer. Ihr Bewusstsein war durch drittklassigen Shit geschult worden, durch politisch motivierte Attentate, durch die Beatles und die Stones, durch Leichenzählungen in Vietnam, durch die Verbrennung von BHs und Einberufungsbefehlen, durch Bürgermeister Daley und den Chicagoer Sommer von 1968, durch Bürgerrechtsdemos in Alabama, durch die Brutalität der Polizei und durch Geschlechtsverkehr als Grundlage der Verständigung. Sally sah immer sehr intensiv aus, sehr hingebungsvoll, sie war witzig und ironisch und ernst. Wenn sie zwei etablierte Politiker zusammen reden sah, witterte sie stets eine neue Verschwörung. Sie sah aus, als hätte sie in den Sechzigern einen Dauer-Afro verpasst bekommen und ihn nicht mehr auswaschen können. Sally war klein und stämmig und sexy, und obwohl wir nie eine ausgesprochene Affäre hatten, genossen wir auf jeden Fall das, was jeder Mensch mit Verstand Sex nennen würde. Sally liebte Sex. Sie fühlte sich wohl, hatte Vertrauen und war überzeugt, dass alle Menschen eines Tages mit einem Lächeln auf den Lippen erwachen würden. Am Tag unseres Kennenlernens gingen wir tatsächlich mit einem Lächeln zu Bett. Aber es wurde nicht einmal eine Affäre, und wir waren nicht verliebt. Ich nahm die Dinge nicht ernst genug, wollte mich nirgends engagieren, und das gefiel Sally nicht. Ich tat ihr meine Meinung über die Yankees kund, doch sie sagte, Baseball zähle nicht. Aber wir machten Liebe. Wie in den Sechzigern. Dagegen konnten wir nichts machen. Es steckte in unseren Genen.

Heidi Dillinger hätte das nicht verstanden. Sie hätte uns für Schwachköpfe gehalten, die ihr Potenzial nicht ausschöpften. Doch wir alle waren Kinder unserer Zeit, ob man nun Heidi nahm mit ihrer kühl kalkulierenden Distanz, mich, den relaxten Ex-Junkie, oder Sally, die stets die Last der ganzen Welt auf den Schultern trug. Wir waren, was wir waren. Und der Abgrund zwischen mir und Heidi schien unglaublich breit, unmöglich zu überbrücken. Vielleicht sollte ich bald herausfinden, ob wir einander etwas bedeuten konnten. Denn manche Dinge ändern sich nie, selbst für eine Frau wie Heidi Dillinger nicht.

Ich musste sie aus meinen Gedanken verbannen. Jetzt schon dachte ich zu viel an sie. Das hat man von einem witzigen Kennenlernen. Alles gerät plötzlich aus den Fugen, weil es so unvorhergesehen ist. Eine Heidi Dillinger kann dich mit ihrer netten kleinen Persönlichkeit einfangen, weil sie so voller reizvoller Widersprüche ist, während wahrhaft wertvolle Menschen wie Sally vom Zug gestoßen werden.

Na, heute Abend jedenfalls nicht.

Ich weiß, wer meine Freunde sind.

Die Haustür war nur ein dürftiger, mit abblätternder grüner Farbe gestrichener Schutz gegen die feindliche Welt der Straße. In die Tür eingesetzt war eine mit Maschendraht bespannte Glasscheibe; darüber sorgte ein Eisenbolzen für die Verriegelung. Die Tür stand einen Spaltbreit offen, was nicht gerade zur Sicherheit der Hausbewohner beitrug. Jeder Amokläufer konnte hier unbemerkt eindringen und seinen Frust über teure Eigentumswohnungen mit einem Hackebeil loswerden. Das Treppenhaus war düster und wurde lediglich von einem schmierigen Oberlicht im vierten Stock erhellt. Der Frachtaufzug war durch ein Vorhängeschloss gesichert. Im Haus wohnten ein paar Künstler, ein Bildhauer, der mit Neonröhren arbeitete, ein Ehepaar, das Schmuck herstellte, und Sally. Sally hatte meistens eine Taschenlampe dabei, um im Dunkeln durchs Treppenhaus zu gehen, dazu Pfefferspray, eine Trillerpfeife und ein Klappmesser, mit dem man einen Büffel hätte kastrieren können. Und das hier war Soho, nicht irgendein Slum. Dies war Sallys Loft, für das sie mehrere hunderttausend Dollar hingeblättert hatte. Und so spielte es sich ab.

Ich hatte die Hälfte der Treppe zum zweiten Stock zurückgelegt, als ich in der Düsternis über mir ein Geräusch vernahm. Ich blickte hoch – und die Schulter eines Mannes prallte mit voller Wucht auf meinen Brustkorb. Er war mit gesenktem Kopf über den Treppenabsatz auf mich zugetaumelt, ein verschwommener Schemen im dunklen Anzug oder Blazer. Die Krawatte flatterte hinter ihm her. Zuerst der Stoß, dann ein Stöhnen – keine Ahnung, ob von ihm oder von mir –, und dann wurde ich mit voller Wucht rechts gegen die Wand gestoßen. Der Aufprall war so hart, dass die Luft aus meinen Lungen wich und eine Rakete durch meine Nieren schoss. Stolpernd taumelte der Kerl an mir vorbei, streckte Faust oder Ellbogen aus und traf mein Knie. Ich hörte, wie er auf den tieferen Treppenabsatz sprang und dann so laut die Treppe hinunterpolterte wie ein Mann und ein Klavier zusammen. Der Schlag aufs Knie war so hart gewesen, dass ich zusammenbrach. Ich rutschte nach vorn und streckte die Hände aus, um das Geländer zu packen, doch ich griff daneben und schlug mit dem Handgelenk an eine Stufe, fiel sechs oder sieben Stufen auf den Absatz, blieb auf der Seite liegen, krümmte mich vor Schmerz und überlegte, welchem der getroffenen Körperteile ich zuerst meine Aufmerksamkeit widmen sollte. Nur einen klaren Gedanken konnte ich fassen: auf keinen Fall ins Krankenhaus, denn es ist ja sattsam bekannt, dass die Leute in den Ambulanzen in New York City bis zu sechsunddreißig Stunden auf den Arzt warten müssen. Da wollte ich lieber gleich an Ort und Stelle sterben. All das ging mir in vier oder fünf Sekunden durch den Kopf. Ich war zu einem schmuddeligen Bündel aus Blut und Schmerz zusammengeschmolzen, ein Fahrerfluchtopfer mit einem Riss in der Paul-Stuart-Anzughose, einer aufgerissenen Naht in dem Jackett, das ich vor Betreten des Hauses wieder angezogen hatte, sowie einer blutigen Nase, die ich klugerweise zur Milderung des Aufpralls benutzt hatte.

Langsam wurden meine Atemzüge ruhiger. Ich brauchte nicht länger zu würgen und zu keuchen, konnte mich auf herzhaftes Stöhnen verlegen. Wie ein Betrunkener, der nach einem Laternenpfahl tastet, hielt ich mich an der Wand fest und schaffte es, mich wie ein nasser Sack in eine halbwegs sitzende Position zu hieven. Dabei musste ich an eines dieser Plakate in der Schule denken, das die Evolution der Spezies darstellt. Ich sah wahrscheinlich aus, als wäre ich gerade aus dem Urschleim gekrochen und wüsste nicht genau, was ich auf dem trockenen Land eigentlich zu suchen hatte. Ich hielt mein Taschentuch an die Nase. Mein Anzug, mein Oberhemd, meine Fliege und mein Sinn für Humor waren ruiniert. Fünf Sekunden, und ich hatte nicht mal selber zugeschlagen. Gott möge verhüten, dass ich mich jemals auf einen Kampf einlasse. Ich wünschte förmlich, ein Lenkrad vor mir zu haben, über dem ich zusammensinken könnte. Stattdessen mühte ich mich auf die Beine und kletterte keuchend und blutend – und sehr um meine Nieren besorgt – den Rest der Treppe hoch, bis ich vor Sallys Tür ankam. Auch sie stand einen Spalt offen.

Ich stieß die Tür ganz auf und rief nach Sally, weil ich fand, ich sollte sie lieber auf meinen Anblick vorbereiten.

»Sally, ich bin verwundet, ein Mann aus Fetzen und Flicken! Jetzt komm auch ich in die Überfallstatistik!«

Immerhin hatte ich mir noch ein wenig Humor bewahrt und konnte auf New-York-mäßige Weise von meinem Unglück berichten. Von eiligem Mann im Blazer angerempelt und zum Verbluten liegen gelassen. »Sally?«

Keine Antwort.

Irgendetwas stimmte hier ganz und gar nicht. Aber was?

Alles schien in Ordnung. Sallys riesiger Schreibtisch war einigermaßen aufgeräumt. Der Computer blinkte, Sofas und Stühle und Palmen und Bilder und Teppiche sahen aus wie immer.

Ich stand ganz still und schwitzte wie Doc Gooden im neunten Inning, wenn Kirk Gibson am Abschlag ist. Langsam ließ ich meinen Blick über den riesigen Raum gleiten. Ich fühlte mich wie ein Knack-&-Back-Brötchen im Ofen – die Hitze gab mir bald den Rest.

Das war es, was hier nicht stimmte.

Die Klimaanlage war aus.

Die Fenster waren fest geschlossen. Im Loft war es ruhig und still. Es herrschte eine Hitze von mindestens fünfundvierzig Grad. Dabei gehörte Sally zu den Leuten, die die Klimaanlage sogar dann einschalteten, wenn sie nicht zu Hause waren. Sie konnte Hitze nicht ausstehen. Aber nun war das vertraute Surren der Kühlung nicht zu hören.

Meine Nase blutete nicht mehr. Ich schob das befleckte Taschentuch in meinen Ärmel. Ging zum Schreibtisch und betätigte den Schalter der schwenkbaren Lampe. Nichts. Stromausfall. Jemand im Haus hatte die Sicherungen durchbrennen lassen, und Sally war nun auf der Suche nach dem Hausmeister. Logisch.

Ich ging ins Bad, um das Blut von Gesicht und Händen abzuwaschen.

Da lag sie.

In der Wanne. Ein Bein hing über dem weißen Rand, der Fuß baumelte schlaff herab. Ihre Zehennägel waren orangerot lackiert. Der Gestank war abscheulich. Neben der Wanne lag Erbrochenes, das zu einer Pfütze zusammengelaufen war. In der Luft lag ein Geruch nach Verbranntem. Und es roch stark nach Kirschen, wie bei bestimmten Hustensirupsorten. Gerade noch rechtzeitig beugte ich mich über die Kloschüssel. Meine Knie gaben nach. Wie im Reflex gab ich meinen Lunch wieder von mir. An Heidi Dillinger verschwendete ich keinen Gedanken mehr.

Ich zwang mich, zur Badewanne zurückzugehen und sie anzusehen.

Sally Feinman war Schreckliches angetan worden. Ich betrachtete die Narben und fühlte mich wie aufgespießt, als wäre ich in einem der schlimmsten Rock-and-Roll-Albträume gefangen. Einen Augenblick lang – nein, länger – hatte ich das Gefühl, auf das Opfer des Ritualmordes einer Bande von Satanisten gestoßen zu sein.

Sally starrte an die Decke. Auf ihren verzerrten Zügen hatten sich Schmerz und Qual eingegraben. Ihre weit aufgerissenen Augen hatten einen Schimmer des Bösen gesehen, und dann hatte der Tod sie in seine schützende Umarmung genommen, sie erlöst. Die Hände waren vor dem Körper gefesselt, der Draht so fest zugezogen, dass er ins Fleisch schnitt. Die Handgelenke mussten schrecklich geblutet haben. Das Wasser in der Wanne war rosa verfärbt. Ihr Körper wies ein Dutzend blutiger Brandwunden auf. In einer der Wunden steckte ein Lockenwickler aus einem elektrischen Lockenwickler-Set. Am Fußende der Wanne schwamm der Rest des Sets samt Behälter, Kabel, allem Drum und Dran. Er war immer noch in die Steckdose zwischen Arzneischränkchen und Waschbecken gestöpselt. Sally war schrecklich verbrannt, und ich konnte einfach nicht mehr hinsehen. Außerdem gab es auch nicht mehr zu sehen.

Man brauchte kein Genie zu sein, um nicht ein paar Fragen zu stellen, auf ein paar Antworten zu kommen. Das kam automatisch.

Zuerst war sie gefoltert, dann getötet worden, wie auf dem elektrischen Stuhl, mithilfe des Lockenwickler-Sets, das in die Wanne gefallen oder geworfen worden war. Ein bedeutsamer Unterschied, wie ich fand. Der einzige Grund für eine Folterung – wenn man mal von Verrückten absieht, die es aus reinem Vergnügen tun oder weil sie Rache nehmen oder sich einer Schuld entledigen wollen – ist der, dass man ein Geständnis, eine Aussage erzwingen will. Die Folter wurde erfunden und auf erschreckende Weise immer mehr verfeinert, weil man die gewünschte Reaktion erhalten will. Ich überlegte, ob Sally ihrem Mörder verraten hatte, was er wissen wollte. Falls ja, hatte er den Set vielleicht nur in die Wanne fallen lassen, um sie von ihren Qualen zu erlösen. Doch wenn sie ihm die gewünschte Information verweigert hatte, konnte er das Ding aus Frust und Hass hineingeschmissen haben, um sie zu bestrafen. Oder – meine Gedanken griffen weit voraus – vielleicht wäre sie noch am Leben, wenn sie dichtgehalten hätte. Oder sie wäre noch am

Leben, wenn sie alles erzählt hätte. Nur *was*? Was sollte sie erzählen? Welche Information konnte Sally besitzen, für die sie mit dem Leben bezahlen musste?

Mich aber hatte nur zu interessieren, dass Sally einen schrecklichen Tod gestorben war. Es war, als hätte eine verrückte Bestie beweisen wollen, was man einem Menschen antun konnte.

Ich ging ins Zimmer und setzte mich an ihren Schreibtisch. In meinem Magen rumorte es, als könnte ich gleich noch einmal kotzen. Dieser Gestank, der Anblick ihrer schreckerfüllten Augen ... Ich kniff meine fest zu, versuchte das Bild von Tod und Qual im Gesicht eines geliebten Menschen loszuwerden. Doch vergeblich, das Bild wurde immer deutlicher: Ich sah meinen Bruder ausgestreckt wie einen Karpfen auf einem Pier, den Mund offen, die Augen leer und einsam ... in Tanger ...

Meine Nase fing wieder zu bluten an. Es tropfte auf Sallys Schreibtisch. Wieder stoppte ich die Flut mit meinem Taschentuch und dachte an den Mann, der mich im Treppenhaus umgerannt hatte. Beim Zusammenprall hatte mich dieser Kirschgeruch angewht, Hustensirup oder Drops, ein kränklich-süßer Geruch – war dieser Mann Sallys Mörder? Das schien logisch.

Ein Mann, der einen solchen Geruch verbreiten konnte, war gewiss zu allem fähig.

Ich stieß das Fenster zur Prince Street auf. Der Lockenwickler-Set im Wasser musste für das Durchbrennen der Sicherungen verantwortlich sein. Im gleichen Augenblick, als ich das Fenster öffnete, fielen die Geräusche der Großstadt über mich her: Hupen, Schreien, kreischende Sirenen. Draußen war auch keine bessere Luft. Es war heiße, verbrauchte Luft, aber wenigstens bewegte sie sich, was man von der Luft im Loft nicht behaupten konnte. Ich rief die Polizei.

Seit zehn oder zwölf Minuten hielt ich mich in dem Loft auf. Ich triefte vor Schweiß. Alles tat weh, und in meinem Mund war der metallische Geschmack von Blut. Es kam mir vor, als würde ich überall in der Wohnung den scheußlichen Gestank aus dem Badezimmer riechen.

Ich fragte mich, ob ich Angst hatte.

Aber Angst wovor?

Es hatte doch nichts mit mir zu tun.

Die Polizei trat ein, und ein zierlicher Detective mit einem winzigen Schnurrbart über einem kleinen Spitzmund lauschte meiner Geschichte. William Powell hätte dieser Schnauzbart gefallen und auch gut gestanden, aber für den Detective war er eine zweifelhafte Manneszierde. Er rauchte Camel, nickte mitfühlend und interessierte sich sehr für den Mann auf der Treppe. Er wirkte keineswegs bedrohlich. Er verstand, dass ich schwerlich eine brauchbare Beschreibung liefern konnte, da es im Treppenhaus so dunkel gewesen war. Ich erzählte von Sally, von ihrem Beruf, wie wir uns kennen gelernt hatten und wie ich dazu kam, sie an einem solch heißen Tag aufzusuchen. Der Detective war fasziniert von meiner Verwandtschaft mit JC Tripper. Er wollte wissen, ob JC damals in Tanger *wirklich* gestorben war ...

Im schwindenden Licht des frühen Abends verließ ich das Loft. Draußen kam es mir kühler vor, auch wenn ich es mir nur einbildete. Ich marschierte drauflos, ohne auf meinen Zustand Rücksicht zu nehmen, doch an der Ecke Houston meldeten die Schmerzen sich mit unverminderter Stärke zurück, sodass ich aufgab – und ich bin ja nun wirklich kein sportlich gestählter Typ. Der T-Bird stand immer noch am Bordstein, doch der Fahrer war verschwunden.

Ich winkte ein Taxi heran. Vielleicht wäre es einfacher gewesen, mich überfahren zu lassen. Der Taxifahrer war offensichtlich gerade erst auf dem Planeten Erde angekommen, der Central Park war für ihn *Terra incognita*. Ich gab ihm insgeheim den Namen Abdul Abulbul Amir, und die Fahrt bei offenem Fenster war gar nicht so übel. Als ich nach Hause kam, nahm ich sechs Schmerztabletten und eine Dusche, setzte mich auf meine Terrasse, schaute mir im TV die Yankees an und versuchte mich von der Notwendigkeit zu überzeugen, ein Tunfischsandwich zu essen.

Doch dann spürte ich Tränen auf meinem Gesicht. Ein guter Mensch wie Sally hatte einen grausamen Tod erlitten, wie ein Häftling in einem Konzentrationslager.

Ich konnte es nicht ertragen. Ich konnte nicht ertragen, dass Sally hatte sterben müssen, und ich hasste meine Unfähigkeit, irgendetwas deswegen zu unternehmen. Ein zierlicher Mann mit einem lächerlichen Schnurrbart hatte diese Aufgabe übernommen.

Ich hatte nichts weiter getan, als ihre Leiche zu finden.

Und jetzt hatte ich nichts mehr damit zu tun. Nur die Erinnerung an eine liebe, lebenslustige Freundin war mir geblieben.

Und der Tag hatte *so* gut angefangen.

3.

Am nächsten Morgen um neun weckte mich das Telefon. Es war Heidi Dillinger. Ich hörte zu, wie sie auf den Anrufbeantworter sprach. Eigentlich war ich ein wenig überrascht, dass sie überhaupt anrief. Unsere Begegnung kam mir vor wie ein unwahrscheinlicher Teil eines völlig surrealen Tages, und das Versprechen, anzurufen, erschien mir wie eine Handlung, die man nach einigem Nachdenken doch besser sein lässt. Doch Heidi klang so munter, als wäre sie schon seit Stunden auf den Beinen. Sie hinterließ eine Adresse auf der Fifth Avenue auf der anderen Seite des Central Park, ein wenig südlich vom Metropolitan Museum. Ganz schön teures Pflaster. Dass sie von ihrem Chef gut bezahlt wurde, war also kein Scherz gewesen. Ich sollte um acht kommen.

Ich schlurfte unter die Dusche und bekam den Horror der gestrigen Ereignisse allmählich in den Griff. Bei Tageslicht mutete es noch bizarrer an – wie eine Szene aus einem besonders scheußlichen Film –, aber es war Wirklichkeit. Ich stand auf der Terrasse, spürte die Morgenhitze wie eine Faust und hörte wieder einmal Gershwin, als das Telefon klingelte. Diesmal war es der Detective der Mordkommission. Er fragte, ob er um die Mittagszeit bei mir vorbeischauen und noch ein paar Fragen stellen könnte. »Na klar«, sagte ich, rief sogleich The Ginger Man an und bestellte einen Tisch, falls ich einen hungrigen Cop verköstigen musste. Dann rief Tony Fleming an, um mir mitzuteilen, dass der Mord an Sally Feinman auf der Titelseite der *Post* stehe.

TOP-JOURNALISTIN VERBRANNT!
MORD IN LUXUSLOFT IN SOHO!

Sally und ich hatten uns einmal darauf geeinigt, dass NACKTE PANIK IN STRIPLOKAL die tollste Schlagzeile aller Zeiten in der *Post* gewesen war. Die heutige Schlagzeile war zwar nicht halb so gut, aber die Formulierung »Top-Journalistin« hätte Sally bestimmt gefreut. Tony erzählte, dass in dem Artikel auch mein Name erwähnt wurde, als der Freund, der die Leiche gefunden hatte. Natürlich wurde wieder einmal auf meine enge Verwandtschaft mit JC hingewiesen. Tony gab mir den Rat, ich solle mir eine Geheimnummer zulegen. Er würde meine Telefonnummer natürlich nicht weitergeben, aber Presse- und Fernsehreporter würden sie ohnehin rauskriegen. Ich erwiderte, dass man in meinem Fall nur im Telefonbuch nachschauen müsse.

Der Cop hatte tatsächlich Hunger, und ich bestand darauf, ihn in den Ginger Man einzuladen. Ich tat mein Bestes, um ihm zu helfen, wusste aber nicht, ob Sally irgendwelche Feinde hatte oder an welchem Projekt sie zurzeit arbeitete. Schließlich unterhielten wir uns über meinen Bruder, den berühmten JC Tripper. Dem Thema entgehe ich nie, wie's scheint.

Der Fahrstuhl in meinem Haus ist in nettem Art-déco-Stil gestaltet; der Lift in Heidi Dillingers Haus sah aus wie eine Leihgabe aus einem Museum in Istanbul. Sämtliche Handwerker des Sultans hatten so lange mit Holz und geschnitzten Gittern und Marmor geschuftet, bis er edel genug war, um ihren Herrn und Meister an die Seite Allahs emporzutragen, wo er sitzen und bis in alle Ewigkeit Feigen essen und Trauben schälen durfte. Völlig klar, dass hier nur wirklich reiche Leute wohnten. Allmählich überlegte ich ernsthaft, wie reich Mrs Dillinger war.

Vom Fahrstuhl aus betrat man direkt die Empfangshalle der Wohnung: Parkettboden mit Intarsien, holzgetäfelte Wände, Bodenvasen mit rostroten und blasslila Blumen. Heidi kam mir in einem wunderhübschen Sommerkleid aus zart fließendem Stoff in Lavendel- und Beigetönen entgegen, ihre Bewegungen waren kraftvoll und anmutig. Sie streckte ihren langen sonnengebräunten Arm aus und nahm mich bei der Hand. Sie freue sich sehr, dass ich gekommen war. Führte mich an graziös gebogenen Palmen vorbei, die sich in der Brise der Klimaanlage wiegten. Wir gingen durch einen breiten Flur mit Teppichboden in ein langes Zimmer, das an ein Raucherzimmer in einem ehrwürdigen, wohlhabenden Herrenclub erinnerte. Da war eine Ledergarnitur mit Messingknöpfen, ein Perserteppich, der an den richtigen Stellen fadenscheinig war, Klingelzüge, um die Dienerschaft herbeizuzitieren, ein riesiger Refektoriumstisch, der schwach nach Zitruspolitur roch, mehrere Tischchen mit Schachbrettern, auf denen verschiedene Spielsituationen nachgestellt waren. Indirektes Licht aus mehreren kompakten Leuchtkörpern mit hellem Stoffbezug ließ alle Oberflächen leuchten.

Irgendetwas stimmte nicht mit diesem Raum, und es lag nicht nur daran, dass in dem riesigen Kamin ein munteres Feuer knisterte. Offensichtlich scherte es Mrs Dillinger wenig, dass die Temperatur auf der Straße immer noch schlappe fünfunddreißig Grad betrug. In diesem merkwürdigen Zimmer jedoch war es mit siebzehn Grad so kühl, dass die Hitze aus dem Kamin schon wieder angenehm war. Als wir eintraten, warf Heidi Dillinger sich einen weichen Cardigan aus Kaschmir um die Schultern. Aber da war noch etwas verkehrt. Heidi betrachtete mich mit amüsiertem Lächeln, während ich versuchte, dem Geheimnis auf die Spur zu kommen.

»Das Wetter«, schloss ich schließlich. »Ich höre da einen Sturm mit viel Wind und Regen und entferntem Donner. Wahrscheinlich, weil Sie das Feuer so genießen. Ganz schön verdächtig und exzentrisch, möchte ich meinen. Wahrscheinlich kommt's vom Band.«

Heidi ließ sich auf das Ende einer langen Chesterfield-Couch sinken, direkt neben einem Beistelltisch mit Cocktailutensilien. Sie saß auf der Ecke eines Kissens und grub mit einer silbernen Zange in einem silbernen Behälter nach Eiswürfeln. »Hier drin herrscht immer dunkle Sturmnacht. Eine ganz kleine Täuschung. Stört es Sie? Stört Sie die Illusion?« Sie entkorkte eine Flasche Scotch und ließ die braune Flüssigkeit langsam über die Eiswürfel ins Glas fließen.

»Nur insofern, als sie mich an Präsident Nixon im Weißen Haus erinnert, als er im Sommer die Klimaanlage auf Hochtouren laufen ließ, um gleichzeitig sein Kaminfeuerchen zu haben. Während er konspirative Gespräche mit seinen Lochabdichtern und Bestechungsgeldeintreibern führte. Sie und Nixon sind nun auf ewig in meinen Gedanken vereint. Ich kann's schon aushalten, wenn Sie es können. Übrigens nehme ich den Whisky mit Soda.«

Sie sprühte das Soda aus einer Siphonflasche mit Drahtgeflecht in mein Glas. Mein Siphon tut's ja nie, ihrer natürlich schon, das teure Teil. »Nixon hatte natürlich nie so viel Knete zur Verfügung. Und dieses Band ist viel besser als seins.« Sie reichte mir mein Glas und hob das ihre, aus dem sie schon vor meinem Eintreffen genippt hatte. »Auf dass wir heil durch den Sturm kommen.«

»Und Verwirrung unter unsere Feinde säen«, sagte ich.

Wir tranken. Sie grinste mich an.

»Das hier«, sagte ich mit einer Handbewegung durchs Zimmer, »ist schon ein Gedicht. Muss ja ein Vermögen gekostet haben.«

»Um die sechs Millionen, falls ich mich recht erinnere. Ich schätze, das könnte man ein Vermögen nennen.«

»Sie schätzen? Gute Schätzung. Woher rührt diese lässige Haltung zum Geld, Miss Dillinger?«

»Sagen Sie Heidi zu mir.«

»Erst wenn ich Sie besser kenne.«

»Nennen Sie mich Heidi. Sie werden mich nie besser kennen lernen.«

»Wegen Ihres unbekümmerten Umgangs mit dem lieben Geld?«

Nicht existenter Regen klatschte gegen Fenster, die ebenfalls nicht real waren. Es klang wie der Sturm, der in *Gangster in Key Largo* so einen Höllenzirkus heraufbeschwor. »Wahrscheinlich haben Sie aus meiner Einladung den Schluss gezogen, dass dies auch meine Wohnung ist.«

»Wie dumm von mir!«

»Es ist nicht meine Wohnung. Nur mein Arbeitsplatz. Dies ist das Heim von Allan Bechtol. Es ist Allan Bechtols Geld und Allan Bechtols endlose dunkle Sturmnacht.« Sie nahm einen Schluck, lehnte sich zurück und schlug die Beine übereinander, sich ihres schönen Körpers überaus bewusst und zugleich Herrin der Lage, während mein durchgeschwitzter Anzug an mir klebte.

»Und was soll ich daraus schließen? Die alte Geschichte von den Mäusen, die tanzen, wenn die Katze nicht im Haus ist?«

»Keinesfalls. Mr Bechtol steht zurzeit in der Kombüse und bereitet unser Essen vor. Nichts Besonderes, aber er liebt es zu kochen und wird uns etwas Nettes vorsetzen.«

»Und Sie – Sie kochen nicht gern?«

»Hab's nie versucht. Mr Bechtol kocht, weil er es mag, nicht um dem Hungertod zu entgehen. Schließlich hat er Bedienstete dafür.«

»Dieser Bechtol, ist er verrückt? Er gibt keine Interviews, sein Bild ist nicht auf den Schutzumschlägen seiner Bücher, er tut nichts für ihre Vermarktung, er lebt in diesem falschen Sturm ... Hört sich für mich ganz so an, als hätte er ein ernstes Problem.«

»Er mag es so. Er tut, was er will.«

»Und was tun Sie, weil Sie es wollen?«

»Ich spiele Schach, zum Beispiel.« Sie machte eine vage Handbewegung zu den Spielbrettern, die im Raum verteilt standen. »Jetzt sagen Sie bitte nicht, dass Sie auch spielen.«

»Aber auf keinen Fall. Als Kind hab ich öfter gespielt. Aber als ich größer wurde, fand ich, dass ich nicht genügend Konzentration dafür aufbringen konnte.«

»Dann ist es ja gut. Ich spiele nicht mehr gegen Menschen. Es endet nämlich immer damit, dass sie mich hassten. Jetzt spiele ich gegen Computer. Ist so eine Art Charakterschulung.«

»Haben Sie den Computer jemals besiegt?«

»Ich siege fast immer. Eine Niederlage tut nichts für die Charakterschulung. Gewinnen aber ist sehr hilfreich. Ich habe bei den letzten dreihundert Spielen nur zweimal verloren, und ich spiele immer bis zum Ende. Künstliche Intelligenz muss ... noch viel lernen.«

»Ich hab immer geglaubt, dass man Rechner konstruieren könnte, die immer gewinnen.«

»Sicher könnte man *einen* herstellen.« Sie stieß einen Seufzer aus. »Mir tut er immer ein bisschen Leid, der Computer. Intelligenz als Selbstzweck. Wenn er mich nicht austricksen kann, was kann er dann überhaupt? Seine Intelligenz ist in einem Kasten gefangen und so prosaisch. Ein Computer kann kein Gedicht machen. Er ist in sich gefangen und kann daher nicht viel mehr als Schach. Und wenn er noch nicht mal dabei gewinnt, warum zieht er sich dann nicht selber den Stecker raus? Aber wahrscheinlich würde irgendein Mensch daherkommen und ihn wieder einstöpseln.«

»Sie reden, als steckte eine Seele in dieser Maschine«, bemerkte ich.

»Ganz schön blöd, was? Aber sie tun mir eben Leid, diese Kreaturen der künstlichen Intelligenz. Wir erschaffen sie, wir lehren sie, all die Dinge zu tun, die wir ziemlich lästig finden ... sämtliche Möglichkeiten durchgehen, eine Nadel in einer Million Heuhaufen finden, tausende und abertausende Schachzüge analysieren ... Aber versuchen Sie mal einem Roboter beizubringen, dass er den Arm ausstreckt und einen Bauern bewegt, dann stehen Sie vor einem Problem, fürchte ich. Und auch dann könnte ich ihn noch besiegen. Das ist schon ein Hundeleben, Mr Tripper. Führen Sie einen Roboter Gassi, müssen Sie ihn auf dem ganzen Weg aufheben und wieder zum Laufen bringen. Meine Güte, Sie haben aber Durst gehabt!«

In diesem Augenblick trat Allan Bechtol ins Zimmer. Er trug eine Schürze mit frischen Flecken, ein kariertes Hemd, helle Kordhosen, ausgetretene Halbschuhe, weiße Sportsocken. Er war ein kräftiger Mann von mittlerer Statur, knapp eins achtzig groß. Sein dünner werdendes rötliches Haar wurde allmählich grau. Gleiches galt für den Bart. Die Spitze der kleinen, leicht knollenförmigen Nase wurde durch blaue Äderchen betont. Doch die Augen erregten Aufmerksamkeit:

Sie waren klein, leuchtend blau, intensiv und strahlten Intelligenz aus, hefteten sich auf ihr Gegenüber und starrten es unbarmherzig an. Da stand er also und sah mich an, in der einen Hand ein Geschirrtuch, in der anderen eine Dose Diät Cherry Coke. Er grinste, und seine unregelmäßigen, grau verfärbten Zähne erschienen wie Flecken hinter den spärlichen Barthaaren.

»Die Suppe ist mehr oder weniger fertig.« Seine Stimme war volltönend, tief und metallisch wie die eines Stadionsprechers; es war eine Stimme, die einen in ihren Bann schlagen und überzeugen konnte. Natürlich konnte ich das nicht aus diesen wenigen Worten entnehmen. Aber vor langer, langer Zeit hatte ich ihn viel mehr sagen hören.

Denn ich kannte diesen Mann schon lange und keineswegs unter dem Namen Allan Bechtol. Immer noch stand er da und grinste mich an, wartete auf meine Reaktion. Heidi Dillinger schaute verwundert vom einen zum anderen. Als sie gerade den Mund aufmachen wollte, bedeutete Bechtol ihr mit einem Kopfschütteln zu schweigen, und sie schluckte hinunter, was immer sie hatte sagen wollen.

Alles in diesem Zimmer, ja in Bechtols Welt, war offenbar mehr oder weniger virtuell. Der Schachcomputer, der die junge Frau nicht besiegen konnte. Das stürmische Wetter vom Band – inzwischen hatte es zu donnern begonnen –, das keinerlei Bezug zur Realität hatte. Und mein Gastgeber, der sich einen anderen Namen zugelegt hatte. Allmählich überkamen mich Zweifel, ob das Schicksal mir gnädig gewesen war, indem es mir auf der Fifth Avenue die Bekanntschaft mit Heidi Dillinger beschert hatte.

»Sam«, brach ich das lastende Schweigen. »Wenn du mich sehen wolltest, hättest du doch nur anzurufen brauchen.«

»Heidi musste mal ein bisschen auf die Straße und trainieren. Du weißt doch, wie das mit Genies ist – entweder sie trainieren ihren Grips oder sie verlieren ihn.« Der bärtige Mund grinste mich immer noch an. »Hast dich ganz schön verändert, Lee. Paar Kilos verloren. Erinnerst mich jetzt an JC. Friede seiner Seele. Siehst gut aus.« Er rührte sich nicht vom Fleck. Nahm einen Schluck Cola.

»Du hast dich kaum verändert«, erwiderte ich. »Siehst immer noch aus wie ein Eimer voll Scheiße.«

»Hey, erinnerst du dich, wie wir 'ne Hamburgerkette eröffnen wollten? Chili, Burger und Tacos. Den ›Eimer voll Scheiße‹ wollten wir sie nennen. Und der erste Laden sollte am Harvard Square aufmachen. Verdammt, Lee, das ist mehr als ein Vierteljahrhundert her. Wir hatten sogar schon einen Slogan, weißt du noch?«

»Stimmt«, erwiderte ich.

»Wirf's einfach in die Toilette ... Lass den Mittelsmann aus!«

»Ja, damals waren wir richtige Scherzkekse. Was hab ich hier verloren, Sam?«

»Komm, wir gehen futtern. Dann erzähl ich dir alles. Und sei nicht sauer auf mich oder die kleine Heidi. Sie hat bloß ihren Auftrag erledigt. Ich bin mit den Jahren sonderlich geworden, Lee. Muss einfach aus allem ein Spiel machen. Sonst interessiert es mich nicht mehr.« Er legte mir den Arm um die Schultern. Es fühlte sich genauso an wie vor hunderten von Jahren, als wir an Septemberwochenenden zum Kap runterfuhren und uns voll laufen ließen, mit den Mädels rummachten und jede Menge geistreiche Scheiße schwafelten. Man legte immer einen Arm um die Schulter des nächsten Typen, trank irgendwas aus einer Dose, trug Bermudas und Halbschuhe. JC hatte uns die traurigen jungen Männer getauft, aber damals hatte er noch Poesie gehabt. Wir bildeten ein gutes Dreiergespann, JC und ich und Sam Innis. Nun war JC tot, Sam Innis war ein anderer Mensch geworden, und auch mich konnte man als veränderten Mann bezeichnen. Nichts blieb so, wie es war, und alle erzählten Lügen.

»Ich bin nicht sauer«, sagte ich. »Aber bald bin ich so weit, dass ich einen abmurkse. Als JC uns verließ, hat er mir seine Ungeduld vererbt.«

»Du hast dich wirklich verändert, Kumpel.«

»Alles hat sich verändert. Ist ja schon irre lange her.«

»Was ist denn bloß mit dem Gesetz der Unveränderlichkeit passiert?«

»Halt's Maul, Sam. Lass uns einfach weiterspielen.«

Nun schaltete sich Heidi Dillinger ein. »Soll ich mir etwa den ganzen Abend diesen blöden Schlagabtausch anhören?«

»Sie arbeiten doch für diesen Mann«, erwiderte ich. »Dann sollten Sie daran gewöhnt sein.«

Das Esszimmer war karg und keimfrei und minimalistisch eingerichtet, ein absoluter Gegensatz zu dem anderen Raum – Bibliothek, Arbeitszimmer oder was auch immer –, der sehr konservativ ausgestattet und mit Einrichtungsgegenständen voll gestopft war. Um den lackschwarzen Esstisch waren passende Art-déco-Stühle aufgebaut, der Teppich war weiß und schwarz, an einer Wand hing ein großes japanisches Gemälde mit vorherrschenden Goldtönen, hohe Fenster gingen auf den Park und die Lichter der Westseite hinaus, an einer anderen Wand über einem lackschwarzen Sideboard hing ein Jasper Johns, und in der Mitte des Tisches prangte ein ungewöhnlicher Tafelaufsatz: ein Panzer des Afrikakorps auf einem Hügelchen aus locker aufgeschüttetem Sand. Das lange Kanonenrohr wies in Richtung Central Park. Auf dem Sideboard stand eine Schüssel aus schwarz lackiertem Holz, mit tiefroten Blumen gefüllt.

Das Essen war einfach und erlesen zugleich: schwarze

Tintenfischpasta, leuchtend grüne Broccoliröschen, rote und gelbe Paprika, Öl und Knoblauch, grob gemahlener Pfeffer und Kapern. Neben jedem Teller stand ein Extraschälchen Parmesan. Darauf folgten zarte Kalbsschnitzel in Butter, sautiert mit Zitronen und Kapern, dann ein schlichter Salat aus Arugula, Endivie, Walnüssen und zerkrümeltem Gorgonzola, und endlich ein kremiger italienischer Käsekuchen mit Zitronensauce und Streuseln. Die Weine waren kühl und leicht und einfach. Sam Innis verstand was vom Kochen, keine Frage. Während des Essens versuchte er auf jede erdenkliche Weise, mich zum Sprechen zu bewegen. Seine Hartnäckigkeit war beeindruckend. Die ganze Zeit starrte er mich forschend an und gab nicht mehr von sich preis, als ich seiner Meinung nach wissen sollte.

»Der Panzer steht da, um mich an mein aktuelles Buch zu erinnern. Das Thema ist Neuland für mich, ist schon gefährlich nahe an Science-Fiction. Geht um so eine Art Zeitreise. Ein verlorener Panzer, der einst zu Rommels Wüstenkorps gehörte, fährt ziellos in der Wüste herum, verliert den Bezug zu Zeit und Raum und schlüpft schließlich durch einen Riss in der Ewigkeit ... Sie steigen auf diese große verdammte Düne, und wen finden sie da? T. E. Lawrence. Lawrence von Arabien, der ihre einzige Hoffnung auf Rettung ist. Lawrence findet raus, dass die Engländer wieder mal im Krieg mit den Deutschen sind, genau wie vor fünfundzwanzig Jahren, als er die Araber gegen die Türken sammelte. Nun muss er entscheiden, ob er die Deutschen vor ihrem Schicksal retten soll oder nicht ...« Bechtol schaute hoch und stopfte schwarze Nudeln in seine Mundwinkel. »Das jedenfalls ist das grobe Gerüst der Story. Wie findest du's?«

»Jedenfalls besser als deine anderen Machwerke«, antwortete ich. »Du brauchst einen Lektor, der deine Bücher kürzt. Das ist nämlich dein Hauptproblem.«

»Hast wahrscheinlich Recht.« Er ging nicht weiter auf meine abfällige Bemerkung ein. »Wie auch immer, dieser Panzer zeigt mir den Mittelpunkt, wie die Psychologen sagen.«

»Ich weiß mehr über das Afrikakorps als Rommel selbst«, warf Heidi Dillinger ein.

»Was steckt denn nun hinter dieser Allan-Bechtol-Masche? Was soll ich hier, Sam?«

»Ich muss dir gestehen, dass ich über deine Kälte ein wenig enttäuscht bin«, sagte er und versuchte geknickt auszusehen. »Du scheinst vergessen zu haben, wie nah wir drei uns mal standen ...«

»Ich habe seit zwanzig Jahren nichts mehr von dir gehört. Und irgendwann in dieser Zeit ist unsere Freundschaft den Bach runtergegangen. Jetzt bist du ein anderer Mensch und lockst mich unter Vorspiegelung falscher Tatsachen hierher ...«

»Vorspiegelung falscher Tatsachen! Meine Güte, Lee ...«

»Und ich hab ein paar Scheißstunden hinter mir, seit diese Dillinger mir über den Weg geschlittert ist. Also, um es allgemein verständlich zu sagen: Warum hörst du nicht mit dem Gesülze auf und kommst zur Sache?«

»Ich bin nicht geschlittert! Was haben Sie für ein Problem? Können Sie keinen Spaß verstehen, oder worum geht es?« Heidi Dillinger schien sich prächtig zu amüsieren.

»Ich weiß, dass du vierundzwanzig beschissene Stunden hinter dir hast, Kumpel. Genau darüber will ich ja mit dir reden. Aber im Übrigen will ich unsere Freundschaft erneuern. Wenn ein Mann älter wird, will er an seine Vergangenheit anknüpfen. Die Kontinuität wahren. Wir sind Männer in mittleren Jahren ... Plötzlich stellen wir fest, dass wir nicht ewig leben. Und da JC von uns gegangen ist, hab ich an dich gedacht ...«

»Er ist schon vor langer Zeit von uns gegangen«, stellte ich klar. »Hast wohl erst jetzt davon gehört, Sam?«

»Nein, nein, ich hab's gewusst wie jeder andere, du brauchst nicht gleich sarkastisch zu werden. Die Dinge müssen reifen. Und nun war die Zeit reif für unser Zusammentreffen, Lee.« Er verputzte den letzten Rest Salat, legte die Gabel hin und lehnte sich zurück, wobei er mich anstarrte, als gingen in seinem Kopf tiefsinnige, düstere Gedanken um.

Heidi Dillinger stand auf, ging zum Sideboard und drückte auf einen kleinen schwarzen Knopf, der im Holz eingelassen war. Kaum eine halbe Minute später betrat ein Japaner in Alpakajacke und weißem Hemd das Zimmer und räumte den Tisch ab. Dann brachte er eine Cafetiere, einen dampfenden Wasserkessel und eine Mühle voller Kaffeebohnen herein. Geschickt platzierte er die Utensilien vor Sam Innis und verschwand so unauffällig, als hätte Mellow Yellow seine Finger im Spiel gehabt.

Sam mahlte die Kaffeebohnen und schüttete sie in den gläsernen Zylinder. Er goss kochendes Wasser darauf, steckte den Siebeinsatz hinein, drückte ihn aber noch nicht hinunter, sondern ließ den Kaffee ziehen.

»Ich bin so eine Art Schwindler, Lee«, brach er schließlich das Schweigen. Das starke Kaffeearoma erfüllte den Raum. »Nach dem Abschluss in Harvard hab ich ein paar Bücher geschrieben. Ziemlich schreckliches Zeug, wie ich jetzt finde. Ich hab mich nicht als Schriftsteller gesehen, glaubte nicht, dass ich das Zeug dazu hatte. Ich war lediglich ein Kerl, der Arbeit hasste und der nicht singen konnte wie JC oder die verdammte Gitarre spielen, und viel Geld hatte ich auch nicht. Also habe ich beim Radio angefangen, bin als Ansager, Werbemann, Sportreporter bei einigen Sendern gewesen ... alles als Sam Innis. Aber die ganze Zeit habe ich überlegt, was man zum *Schreiben* braucht. Also hab ich gelesen und gelesen, hauptsächlich Fortsetzungsromane aus den Vierzigern in der *Saturday Evening Post*, und hab mir Notizen gemacht, wie man diese Storys auf den heutigen Stand bringen könnte – nicht die Details natürlich, sondern den Stil. Denn am Stil hing die Sache. Ich hab diese Fortsetzungsromane neu geschrieben. Tatsächlich neu geschrieben. Ich lernte dabei einiges über Handlungsaufbau, aber den Stil musste ich neu erfinden. Und ich musste herausfinden, inwiefern die Werte der Leser sich geändert hatten, das musste in den Stil einfließen, um das heutige Massenpublikum anzusprechen ... es musste einfach sein und auffällig und witzig. Während ich daran arbeitete, sog ich mir auch eine Persönlichkeit aus den Fingern, die ein Schriftsteller sein sollte, *der* Schriftsteller, der ich geworden war, nicht so ein Kerl wie Sam Innis, der nur von den Brosamen anderer lebte. Und so wurde Allan Bechtol, der Autor, geboren. Ich habe die Bücher nicht geschrieben. Ich wurde Allan Bechtol, und der hat sie geschrieben. Und er war ein ziemlicher Geheimnistuer, ein zurückgezogener Mensch, den man kaum zu fassen bekam. Sam Innis schwand irgendwie dahin, und ich wurde Allan Bechtol. Und es funktioniert, wie du siehst. Als Bechtol bin ich überaus erfolgreich. Sam Innis hätte das nie geschafft, glaub mir.« Er drückte das Sieb hinunter, presste das Kaffeepulver auf den Boden der Glaskanne. »Ich wurde ein anderer und ...« Er zuckte die Achseln. »Ein Misserfolg namens Sam Innis verschwand in der Versenkung. Als er wieder herauskam, war er Allan Bechtol, ein reicher und berühmter Mann!« Er goss uns Kaffee ein. »Diese Veränderung aber wollte ich nicht vor meinen alten Freunden breittreten. Vielleicht kannst du verstehen, warum. Diese ganze Sache hat Zeit gebraucht. Inzwischen kann ich sie vertreten. Zumindest vor dir, Lee. Du bist der Erste aus meiner Vergangenheit, der es erfährt. Ich will einfach nur, dass wir wieder Freunde sind. Mehr nicht.«

Der Blick seiner kühlen kleinen Augen ruhte unablässig auf mir.

»Es tut mir Leid, Sam«, sagte ich.

Er streckte die Hand über die spiegelnde schwarze Fläche des Tisches aus. Ich nahm sie. Es war gut so. Gut, wieder ehrlich zu Sam zu sein.

»Kumpels?«, fragte er.

»Kumpels.«

Später am Abend beschloss Sam Innis, dass er genug Unwetter gehabt habe, und wir begaben uns auf die Terrasse. Draußen herrschte drückende Schwüle, nur ab und zu von einer schwachen Brise aus dem Central Park gemildert. Die Terrasse lief um die Hausecke herum und hatte eindeutig nautischen Charakter. Leise Jazzmusik erklang aus Lautsprechern, wie man sie auf Kreuzfahrtschiffen findet. Der Boden war mit glänzenden Decksplanken ausgelegt, und die Sessel stammten von einem untergegangenen Ozeandampfer, höchstwahrscheinlich von der *Titanic* selbst. Unter einer grün-weiß gestreiften Markise war die Bar untergebracht, auch ein Kühlschrank fehlte nicht. Eine Treppe führte zu den Schlafzimmern im zweiten Stock des Komplexes. Es gab sogar ein Gewächshaus. Alles war da. Eigentlich fehlte nur das Shuffleboard-Feld und die vielen alten Damen, die auf Kreuzfahrten stets in der Überzahl sind. Offenbar musste Sam in jedem Raum seiner Wohnung die Illusion einer anderen Welt erschaffen. Ich wusste nicht, ob ich ihn deshalb bedauern oder wünschen sollte, an seiner Stelle zu sein. Aber wenn ich in meiner eigenen Wohnung auf der anderen Seite des Parks weilte, wollte ich eigentlich auch nicht woanders sein.

Wir stützten uns auf die Messingreling, die in die Terrassenmauer eingelassen war, und schauten über die Stadt, die Fifth Avenue hinunter auf den Fountain und das Plaza Hotel und den Trump Tower und weiter hinaus bis zum Lichterschein von Little Italy und Chinatown.

»Land in Sicht!«, rief ich.

»Das haben schon viele gesagt«, bemerkte Heidi. »Sehr witzig!«

Sam schlug mit der *Post* auf die Reling. Von der Seite starrte mich Sally Feinmans Foto an. »Hab deinen Namen in der Zeitung gelesen, Lee. Ist ja eine gottverdammte Tragödie! Das arme Mädchen. Erzähl doch mal.«

Offenbar hatte ich doch stärker unter Druck gestanden, als ich glaubte, denn nun sprudelte alles aus mir heraus: Die Geschichte von Sally und mir, die ein paar Stunden nach dem Lunch mit Heidi Dillinger zu Ende gewesen war. Innis wurde richtig aufgeregt, als ich Einzelheiten berichtete: Wie wir nach JC gesucht hatten und wie Sal mir nach meiner endgültigen Rückkehr nach New York geholfen hatte, mein Leben wieder in den Griff zu kriegen. Dann wollte er alles über den Mord wissen: Was für ein Gefühl es gewesen war, ihre Leiche zu finden; was ich über den Kerl dachte, der mich auf der Treppe niedergeschlagen hatte; wie schlimm die Hitze in Sals Loft gewesen war oder der Gestank im Bad; wie arg sie verbrannt, wie der Zustand der Leiche war. Schließlich begriff ich, worum es ihm ging. Er interessierte sich maßlos für die Gewalt, für die Grausamkeit von Sallys Schicksal, für das Entsetzen, das um die Ecke gelauert hatte, und mein Erscheinen in dem Moment, als das Verbrechen begangen worden war.

Die düsterste Seite des Lebens zog ihn an wie ein Magnet einen Sack Eisenfeilspäne, und diese Düsternis lag bei Innis hauchdünn unter der Oberfläche, wie ein dunkler Teich, der ihn oder einen ihm nahe stehenden Menschen jeden Augenblick verschlingen konnte. Ich sah es in seinem Gesicht – die kühlen Augen, die Art, wie er sich die Lippen benetzte oder beim Zuhören seinen Bart krault. Sam Innis war vermutlich wirklich tot. Und Allan Bechtol, fuhr mir plötzlich durch den Kopf, war vielleicht ein gefährlicher Mann.

Wie zu vermuten war, interessierte sich Heidi Dillinger weniger für die blutigen Tatsachen, sondern eher für die zugrunde liegenden Motive. Warum war Sally gefoltert worden? Was hatte sie gewusst, das so wichtig war? War nicht die Story über JC Tripper ihr letzter bedeutender Artikel gewesen? Und ich glaubte doch nicht, dass es etwas mit mir zu tun hätte, oder etwa doch? Später musste ich Heidi für diese Überlegung bewundern: Sie war die Erste, die eine Verbindung zwischen dem Mord an Sally Feinman und Ihrem ergebenen Erzähler herstellte. Dieser Gedanke war mir bislang noch gar nicht gekommen. Dann ging Heidi noch ein Stück weiter und gestattete sich die Bemerkung, dass ich verdammtes Glück gehabt hätte, weil ich nicht früher am Tatort aufgetaucht war. Sie hielt sich zugute, dass wir so lange zusammen geluncht hatten, sodass ich als Täter nicht infrage kam.

Als sie sich kurz entschuldigte und hineinging, blieben Sam und ich noch eine Weile an der Reling stehen, betrachteten die Schönheit der New Yorker Lichter in der schwülen Sommernacht. Schiffe zogen langsam über den East River dahin, Lichter funkelten. Die Musik aus den Lautsprechern erkannte ich als das Mary Lou Williams Quartet mit Don Byas am Saxophon; sie spielten »Moonglow«. Ich machte eine

Bemerkung zu dem Stück, und Sam sagte: »Bei aller Hochachtung für JC hab ich doch schon lange keine Musik mehr gehört, die nach 1964 aufgenommen wurde. Ist doch alles bloß Rock. Na ja, es gibt noch Dylan und die Beatles, aber die sind was Besonderes, sie stehen außerhalb der Zeit. Ich ziehe die Musik der Vierziger und Fünfziger vor.«

»Mary Lou und Byas haben das aber in den frühen Siebzigern aufgenommen, in der Stadt des Lichts, in Paris. Kurz bevor er starb.«

»Mensch, das weiß ich doch! Aber trotzdem ist es keine Siebzigerjahremusik, Kumpel.«

»Ich weiß, ich weiß.« Natürlich nicht. Auch ich hörte nicht mehr gern JC und die Traveling Executioner's Band. Die Zeiten waren vorbei.

»Also, was hältst du von Heidi?«, wollte er wissen.

»Weiß ich nicht genau. Sie ist hübsch. Auf eine gewisse Art.«

»Deine Art?«

»Das werde ich wohl nie erfahren.«

»Ach, sei da mal nicht so sicher. Sie ist hochintelligent, Lee, geradezu genial. Kann hervorragend mit dem Computer umgehen. Bei Recherchen ist sie eine wahre Bulldogge – ich meine, sie kann den Leuten Infos entreißen, die sie nicht unbedingt preisgeben wollen. Und sie spielt wirklich erschreckend gut Schach. Sie ist eine Taktikerin, eine Strategin – sie kann planen wie kein anderer. Was, glaubst du, zahle ich ihr?«

»Keine Ahnung.«

»Grundgehalt eine viertel Million, dazu einen gewissen Anteil meiner Honorare. Ich hab keine andere Wahl. Sie könnte ihr Gehalt aufbessern, bevor du ›Frank Lorenzo‹ oder ›Carl Icahn‹ sagen kannst. Vielleicht sogar, bevor du ›Giftkapsel‹ sagen kannst …«

»Wie wär's mit ›Bundesgefängnis‹ oder ›Ivan Boesky‹?«

»Sie versteht es hervorragend, Ziele zu setzen, Pläne zu entwerfen und dann innerhalb der vorgegebenen Grenzen zu improvisieren. Außerdem ist sie Sicherheitsexpertin.«

»Und«, fügte ich hinzu, »ich wette, du könntest ihr Herz in einen Fingerhut stopfen und hättest immer noch Platz für ihre Moral.«

Sam kicherte und schüttelte den Kopf. »Da tust du ihr aber schwer Unrecht. Ich bete sie an. Ich wäre verloren ohne sie.«

»Findest du Anbetung nicht ein bisschen übertrieben?«

Er schaute mich einen Moment verblüfft an, dann grinste er. »Du verstehst mich falsch, es geht nicht um Liebe. Eher um die Anbetung der heiligen Heidi. Ohne die meine entworfenen Welten in Flammen oder in Rauch oder wer weiß was aufgehen würden. In puncto Sex ist Heidis Leben ein Geheimnis für mich. Aber da sie hier im Haus eine eigene Zimmerflucht hat und ich sie anscheinend zu allen möglichen und unmöglichen Zeiten brauche, würde ich mal behaupten, sie sublimiert.«

»Und was ist mit dir? Hast du 'ne Freundin?«

»Ach, jetzt kommen wir zum Geheimnis meines Erfolgs – dem Patentrezept, das mich zu dem gemacht hat, was ich heute bin. Ich bin vollkommen impotent.« Er lachte, als er meine ungläubige Miene sah. »Kein Witz! Das ist meine Rettung gewesen. Ich hab seit fünfzehn Jahren keinen Ständer mehr gehabt. Kannst du dir vorstellen, wie viel Zeit, wie viel Energie dadurch frei geworden ist? Ich kann es nur empfehlen, Lee. Es ist *die* Lösung für alle Übel auf der Welt. Ich schätze mal, dass es psychisch bedingt ist, aber wenn ich jemals geheilt werden sollte, dann ist es aus mit Allan Bechtol. Ich war so verdammt lange der Sklave meiner Begierden … es war, als hätte ich ein vierhundert Kilo schweres Brett vorm Kopf. Und dann, ganz plötzlich, war ich frei. Ich lebe nun in der Angst, dass ich ganz unerwartet doch wieder geil werden und einen Steifen kriegen könnte. Die Zeit, die ich mit Nichtvögeln eingespart, die ich nicht gepimpert hab, beläuft sich auf Monate, ja Jahre meines Lebens, die mir ansonsten verloren gegangen wären.«

»Ich frag mich, ob das wahr ist. Vielleicht spielst du mir ja nur ein neues Band vor. Ziehst mich in ein neues Spielchen rein.«

»Würde ich dich in einer so ernsten Sache belügen?« Sam warf einen Blick auf seine Uhr. »Hör mal, ich muss noch sechs bis acht Stunden arbeiten. Kann immer am besten in der Nacht. Wie ein Baseballspieler. Wobei mir einfällt, wir müssen unbedingt mal zusammen ins Stadion, Lee. Aber ich muss jetzt an den Schreibtisch. Ich sag Heidi, dass sie dich nach Hause bringen soll.«

Wir gingen hinein. Er umarmte mich und versicherte, wir würden uns bald wiedersehen. Dann verschwand er im Korridor.

»Kleinen Spaziergang machen?«, fragte Heidi. »Wir könnten einmal um den Park gehen, wenn Sie Lust drauf haben.«

»Klar«, sagte ich.

»Na, da ist ihm aber mal warm ums Herz geworden.«

Heidi Dillinger machte sich in ironischem Ton über Sam und mich lustig, und ich war wieder völlig verschwitzt. So ist das in New York: Ist es erst mal heiß und feucht, bleibt die Schwüle über der Stadt hängen. Tag und Nacht geht es weiter, hämmert auf deinen Kopf wie ein Kanaldeckel, bis du glaubst, es nicht mehr aushalten zu können. Und dann wird's erst richtig heiß. So ein Sommer stand uns nun wieder bevor. Natürlich machte das einer Heidi Dillinger nichts aus. Sie schwitzte nicht, und sie beschwerte sich nicht. Sie mochte die Hitze. Wir spazierten an Strand's Bücherständen in der Nähe des Plaza vorbei, und der Park war ruhig und immer noch drückend feucht. Im Dunkeln warteten Räuber und Mörder und Vergewaltiger. Man hörte sie fast atmen, konnte beinahe hören, wie sie ihre Augäpfel bewegten, wenn sie Ausschau nach den Unvorsichtigen und Wagemutigen hielten. Aber wir waren ja noch meterweit entfernt. Sicher vor fast allem außer Ironie.

»Frauen irritiert es immer zu sehen, wenn Männer befreundet sind«, erklärte ich. »Denn sie haben nichts Vergleichbares. Das Beste, was den armen Dingern passieren kann, sind gute Verbindungen. Das ist jetzt nicht meine Ansicht, sondern die von Sally Feinman. Sie pflegte zu sagen, dass die beste Freundin einer Frau zugleich ihre lebenslange Rivalin ist, die mit Freuden auf ihrem Grab tanzen wird. Ich persönlich schätze Frauen allerdings höher ein.«

»Wie ist das denn mit der Freundschaft unter Männern? Trauen Sie Allan?«

»Nennen Sie ihn doch Sam. Er ist Sam.« Ich sagte es zwar, war aber nicht sicher.

»Nein, er ist Allan«, beharrte sie. »Er war einmal Sam. Aber vergessen Sie Sam. Nennen Sie ihn Allan.«

»Na schön. Ob ich Allan traue? Woher soll ich das wissen? Ich kenne ihn ja erst seit ein paar Stunden.«

»Er hat Pläne mit Ihnen, das sollten Sie vielleicht wissen.«

»Ach ja? Aber eigentlich ist mir egal, was er ...«

»Oh, das wird sich ändern. Er kann sehr überzeugend sein. Er will etwas von Ihnen.« Wir spazierten den Central Park South entlang. Dort standen immer noch Pferdekutschen, und auf der anderen Seite vor den großen Hotels strömten Menschenmassen über den Bürgersteig. In solch heißen Nächten schläft New York wahrlich nicht.

»Dann ist er eben überzeugend. Was will er denn?«

»Er will, dass Sie morgen wieder zum Dinner kommen.«

»Okay, hab nichts dagegen.«

»Aber das ist noch nicht alles.«

»Doch das wollen Sie mir jetzt nicht erzählen?«

»Genau.«

»Wie will er mich denn überzeugen?«

»Allan glaubt ganz fest daran, dass jeder Mensch seinen Preis hat. Ich glaube das übrigens auch.«

»Nur, weil er Ihren Preis bezahlt hat?«

»Wollen Sie damit andeuten, dass Sie aus edlerem Stoff gemacht sind? Dass Sie darüberstehen?«

»Sie machen wohl Witze. Ich bin bekannt dafür, einen gewissen Preis zu haben. Übrigens gar nicht mal so hoch.«

»Manchmal erwischen Sie mich kalt«, sagte Heidi.

»Versuchen Sie nicht, witziger zu sein als der Witzbold. Das letzte Mal, als jemand Sie kalt erwischte, stand Lefty Gomez auf dem Hügel im Stadion.«

»Wer in aller Welt ist Lefty Gomez?«

»Sie sind doch die Expertin. Finden Sie's raus.«

»Ich bin einfach nur neugierig – was haben Sie eigentlich gegen mich?« Sie sah mich scharf an. »Warum lachen Sie? Ich kann's nicht leiden, wenn man über mich lacht.«

»Keine Sorge. Es geht nicht um Sie. Hab nur gerade an einen alten Witz gedacht.«

»Ich nehme an, er hat irgendwas zu tun mit Mr Gomez ...«

»Nein, nein. Er ist alt und blöd. Wie Ronald Reagan.«

»Wollen Sie ihn mir freundlicherweise erzählen, oder wollen Sie mich weiter ärgern?«

»Wenn ich Ihnen sagte, dass Sie einen wunderschönen Körper haben, würden Sie mir ihn vorhalten?«

»Wie bitte?«

»Das ist bereits der Witz. Alt und blöd, wie gesagt. Ich kenne eine Menge solcher Witze. Zum Beispiel der: Ein Page ist immer ein Page, aber wenn der Ritter erst mal ...«

»Es reicht. Den hab selbst ich schon mal gehört.«

»Sehen Sie? Sie mögen es nicht, ausgelacht zu werden. Und ich mag es nicht, hereingelegt zu werden. Zum Beispiel wie in der kleinen Nummer, die Sie gestern mit mir abgezogen haben. Sie und der gute alte Allan können sämtliche dummen Spielchen spielen, die Ihnen gefallen, aber dann lassen Sie mich raus. Keine Spielchen mit Lee Tripper. Meine Toleranzschwelle liegt niedriger als Joel Skinners durchschnittliche Trefferquote.«

»Wer ist Joel Skinner?« Sie zog eine Grimasse und seufzte. »Sagen Sie's nicht. Ich bin die Quellenforscherin. Tja, es tut mir Leid, wenn ich Sie gestern geärgert habe ...«

»Nein, ich hab mich gestern für einen zu schlauen Kerl gehalten. Sie sind wirklich sehr, sehr hübsch und werden mit jeder Minute hübscher. Dass ich Sie aufgegabelt habe, war ein kleiner, aber bedeutungsvoller Triumph. Und als ich dann merkte, dass mein Charme, mein Witz und mein Schneider nichts damit zu tun hatten, waren meine Hoffnungen zerschmettert. Ich war sehr unglücklich. Kriegte 'ne Scheißangst. Die noch durchaus bis morgen andauern kann.«

»Was für Hoffnungen hatten Sie denn?«

»Ach, Sie wissen schon. Vermutlich sehr animalische ...«

»Hätte ich mir ja denken können!«

»Ich nehme an, Sie sind aus edlerem Stoff gemacht und stehen über alldem. Schön. Es ist Ihr Leben und Ihre Sache, was Sie daraus machen.«

Über diesem Geplänkel, das so gut zu den Traditionen des filmreifen Kennenlernens passte, waren wir bis zur großen Kolumbusstatue an der Südwestecke des Central Park gelangt. Und weiter, schien es mir, würden wir auch nicht mehr kommen.

»Von hier aus schaffe ich's sicher allein nach Hause«, sagte ich. Ich hob die Hand, um ein Taxi anzuhalten, aber Heidi zog sie wieder herunter.

»Meine Anweisung lautet, ich soll Sie nach Hause bringen.« Sie hakte mich unter, und wir gingen Central Park West in Richtung Norden, ohne dass ich noch etwas über Bechtol aus ihr herausbekam. Als wir vor meinem Haus anlangten, konnte ich nicht anders, als ihr die Frage zu stellen: »Wollen Sie raufkommen und die Nacht bei mir verbringen?«

»Sie sind wirklich verrückt.«

»Das ist noch gar nichts ...«

»Das gefällt mir an einem Mann.«

»Na gut, dann nehm ich's zurück.«

»Was zurück?«

»Was ich vorhin gesagt habe. Sie *sind* doch irgendwie witzig.«

»Wenn Sie tun, was Allan will, wenn Sie sich überzeugen lassen«, ihre blassbraunen Augen fixierten mich, und mir wurde der Schnitt ihres Haares und die Form ihres Kopfes bewusst, »werden wir uns öfter sehen.«

»Ooch, da machen Sie sich mal keine Sorgen. Ich könnte auch so kommen.«

Sie küsste mich auf die Wange, und ich spürte ihre im Lächeln verzogenen Lippen. »Was für ein Galan!«

»Ich pflege beim ersten Date nie zu küssen.«

»Ihr Ruf ist nicht in Gefahr, Tripper. Denn das hier war kein Date, sondern Geschäft.« Sie ging bereits auf den Straßenrand zu, wo ein wartendes Taxi stand. »Kommen Sie um acht. Wir erwarten Sie.«

Daran hatte ich keinen Zweifel. Ich sah den düsteren Teich unter der Oberfläche von Allan Bechtols Leben, den Teich, der so verführerisch lockte. Und ich fragte mich, ob er nicht Bechtol lockte, sondern seinen alten Freund. Mich.

4.

Am nächsten Abend wurde es erst richtig spannend, wie man so schön sagt. Der düstere Teich war tiefer als erwartet, und ich sollte eine Art Sirenengesang hören. In gewisser Weise war es einer von JCs Songs, der mich verfolgte. Die Vergangenheit holte mich ein. Als ich durch den Central Park schlenderte, wo die hohen Gebäude auf der Westseite lange Schatten warfen, war meine übliche Munterkeit ein wenig gedämpft. Der Schlag, den ich auf der Treppe eingesteckt hatte, forderte seinen Tribut. In der Gegend, wo ich meine Nieren vermutete, tat mein Rücken abscheulich weh. Immerhin war ich hart auf einige Stufenkanten aufgeschlagen. Mir war also ziemlich lausig zumute. Aber ich war auch neugierig.

Die Stimmung in Bechtols Domizil war ganz anders als am Vorabend. Zwar erklang immer noch der Sturm vom Tonband, doch heute dinierten wir drei bei Kerzenlicht auf der Terrasse. Ein paar strategisch platzierte Ventilatoren schufen eine künstliche Brise, die Kerzen flackerten, und schließlich trocknete auch der Schweiß auf meiner Stirn. Bechtol hatte dem japanischen Paar die Kocherei überlassen; und das Ergebnis war gegrillter Schwertfisch mit höllisch scharfer Jalapeño-Soße, scharfe, krosse Frühlingsrollen, frische grüne Bohnen mit einem Hauch Ingweraroma, und ein trockener australischer Weißwein. Ich erwähne das Menü nicht, weil ich auf irgendwelche Gourmetehren Wert lege, sondern um zu zeigen, dass mein alter Kumpel Sam Innis (der von kalter Sardellenpizza und Chilisandwiches leben konnte und eine Kette besonders scheußlicher Fastfood-Restaurants geplant hatte) sich doch sehr verändert hatte, als er zu Allan Bechtol wurde. Im Grunde erinnerte fast nichts an den alten Sam. Bechtol lebte wie ein König, und der König, der mir dabei zuallererst in den Sinn kam, war der verrückte Ludwig von Bayern.

Diese Assoziation schien noch besser zu passen, nachdem ich den Vorschlag meines alten Freundes gehört hatte, und als er zu dem Teil mit der Überzeugung kam, stellte sich heraus, dass er mich in- und auswendig kannte. Wie sehr, werde ich zu gegebener Zeit noch darlegen. Schon beim Cocktail wollte ich wissen, was zum Teufel er vorhabe, wenn allein die Vorbereitungen zwei Abende in Anspruch nahmen. Ich sagte ihm, er solle bedenken, wie gut wir uns einst verstanden hatten. Er könne also allmählich mit dem Versteckspiel aufhören.

Da kam er ins Reden, verkaufte mir mühsam seine Idee. Mit gelegentlichen Unterbrechungen meinerseits zog der Schlagabtausch sich während des ganzen Dinners hin, zu dessen Abschluss Erdbeeren mit Sahne, Kaffee und Cognac gereicht wurden. Dann endlich forderte er eine Antwort. Während ich zuhörte und ihn dabei betrachtete, kam er mir kaum wie der Mann von gestern Abend vor. Bechtol trug einen jungfräulich reinen weißen Anzug, ein silbergraues Hemd von Paul Smith, eine blassgrüne Krawatte sowie eine goldene Patek-Philippe-Armbanduhr, neben der eine Ritz wie ein Traktorreifen aussieht. Sein Bart war sorgfältig gestutzt, das Haar geschnitten und gekämmt. Heidi Dillinger sah umwerfend aus in ihrem schlichten schwarzen

Cocktailkleid mit Spaghettiträgern, das ihr anhaftete wie der Ruf eines bösen Mädchens. Dazu trug sie Schmuck – Kette, Ohrringe und einen großen Ring. Zum Glück hatte ich wenigstens die alte Safarijacke übergezogen, die ich im Park noch lässig über die Schulter geworfen hatte. So, wie die beiden mich anstarrten, fragte ich mich, ob ich wohl irgendwelche Gerüche verströmte.

»Ich komme direkt zum Kern der Sache, Kumpel«, sagte Sam. Er trug eine getönte Brille mit Schildpattfassung. Das Licht der Kerzen spiegelte sich in den Gläsern. »Ich hege den heimlichen Verdacht, dass JC noch lebt.« Er ließ ein bedeutungsvolles Schweigen folgen, wartete wohl darauf, dass ich mich vor Freude auf dem Boden wälzte und alle viere in die Luft streckte.

»Der Meinung sind Millionen seiner Fans, die ihr Hirn mit LSD, Dope, Gras, Koks und weiß der Himmel was noch in Hundefutter verwandelt haben. Und was ist deine Entschuldigung für diese irrsinnige Vermutung?«

»Nur so eine Ahnung, beziehungsweise Gerüchte, die ich gehört habe. Hat aber alles nichts zu bedeuten. Der Punkt ist: Ich glaube, JC ist irgendwo da draußen. Ich möchte, dass du ihn findest, wenn er ... wenn er noch ... ich meine, wenn er tot ist, dann wissen wir ja ein für alle Mal Bescheid.«

»Hör mal, das hab ich doch schon längst gemacht. JC ist tot, seine Asche über der Wüste verstreut.«

Sam grinste mich an, seine Miene ein Muster unendlicher Geduld. »Aber diesmal ist es etwas anderes. Diesmal steht Allan Bechtol hinter dir. Ich kann dich mit all meinen Mitteln unterstützen. Wie lange es auch dauern mag. Außerdem kann ich dir wichtige Informationen geben, die ich gesammelt habe, Stoff, der vor zwei Jahren bei deiner Suche noch nicht zur Verfügung stand.«

»Warum heuerst du nicht einfach einen Privatdetektiv an?

Oder noch besser, eine dieser Behörden, die ihre Agenten auf der ganzen Welt verteilt haben? Was geht mich das an? Vielleicht will ich gar nicht, dass er gefunden wird – ich leb schließlich von seinem Nachruf, hast du das vergessen? Ich bin sein Nutznießer. Das ist ja verrückt, was für eine Scheißidee ...«

»Wie aalglatt Sie sind. Bleiben Sie doch bei der Sache! Schließlich haben Sie jetzt Ihr eigenes Leben.« Einwurf von Heidi Dillinger.

»Ach ja? Aber nicht, wenn der Geist von JC mich verfolgt!«

»Aber ja doch. Sie sind jetzt ein Schriftsteller.«

»Alles, was ich je geschrieben habe, war über meinen Bruder ...«

Heidi beugte sich vor. Der Kerzenschein flackerte auf ihrem Gesicht. Sie und Bechtol gaben schon ein tolles Team ab. »Genau darum geht es ja«, sagte sie sanft. »Sie sind sein Bruder. Das ist doch genau der richtige Job für Sie. Ihre ureigene Angelegenheit.«

»Und du wärst für alle Zeiten finanziell abgesichert, Kumpel.« Bechtol hatte den Ball wieder aufgenommen.

»Wie stellst du dir das vor?«

»Dazu kommen wir noch. Aber der Punkt ist: Du warst die ganzen Jahre mit ihm zusammen. Du hast ihn verstanden, Lee. Und er hat dir immer vertraut. Stimmt's etwa nicht? Hat er sich nicht immer an dich gewandt, wenn er Rat und Hilfe brauchte?«

»Wer weiß das noch?«, fragte ich zurück. »Und wen kümmert's?«

»Natürlich warst du sein engster Vertrauter. Das weißt du verdammt gut. Worauf ich hinauswill, ist Folgendes: Wenn er noch am Leben ist, bist du der Einzige, den er nicht täuschen kann. Darauf zähle ich.«

»Eine Frage«, sagte ich. »Du hast mir noch nicht dein Motiv für dieses irrsinnige Ansinnen mitgeteilt. Was ist für dich drin, Sam?«

In diesem Augenblick sah ich unsere Spiegelbilder in den gläsernen Schiebetüren der Terrasse. Wir sahen aus wie Figuren aus einem Film, wie Verschwörer, und das waren wir ja auch. Sam … Entschuldigung, Allan … saß zurückgelehnt in seinem Stuhl und mümmelte eine Erdbeere. Im Kerzenlicht wirkte seine dunkle Brille fast unheimlich. Heidi sah sehr elegant und hochmütig aus; sie hatte den Kopf zurückgeworfen und schaute an ihrer Nase entlang, hörte zu und fuhr spielerisch mit dem Zeigefinger über den Rand ihres Glases. Und dann ich. Meine Kopfschmerzen konnte man nicht sehen, aber ich versichere Ihnen, sie setzten mir arg zu, seit dieser Kerl mich die Treppe hinuntergestoßen hatte. Ich hatte mir das Nasenbein gebrochen, daher auch der kleine Verband, der nun mitten in meinem Gesicht saß. Weder Bechtol noch Heidi hatten dies zum Anlass für Witze genommen, was nett von ihnen war. Wir passten perfekt in unsere Rollen. Mr Big und seine hinreißende Tussi und der blöde Handlanger, den sie in die Mangel genommen haben. Und nun raten Sie mal, wer dieser blöde Handlanger war und seinen Kopf hinhalten sollte. Raten Sie mal, wer über den Jordan gehen sollte. Aus irgendeinem Grund hatte ich diese undankbare Rolle erwischt. Außerdem stimmte etwas nicht an dem Bild, und das war ich. Aber mein alter Kumpel steckte sich eine Zehndollarzigarre an und gab mir auch eine, und ich hörte weiter zu, ein williger Komplize meines eigenen Ruins. Mein alter Kumpel Sam wusste schon, wie er es anpacken musste.

»Wie ich hörte, hast du meine Romane gelesen«, sagte er.
»Ich fürchte nicht. Wenigstens nie ganz.«

»Mein Gott, kannst du fies sein, Lee! Früher warst du so ein netter Kerl. Konntest keiner Fliege was zuleide tun. Hast das immer JC überlassen. Jetzt machst du's selber.«

»Na ja, eine Axt bleibt eine Axt«, sagte ich.

»Aber du hast doch gesagt, dass mein derzeitiges Projekt – die Sache mit dem Panzer und Lawrence von Arabien – besser klingt als das übliche Zeug. Und deshalb hab ich geglaubt ... woher hast du überhaupt über meine Bücher Bescheid gewusst?«

»Hab die Kritiken gelesen«, erwiderte ich. »Die über das neue Buch hat sich eben besser angehört. Das ist alles.«

»Graffiti auf einem U-Bahnwaggon würde sich besser anhören! Kritiken ... mein Gott. Kritiker!« Er spuckte das Wort förmlich aus, und wenn ich an seine Buchkritiken dachte, konnte ich ihm das kaum übel nehmen. Aber es konnte ihm doch gleichgültig sein. »Kritiker! Du weißt doch, wie die sind. Kritiker kommen aufs Schlachtfeld, wenn die Schlacht vorbei ist, wenn der Rauch sich verzogen hat. Dann erschießen sie die Verwundeten. Angeber sind das, feige Wichte, eine Schweinebande ... nein, das wäre ja eine Beleidigung für die Schweine.«

»Allan hält nicht viel von Kritikern«, schaltete Heidi Dillinger sich ein. »Er nimmt sie viel zu ernst, Mr Tripper. Er hat so viele Leser, dass die Kritiker ihm gar nichts anhaben können ...«

»Diese Bastarde haben meine Seele verletzt!«, rief Allan.

»Vielleicht sollten Sie doch mal eines seiner Bücher lesen und vorurteilsfrei herangehen.« Sie lächelte mich an. Ich fragte mich, was sie von Bechtols Büchern hielt.

»Okay, okay. Aber jetzt steht doch an, warum er sich so für JC interessiert ...«

»Lass dir mal ein oder zwei Dinge über meine Bücher sagen!«, fauchte Allan. »Sie mögen ja minderwertig sein, aber sie sind mein Werk, und ich mache meine Arbeit so gut wie möglich. In zwanzig Jahren mögen sie vergessen sein. Aber diese Korinthenkacker, die sie kritisieren, die sie anpissen, diese kleinen Scheißer sind schon *morgen* vergessen. Sie sind wie lästige Mücken, und das nehme ich ihnen übel. Und wenn ich mich nicht so gut in der Gewalt hätte, würde ich ein paar von ihnen umbringen, bloß zum Spaß.«

»Hör mal, wenn du jetzt nicht aufhörst, mach ich mich vom Acker und geh nach Hause. Ich bin so gut wie jeder andere bereit, mich zu Hause von einem windigen millionenschweren Schriftsteller langweilen zu lassen, aber jeder andere würde sich diese überflüssige Scheiße nicht anhören. Du bist reich, und sie sind arm, also zum Teufel damit!«

Allan wedelte mit seiner Zigarre in meine Richtung, und die Asche fiel in seinen Cognacschwenker. »Scheiße! Siehst du? Wieder die Kritiker!« Mit seinem Blick zwang er mich, wieder Platz zu nehmen. »Na schön, lassen wir's.« Er seufzte und schob den Schwenker beiseite, goss frischen Cognac in seine Kaffeetasse. »Das Markenzeichen meiner Bücher ist ihre Wahrhaftigkeit. Sie beruhen stets auf tatsächlichen Ereignissen. Natürlich breite ich eine dicke Schicht Fiktion darüber ... Intrigen, Sex, Drogen, Gewalt, ziemlich eindimensionale, grob gezeichnete Charaktere, angelehnt an die Schwachköpfe, die man in Supermarktprospekten sieht ... aber die Grundstruktur, das Stahlskelett meiner Geschichte, die zugrunde liegende Wirklichkeit, scheint stets durch, trägt das Gewicht meiner Story. Beispielsweise habe ich im Norden Afrikas, in der Wüste, einen Panzer des Afrikakorps gefunden, in dem tatsächlich noch die Skelette der Soldaten lagen ... Ein Freund hatte Gerüchte darüber gehört, deshalb fuhr ich hin und stöberte das Ding auf ... Muss ja wie in einem Glutofen darin gewesen sein! Vierzig Jahre oder länger hat es da gestanden, und als ich es fand, war es fast völlig im Sand begraben und das Kanonenrohr stand hoch, als ob es der Welt den Stinkefinger zeigte! Das war die zugrunde liegende Wahrheit. Ich suchte sämtliche Informationen über diesen Panzer zusammen – ganz nettes Stück Arbeit für meine junge Dillinger – und fabulierte den Rest dazu. Dieser Panzer kann nämlich eine gehaltvolle Story tragen, verstehst du?

Nun ja, und die Basis für mein nächstes Buch ist JC Tripper. Und die Zeit für die Recherche ist jetzt, damit ich alles bereithabe, wenn ich mit Rommels Panzer und dem guten alten Lawrence fertig bin … Er war ein großer Mann, ein wahrhaft großer Mann.«

»JC? Du machst wohl Witze!«

»Lawrence. Ich spreche von T. E. Lawrence. JC? Nein, der ist kein großer Mann. Aber interessant, mit all seinen Fehlern und Schwächen. JC war ein Prototyp, ein dramatischer Typ. Irgendwie war er auch ein Satyr. Die Mädels haben ihn angebetet. Ich kann mir nicht mal ansatzweise vorstellen, was er alles angestellt hat, bei seinem schlechten Ruf. Dein Buch war ganz gut, aber wenn wir ehrlich sind, Lee, war es oberflächlich, zumindest an meinem Standard gemessen. Aber jetzt kriegst du die Gelegenheit rauszufinden, ob er tatsächlich noch am Leben ist! Bevor ich anfange, muss ich die Wahrheit wissen, und du, Lee, warst doch dabei! Du weißt besser als jeder andere, wie es am Ende war. Du hast all die blutrünstigen Einzelheiten miterlebt, du musst dir doch deine Gedanken dazu gemacht haben … Du kannst mir nicht in die Augen sehen und behaupten, du hättest nie die offizielle Version in Zweifel gezogen, die Version, die du mit deinem Buch gestützt hast … Teufel auch, Lee, mit genug Zeit und Gelegenheit bist du doch der Einzige, der fähig ist, die Wahrheit zu erkennen.«

Mein alter Kumpel ging mir allmählich auf die Nerven.

Vor zwei Tagen war eine sehr liebe Freundin von mir ermordet worden, doch Allan Bechtol und Heidi Dillinger hatten ihre Fragen gestellt und waren danach zur Tagesordnung übergegangen. Sie waren wie die Schauspieler, die ich früher gekannt hatte. Nichts zählte außer ihren eigenen Plänen. Du hast ein Bein verloren, dein Kind ist von Skinheads gekidnappt worden, deine Schwester wurde von Kannibalen ermordet und aufgegessen? Mensch, ist ja echt heavy, aber wir drehen da gerade diese Szene, wo das Bikinioberteil runtergerissen wird ... *Sie* waren wichtig. Nicht Sally Feinman, nicht die Art, wie sie gestorben war, nicht meine Trauer. Sie nahmen sich wichtig, und alles andere war unbedeutend. Daran sollte ich mich besser gewöhnen, wenn ich mich von ihnen kaufen ließ.

Ich schob meinen Stuhl zurück und stand auf. In der Dunkelheit funkelten die Lichter, und der Nachthimmel hatte einen rosafarbenen Schimmer, als wäre die Stadt von General Sherman abgefackelt worden. Ich sog an der Zigarre, einer Havanna, die mir zu mild war. Beide starrten mich nun an, wollten mich nicht gehen lassen. Sie hatten keine Ahnung von meinen Gedanken, und das war gut.

Ich horchte auf eine Stimme, auf Sallys Stimme. Ich wollte hören, was sie mir zu sagen hatte. Sie war ein Mensch, zu dem ich unbedingtes Vertrauen gehabt hatte. In ihrem Reich wurde mit der Währung von Anständigkeit und Integrität bezahlt – ein unschätzbarer Wert in unserer korrupten Zeit.

»Ich fürchte, du überschätzt mich.« Wieder brach mir der Schweiß aus. In der Luft hing die Ahnung eines erfrischenden Sommerregens, ein Hauch von Erleichterung, von Wahnsinn. Inzwischen wehte tatsächlich eine Brise vom Park her; ich spürte sie auf der Haut. Irgendwo jenseits des Hudson rollte leiser Donner. »Denk mal drüber nach. Ich war nie besonders nützlich, hab weder JC helfen können noch mir selbst, und zu der Zeit, als wir in Tanger unsere kleine Wagenburg bauten, war ich völlig am Ende. Ich hatte ein Dope-Problem, ein ziemlich heftiges Dope-Problem – nenn es, wie du willst. Und das mit dem Dope wurde vom Saufen nicht gerade besser, und dazu kamen noch die falschen Frauen. Einschließlich derer, die JC großzügigerweise an mich weitergab, und das waren etliche. Und dann, als es in Tanger absolut den Bach runterging, war auch dein ergebener Erzähler fast in seine Einzelteile zerfallen. Ich meine, wie in diesen unmöglichen Puzzles, die nur aus roten Teilen bestehen ... unglaublich viele Teile, und man meint, man kriegt sie nie wieder zusammen. Als ich meinen Namen wieder wusste, lag ich in einem Schweizer Krankenhaus. Sanatorium wohl eher. Ich bin nicht der gute Berichterstatter, für den du mich hältst, das wollte ich damit sagen.«

Bechtol schüttelte den Kopf, war wieder die Geduld in Person. »Du darfst mir ruhig das eine oder andere zutrauen, Lee.« Eine der Kerzen war heruntergebrannt und erlosch. Die andere lag in den letzten Zügen, und der Ventilator drohte ihr den Rest zu geben. Die Spitze von Bechtols Zigarre glühte wie ein Stopplicht, wie eine Warnung. »Ich bin besessen von Details. Frag Heidi. Oder vertrau mir einfach, denn es ist wahr. Ich weiß, wie scheußlich das Chaos am Ende war ...«

»*Wie* scheußlich weiß kaum einer, der das überlebt hat«, betonte ich.

»Ich weiß von dem seltsamen Verschwinden des trauernden Bruders. Das warst nämlich du. Verdammt, Lee, eines der beliebtesten Szenarien in den Fan- und Rockmagazinen war, dass du bei der Vertuschung der Todesursache mitgeholfen hättest, bei dieser berüchtigten Verschleppung über drei Tage hin ... Da gab's welche, die behaupteten, du hättest dafür gesorgt, dass JC unbemerkt verschwinden konnte ...«

»Genau so war's«, sagte ich. »Wir haben einen betrunkenen Fremden ermordet, die Leiche verbrannt, damit es noch ein bisschen echter aussah, und ich bin durchgedreht, als ich die Aufmerksamkeit von JC abzulenken versuchte. Der sich dann im Burnus und auf einem Kamel davongemacht hat ... Verdammt, und wir haben geglaubt, keiner würde das merken.«

Darauf folgte langes Schweigen, dann sagte Bechtol: »Hab schon verrücktere Storys gehört.«

Heidi Dillinger schaute mich mit ihren hellbraunen Augen groß an. Mir war vorher nicht aufgefallen, dass sie ein wenig mandelförmig waren – eigentlich sah sie fast wie eine Asiatin aus. »Meinen Sie, dies wäre der passende Zeitpunkt für Ironie?«

Ich zuckte die Achseln.

»Es gibt sogar Leute, die andeuten, *Sie* hätten JC ermordet ... Dass Sie nicht mehr in seinem Schatten leben konnten und es satt hatten, von seinen Brosamen zu leben ...«

»Sei versichert«, schaltete Bechtol sich hastig ein, »dass wir das nicht glauben. Nicht eine Sekunde lang.« Er musterte Heidi mit einem Blick, der sowohl Überraschung als auch Unmut ausdrückte.

»Dann fällt mir ja auch dieser Stein vom Herzen«, sagte ich. »Außerdem hab ich noch die Kannibalenstory gehört – die war die beste. Clive, Annie, ich und noch ein paar Auserwählte sollen JC gegrillt und dann aufgegessen haben. Das wirft ein ganz neues Licht auf den Spruch, dass man von jemandem lebt ...«

»Wieder Selbstschutz durch Ironie.«

»Ach, Dr. Dillinger, wie nett, dass Sie sich zu unserem Zirkel gesellen. Warum soll ich denn nicht ironisch sein? Auf Psychodrama pflege ich immer mit Ironie zu reagieren. Und so einen Scheiß über angeblich wahre Geschichten mag ich nun mal nicht.« Die beiden starrten mich weiterhin an, als würde alles, was ich sagte, aufgenommen und später gegen mich verwendet. Vielleicht beherrschte sie aber auch nur der Gedanke, dass alles von mir abhing. Natürlich gab es Dinge, die ich wusste, sie hingegen nicht. In gewisser Weise verfolgte jeder von uns seinen ganz privaten Plan. »Hört mal, was soll ich denn sagen? Ich war doch schließlich in der Klapse! Ein Jahr lang bin ich immer wieder eingeliefert worden ... nein, es war noch länger. Und es ging nicht allein um Drogen. Meine Psyche musste komplett renoviert werden. Ein hyperschwerer Fall. Klar?«

»Klar, Kumpel. Wissen wir doch.«

»Überleben war nicht leicht«, fuhr ich fort. »Da waren JCs Fahrer Clive Taillor und Annie DeWinter, die haben sich damals in Tanger um alles gekümmert. Sie haben Geld zusammengekratzt, Leute ausbezahlt und versucht, JCs Tod nicht zu einer verdammten Kirmes ausarten zu lassen. Sie haben auch diese dreitägige Verschleppung der Geschichte bezahlt. Dann haben sie den alten JC kremieren lassen ...«

»Das steht aber nicht in deinem Buch«, mahnte Bechtol.

»Ich wollte ja auch nicht die Welt neu erschaffen«, erklärte ich. »Ich wollte bloß ein bisschen Geld verdienen und einigen Leuten das Maul stopfen.« Inzwischen betete ich inständig um Regen. Wischte mir die Stirn mit meinem Taschentuch. »Ich hab nicht einmal den Ort gefunden, wo sie JCs Asche in den Wind gestreut haben.«

All dies beeindruckte Allan Bechtol nicht im Geringsten, denn er hatte bereits seine Version, der sich alles unterzuordnen hatte. Er wusste, was er wollte. Er war wirklich ein sehr überzeugender Mensch.

»Dann lass dir mal ein paar harte Fakten des Lebens mitteilen, Lee.« Der Rauch seiner Zigarre zog in die Flamme der verlöschenden Kerze, wurde nach oben geweht. Heidi

Dillinger musterte Bechtol so gespannt, als ob nun die interessantesten harten Fakten folgten, die sie jemals gehört hatte. »Ich glaube, JC hat sich aus gutem Grund in einen gemütlichen Schlupfwinkel zurückgezogen. Ich glaube, wir sind nicht die Einzigen, die nach ihm suchen. Es gibt da noch ein paar andere Leute, denen es bitterernst ist. Oder JC greift selber zu extremen Mitteln, um in der Versenkung zu bleiben.« Er stieß einen Seufzer aus. »Oder beides.«

»Er meint damit«, schaltete Heidi Dillinger sich mit sanfter Stimme ein, »dass diese Sache ein gewisses Element an Gefahren birgt. Ein Risiko.«

»Risiko«, sagte ich, »klingt wie etwas, mit dem Sie gut fertig würden.«

»Ich würde es versuchen. Könnte schon sein.« Sie lächelte.

»Wie kommen Sie darauf, dass diese Suche gefährlich werden könnte? Meinen Sie nicht, dass Ihre Einbildung Überstunden macht?«

»Das glaube ich nicht«, sagte Allan, stand auf und trat zu mir. Nahm seine getönte Brille ab und steckte sie in die Brusttasche. Seine Miene zeugte von herzergreifender Lauterkeit. »Ein Discjockey in Los Angeles, der JC sehr nahe stand ...«

»Du meinst wohl Shadow Flicker«, unterbrach ich ihn. »Sie waren befreundet, das stimmt.«

»Genau der. Er ist vor ein paar Tagen ermordet worden.«

Das traf mich schwer. Flicker war in Ordnung gewesen. Er hatte JC niemals betrogen oder ausgenutzt. Wenn man mit Shadow zu tun hatte, gab es immer mehrere Möglichkeiten. »Wenn wir jetzt nicht zusammenarbeiten können«, pflegte er stets zu sagen, »lassen wir's. Wird schon noch ein nächstes Mal geben.«

Nun würde es kein nächstes Mal mehr geben. Mein Magen fühlte sich wie ein Klumpen an, während Tränen mir in die Augen stiegen. Es hatte bestimmt mit Drogen zu tun. Oder Flicker hatte die Frau eines Plattenproduzenten gebumst. Oder die Tochter. Das musste es sein. Flicker war ein wilder Typ, der bestimmt auch mit dem Alter nicht ruhiger geworden war.

»Das ist aber noch nicht alles, Lee, wie ich dir leider sagen muss. Aber es wäre nicht fair, es dir zu verschweigen … ich habe das Gefühl, dass der Mord an Sally Feinman auch damit zusammenhängt. Es sind einfach ein paar Zufälle zu viel. Flicker war JCs Freund, und Sally war Journalistin. Sie hat viel über JC geschrieben. Außerdem war sie eine gute Freundin von dir.«

»Man könnte sagen«, meinte Heidi Dillinger leise, »dass sie sehr auf der Tripper-Linie war.«

»*Sie* sagen das«, betonte ich, ließ das Thema fallen und wandte mich an Bechtol. »Du glaubst, JC hätte Menschen umbringen lassen, um seine Privatsphäre zu schützen? Vielleicht waren Elvis und Marilyn ja genauso drauf. Und nicht zu vergessen Jack Kennedy.«

»Das ist nicht lustig, Lee. Falls JC noch am Leben ist, woher willst du dann wissen, wie er drauf ist? Vielleicht hat er Gründe für sein Handeln, die wir uns gar nicht vorstellen können. Oder er hat gar nichts damit zu tun. Vielleicht sind die Leute, die ihn suchen, einfach nur zu allem entschlossen. Ich weiß es eben nicht. Aber auf jeden Fall geht da etwas vor, das einem Angst einjagen kann.«

»Und was ist, wenn ich das jetzt als Grund benutze, aus der Sache auszusteigen?«

»Dann schätze ich, dass eine halbe Million dich umstimmen wird.«

»Meinst du das ernst?«

»Es ist immerhin eine ernst zu nehmende Summe. Wenn

es um Geld geht, meine ich's immer ernst. Die Hälfte kriegst du heute Abend, den Rest, wenn alles vorbei ist. Wenn wir beide der Meinung sind, dass es vorbei ist. Ist 'ne Menge Asche, Lee.«

»Du meinst das tatsächlich ernst«, überlegte ich. »Mithin bist *du* einer der Menschen, die JC unbedingt finden wollen. Also könntest *du* Shadow und Sally ermordet haben, und weil du da ein bisschen übertrieben hast, kommst du jetzt zu mir und versuchst es mit einer anderen Masche – wie klingt das? Wie ein Roman von Allan Bechtol?«

»Lee, ich werde keinen Anstoß daran nehmen. Aber das ist unter deinem Niveau.«

»Okay, okay. Ich versuch ja nur, alles zu verdauen …« Ich schaute langsam auf, um den beiden mein strahlendes Lächeln zuteil werden zu lassen, auch wenn man in der Dunkelheit wenig davon sah. »Dann also im Ernst. Wollen mal sagen, dass diese halbe Million ein Vorschuss auf zehn Prozent des Honorars für die weltweite Vermarktung ist, auf Druck- und Film- und Fernsehrechte, falls du jemals ein Buch aus der Story machst. Falls nicht, ist die halbe Million mein Sold.«

Bechtol fiel der Unterkiefer herab.

Heidi Dillinger hingegen brach in Lachen aus – ein überraschend wohlklingendes Lachen. »Und er hält uns für kaltblütige Zyniker! Sie sind ein Gauner, Lee. Ein Gauner und ein Schurke!«

»Und ich wette, das gefällt Ihnen an einem Mann«, sagte ich.

Bechtol und ich besiegelten die Abmachung per Handschlag. Heidi Dillinger notierte die Grundlagen des Vertrags auf ein Blatt von Bechtols persönlichem Briefpapier, und wir setzten unsere Unterschriften darunter. Heidi war nämlich auch Notarin. Sie holte ihren Stempel aus der Tasche und machte das Dokument amtlich. Dann gab sie es mir. »Sie müssen Mr Bechtol schon vertrauen«, sagte sie. »Das hier wird helfen.«

Damit waren wir Partner.

Bechtol schrieb mir einen Scheck auf seine Bank in Höhe von einer viertel Million aus.

Wie hätte ich ablehnen können?

Heidi Dillinger schüttelte mir ebenfalls die Hand und reichte mir einen Umschlag mit einigen Papieren. Dazu Flugtickets.

»Morgen Früh fliegen wir nach Los Angeles.«

Wir stießen an. Ich sammelte meinen verknoteten Magen auf und machte mich auf den Heimweg. Endlich setzte der Regen ein.

5.

Ergab Bechtols Story irgendeinen Sinn?
Die Morde an Shadow Flicker und Sally Feinman lagen nur wenige Tage auseinander. Gab es außer dem zeitlichen Rahmen noch eine Verbindung? War diese Verbindung JC Tripper? Sicher – aber hielt sie einer genauen Überprüfung stand?

Verständlich, dass die Story einen Mann wie Bechtol reizte, der einen verschlungenen Handlungsaufbau liebte. Außerdem war er als Sam Innis ein guter Freund JCs gewesen, ein weiteres Motiv. Doch aufgrund seiner neuen Persönlichkeit und dieser eigenartigen Karriere mochte sein Blickwinkel leicht verzerrt sein. Wahrscheinlich handelten alle seine Bücher von Verschwörungstheorien.

Ich hatte arge Zweifel.

Aber da waren zwei Tote, und ich hatte beide gekannt. Beide waren mit dem Leben JC Trippers verbunden gewesen – der eine als alter Freund, die andere aufgrund ihrer Arbeit. Hmmm. Und mich hatten sie auch gekannt …

Ich zweifelte an Bechtols Theorie, zugleich aber lief es mir kalt den Rücken hinunter. Immer wieder streckte die Vergangenheit ihre Hände nach mir aus und drohte mich zu ersticken.

Warum war Bechtol so versessen darauf, einen Roman

über den Tod – oder vorgetäuschten Tod – JC Trippers zu schreiben? War JC immer noch so aktuell? Das kam mir unwahrscheinlich vor. Doch mein Buch und die immer noch reichlich fließenden Tantiemen belegten das Gegenteil.

Aber gab es denn keine andere Story, der Bechtol/Innis sich widmen konnte?

Wer vermag schon zu sagen, wie das Hirn eines Schriftstellers funktioniert?

Falls Bechtol das Paradebeispiel für einen akribisch recherchierenden Thrillerautor war, legte ich keinen großen Wert auf die Bekanntschaft mit diesem Menschenschlag. Je besser ich ihn kennen lernte, desto verrückter fand ich ihn.

Aber an seiner Theorie über die Morde an Flicker und Sally konnte durchaus etwas dran sein.

Als ich heimkam, regnete es in Strömen. Es gluckerte in den Gullis, und die Schlaglöcher auf den Straßen wurden allmählich zu kleinen Seen. Abgekühlt hatte es sich kaum; man kam sich vor wie in den Tropen, wie in einem Malariasumpf. Der Donner hallte wie Pistolenschüsse, und im Westen zuckten Blitze, die in unregelmäßigen Intervallen die Wolken in einen grellweißen, gespenstischen Schein tauchten.

Als ich meine Wohnungstür öffnete und in den Korridor mit den Spiegeln und den japanischen Kabuki-Bildern schaute, sah ich einen schwachen Lichtschein aus dem Wohnzimmer dringen.

Mit dem Schlüssel in der Hand blieb ich auf der Schwelle stehen. Ich wartete und überlegte. Meine Gedanken wanderten zu Sally und ihrem schlimmen Schicksal. Vielleicht war sie ebenso unbedarft in ihre Wohnung spaziert, wo der Mörder bereits auf sie wartete.

Meine Wohnung war dunkel und still, abgesehen vom Licht im Wohnzimmer. Die Terrassentüren standen offen, der Regen trommelte schwer auf den Betonboden. Dicke

Tropfen platschten von der Markise. Die Lichtschein aus dem Wohnzimmer fiel auch auf die Terrasse, leuchtete aber nicht die Winkel aus. Ich schluckte meine Angst hinunter und redete mir ein, nicht so schwarz sehen zu dürfen.

Leise machte ich die Wohnungstür zu und schlich durch den Vorraum, spähte ins Wohnzimmer. Eine der Tischlampen brannte. Neben ihrem Fuß lag ein Roman von Howard Browne. Ein Donnerschlag dröhnte. Der Regen prasselte hernieder, und die Vorhänge bauschten sich im Wind. Ich selbst musste das Licht angelassen haben – wie sollte es anders sein? Ich schaute ins Arbeitszimmer, ins Schlafzimmer, in die Küche. Das Bad wollte ich mir lieber ersparen. Absurd, aber ich sah immer noch Sally in ihrer Badewanne vor mir, die toten, starrenden Augen und ihre Zähne, die in die herausgestreckte Zunge bissen. Jetzt stell dich nicht so an, sagte ich mir, tastete mit der Hand um die Ecke und knipste das Licht an. Im Bad war niemand, kein Lebender und kein Toter. Ich zog den Duschvorhang zurück. Auch die Wanne war leer.

Als ich wieder durch den Korridor ging, stieg mir ein seltsamer Geruch in die Nase. An der Terrassentür, in die Betrachtung des strömenden Regens versunken, spürte ich die frische Brise und nahm den Geruch wieder wahr. Es war nur ein Hauch. Irgendein Geruch aus meiner Kindheit, den ich eigentlich kennen sollte.

Ich warf meine Safarijacke über die Sofalehne und begab mich in die Küche. Schaute in den Kühlschrank. Zitronengötterspeise mit Bananenstückchen. Ein paar Dosen Tecate-Bier. Auf Wackelpudding hatte ich nicht so richtig Lust, deshalb schnappte ich mir eine Dose Bier und nahm einen ordentlichen Schluck. Jeden Tag führte ich mir so eine Portion Wackelpeter zu Gemüte. Heute Zitrone, gestern war's Kirsche gewesen.

Kirsche.

Auf dem Weg zur Terrasse fiel es mir wieder ein: Ja, dieser Geruch war mir aus meiner Kindheit vertraut. Kirschsoda. Hustensirup mit Kirschgeschmack. So ein süßlicher, ekelhafter Geruch. Kirschen.

Zuletzt hatte ich ihn in Sally Feinmans Loft gerochen. Dort war er mit dem Geruch nach verbranntem Fleisch eine grauenhafte Verbindung eingegangen.

Nun befand ich mich in meinem Heim, und wieder roch es nach Kirschen. Und die Lampe hatte gebrannt, aber ich hatte sie nicht angelassen. Und ich stand auf der Schwelle zum Dachgarten und sah dem Sturzregen zu, und meine Knie begannen dermaßen zu zittern, dass es sich anhörte wie ein Stepptanz von Fred Astaire.

In einem meiner Liegestühle saß ein Mann, dessen oberer Teil durch die Markise vor dem Regen geschützt war. Er trug, soweit ich es erkennen konnte, einen altmodischen Anzug aus Seersucker-Stoff, der reichlich zerknautscht, faltig, formlos und sackartig aussah. Ein Panamahut mit einem bunten Hutband lag auf einem kleinen Tisch neben einer Dose Tecate. Die Hosenbeine mit den breiten Umschlägen waren dem Regen preisgegeben, ebenso die kremfarbenen Lederschuhe mit den Kreppsohlen. Seine unteren Extremitäten waren also extrem feucht. Im Schoß des Mannes lag eine kurzläufige Smith & Wesson. In der Hand hielt er eine Maiskolbenpfeife. Nun hatte ich auch die Quelle des Geruchs geortet: Es war der Tabak, ein Drugstore-Erzeugnis mit Kirschgeschmack. Die Augen des Mannes waren geschlossen. Er hatte ein breites Gesicht mit schwerem Unterkiefer und dünnen Lippen, das wie aus Beton gegossen aussah. Ein paar feuchte Haarsträhnen waren quer über seinen ansonsten kahlen Kopf gezogen. Außerdem bemerkte ich einen großen roten Fleck auf seinem blauen Hemd unter der karierten Fliege, die mit einem Clip festgeklemmt zu sein schien.

»Hallo, Sie da«, krächzte ich. Es klang nicht gerade wie Englisch. Oder sonst eine der bekannten Sprachen der Welt.

Der Mann rührte sich nicht.

Ich hatte einen Toten auf meiner Terrasse.

Jetzt musste ich erst mal einen kräftigen Schluck Tecate nehmen. Ein inbrünstiges »Scheiße!« entfuhr mir. Ich kniete nieder und inspizierte den grässlichen Fleck, der im schwachen Licht auf der Terrasse wie die Todesursache aussah. Ein Blitz fuhr vom Himmel, und die Verletzung sah noch scheußlicher aus. Ich musterte das tote graue Gesicht. »Wer, zum Teufel, bist du?«, murmelte ich vor mich hin. Gott, wie ich so etwas hasse!

»Morris Fleury«, sagte der Leichnam mit einer vor Müdigkeit heiseren Stimme. Außerdem hatte er den Akzent der Leute aus Texas, beziehungsweise dieses ihnen eigene Näseln. »Und Sie, mein Sohn, reden in meinem Traum.«

Wenn Sie noch nie einen Mann durch die Luft haben schweben sehen, dann haben Sie wirklich was verpasst. Ich kann mich dieser Erfahrung auch nicht rühmen, aber Morris Fleury schon, wie er mir versicherte. Er meinte, nur die spontane menschliche Selbstentzündung könnte diesen Anblick noch toppen.

Als ich wieder auf der Terrasse stand und mich am Türrahmen festhalten musste, um nicht auf die Nase zu fallen, betrachtete mich Morris Fleury, der Untote, mit winzigen Schlafäuglein und ließ seine Pfeife fallen. Er wollte sie aufheben, dabei fiel ihm der Revolver herunter. Er stöhnte und fischte nach beiden Utensilien, hielt jedes in einer Hand und richtete den entgeisterten Ausdruck seines Zementgesichts auf mich, als versuche er sich zu erinnern, wo er sich befand und wer ich sein könnte.

»Mein Gott, Ihre Brust ... wie schaffen Sie es nur ...?«

»Meine Brust? Was soll 'n mit meiner Brust sein?«

»Na, Ihre Brust, da, Ihre Brust ... Sie haben da eine Wunde.«

Er senkte das Kinn und versuchte die Stelle zu orten.

»Ketchup und Mayonnaise«, stellte er dann klar. »Doppelter Cheeseburger mit allem Drum und Dran, Fritten, Malzbier. Zwei Leute, die ich sehr schätze, haben mir geraten, nicht immer so viel Ketchup zu nehmen.« Er gähnte ausgiebig und hielt sich die Smith & Wesson vor den Mund. Es sah fast aus, als würde er sich den Lauf hineinschieben.

»Zwei Leute ...?«, sagte ich.

»Mein Arzt und die Frau von der Reinigung.« Er stieß einen Laut aus, den man mit einigem guten Willen als Lachen bezeichnen konnte. »Sie müssen entschuldigen«, grunzte er, »aber ich bin völlig erledigt. Nehm an, Sie sind Lee Tripper.«

»Das nehm ich auch an.«

»Er nimmt es an«, sagte er zu einem unsichtbaren Publikum. »Ist ja echt witzig.«

»Bitte richten Sie die Pistole nicht auf mich.«

»Hören Sie, Sie können mich anspringen, mich überwältigen oder was auch immer, aber Morris Fleury ist nicht von gestern.« Fleury steckte endlich die Pistole weg. Er ließ sie in die Tasche seines sackartigen Jacketts fallen, starrte mich an, steckte sich die Pfeife zwischen die Zähne und steckte das Kraut an. Plötzlich roch es so überwältigend nach Kirschen, dass einem speiübel werden konnte.

»Meine Güte, das riecht ja ekelhaft! Wie können Sie nur so ein Zeug rauchen?«

»Wenn man's raucht, riecht man's nicht.«

Ich nahm noch einen Schluck Bier. »Sallys Loft hat nach diesem Zeug gestunken.«

»Das überrascht mich nicht.« Torkelnd kam mein Besucher auf die Beine. Er war um die eins siebzig groß und über neunzig Kilo schwer, um nicht zu sagen, fett. Seine Anzughose wurde von einem fünf Zentimeter breiten Gürtel gehalten, dessen flache, schwere Schnalle mit dem stilisierten Kopf eines Longhorn-Stiers verziert war. Fleury stand auf dürren O-Beinen. Eigentlich hätten Cowboystiefel gut zu ihm gepasst, aber wahrscheinlich waren Schuhe mit Kreppsohlen besser zum leisen Anschleichen geeignet. Missmutig schaute er auf seine durchnässten Hosenaufschläge und Schuhe hinunter. »Man sollte doch meinen, der Mann hat so viel Erfahrung, dass er weiß, wann er aus dem Regen gehen soll. Aber ich hab's einfach verschlafen. Wäre auch in 'nem Sattel eingepennt.« Er zuckte zusammen, als es wieder donnerte. »Hab 'n paar schlimme Tage hinter mir, Freund. Nerven liegen blank. Hab 'nen nervösen Zeigefinger. Morris Fleury ist nicht mehr der Mann, der er einmal war.«

»Warum mussten Sie denn auf meiner Terrasse Siesta halten?«

Er starrte mich nur an, tippte sich mit dem Pfeifenstiel gegen die Zähne.

»Haben Sie Sally Feinman ermordet? Hören Sie, ich weiß gar nicht, was ich fragen soll … Ist das nicht Ihr Part? Wollen Sie mir nicht mal verraten, was hier eigentlich gespielt wird? Bevor ich vor Aufregung ohnmächtig werde …« Er hatte die Pistole weggesteckt, was ich als gutes Zeichen wertete. Ohne das Ding war er weniger Furcht einflößend. Allerdings fragte ich mich, wie schnell er ziehen konnte. Immerhin kam er aus Texas, seinem Akzent nach zu schließen.

»Ich? Ich soll Sally Feinman gekillt haben? Was reden Sie denn da, Junge? Soll ich die Hand beißen, die mir zu essen gibt? Benutzen Sie mal Ihren Kopf, Tripper!«

»Hören Sie, Furry, ich kenne Sie nicht und weiß nichts von Ihnen …«

»Jetzt kommen Sie schon, ein bisschen Respekt, ja? Ich

heiß nicht Furry. Ich heiß Fleury. Morris Fleury.« Wieder zuckte er bei einem Donnerschlag zusammen. »Kann ich noch 'n Bier haben?« Er nickte zur Küche hin. »Dann können wir uns setzen, ein paar Dinge aufklären.« Der Schweiß rann ihm nur so übers Gesicht. Ich zeigte in Richtung Küche und sagte, er könne mir eine Dose mitbringen.

Dann ging ich ins Wohnzimmer und ließ mich ins weiche graue Sofa sinken. Wieder brachte ein schwacher Wind feuchte Luft herein. Morris Fleury kam zurück, reichte mir eine Dose und plumpste auf die andere Couch. Er zog ein rotes Tuch aus der hinteren Hosentasche und wischte sich das Gesicht ab. »Diese Nacht erinnert mich an die schlimmste Zeit meines Lebens ... wo wir Pistolen zu so 'n paar Bandidos geschmuggelt haben ... durch Belize ... das größte Arschloch im bekannten Universum ...«

»Können wir beim Thema bleiben? Wir waren gerade bei Sally Feinman. Und bei dem Gestank, den Ihr Tabak hinterlassen hat ... Warum soll ich Ihnen glauben, wenn Sie behaupten, dass Sie nicht der Mörder sind?«

»Sie sollten's lieber glauben, weil ich der mit der Knarre bin, Klugscheißer.« Geräuschvoll schlürfte Fleury sein Bier. »Sie hätten mal in Belize dabei sein sollen, Klugscheißer.«

»Sie werden mich nicht erschießen. Wir trinken ein Bier zusammen und lernen uns kennen. Bauen eine Vertrauensbasis auf, Morris. Was hatten Sie in Sallys Loft verloren? Sind Sie der Kerl, der mich die Treppe runtergeworfen hat?« Ich brabbelte weiter und atmete allmählich wieder normal. Immer wieder sagte ich mir, dass es keinen Grund gab, sich zu fürchten, jedenfalls nicht vor diesem Mann.

»Ich hab sie nicht ermordet, aber Sie könnten's getan haben. Ist doch verdammt viel wahrscheinlicher.« Er leckte sich die Lippen. »Sie hat mich bezahlt, warum sollte ich sie umbringen? Aber Sie ... Sie hatten ein Motiv. Vielleicht sollte ich mal 'ne kleine Konferenz mit den Cops abhalten. Wie würde Ihnen das gefallen, Amigo?« Er versuchte hämisch zu grinsen und brach dann in ein öliges Lachen aus. Eigentlich sah er aus wie ein Mann, der sein Leben lang Leute erpresst hatte, ohne dass sie bezahlen konnten.

»Sally hat Sie angestellt? Wofür?«

»Nun ja, man könnte es Recherche nennen.«

»Recherche worüber? Und überhaupt … was, zum Teufel, sollte mein Motiv gewesen sein? Ich habe diese Frau geliebt. Ich war zwar nicht verliebt in sie, aber ich habe sie geliebt. Sind Ihnen solche Gefühle bekannt?«

»Seien Sie nicht so rotzig, ja? Ich hab mehr über die Liebe vergessen, als Sie jemals erfahren werden. Können Sie mir ruhig glauben.« Seine Zurschaustellung einer noblen Seele war nicht besonders überzeugend.

»Reden Sie mit mir, Morris. Erzählen Sie mir Ihre Geschichte.«

»Also haben Sie Sally Feinman geliebt! Na, wenn das kein Witz ist!« Er grinste, setzte die Dose an den Hals und schüttelte den Kopf, als könne er es nicht fassen. »Das zeigt einem doch, wie Sie so sind, nicht?«

Ich beschloss, ihm keine weiteren Fragen mehr zu stellen. Von mir aus konnte er reden oder schweigen. Er ging mir auf die Nerven.

»Sie hat mich angeheuert, damit ich mir die Hacken ablaufe, verstehen Sie? Sagte, sie wäre an der Story ihres Lebens dran … Sie wissen doch, wie diese Schreiberlinge sind: Die Story ist denen das Wichtigste. Und wissen Sie, was für 'ne Story? Sie werden's nicht glauben – es ging schon wieder um Ihren Bruder! Ohne Scheiß, Amigo. Sie war schon wieder mit JC Tripper zugange!« Erneut war ihm der Schweiß ausgebrochen. Fleury drückte sich die kühle Bierdose an die Stirn und rollte sie hin und her.

»Das ergibt keinen Sinn«, wandte ich ein. »Sie wusste doch, dass JC tot ist.«

»Das möchten Sie glauben, was? Tja, Sie hätten Sally mal hören sollen, mein Freund. Mir hat sie gesagt, sie wüsste verdammt gut, dass JC Tripper noch lebt ...«

»Nein, das ist Quatsch. Mir hätte sie es doch zuerst erzählt. Es war unser Projekt, wir haben es gemeinsam durchgezogen ...«

»Exakt. Und genau deshalb hat sie es Ihnen nicht verklickert. Haben Sie's jetzt kapiert?«

»Nee, das kapier ich absolut nicht.« Was ging hier vor? Plötzlich schienen alle beschlossen zu haben, dass mein lange verstorbener Bruder wieder auferstanden war.

»Sie hat 'ne Ratte gerochen, Lee. Also, das Mädel hat echt 'ne Nase für Neues. Eine Nase für Neues!« Der Satz schien ihm zu gefallen. »Also hat sie Morris Fleury angeheuert, um mal 'n paar Dinge nachzuprüfen. ›Suchen Sie Diskretion zu fairen Konditionen, dann ist Fleury Ihr Mann.‹ Ich werd Ihnen mal 'n paar Namen sagen ... 'n Kerl namens Clive Taillor, der war JCs Fahrer und Saufkumpan ...«

»Ich weiß, wer Clive Taillor ist«, sagte ich.

»Da haben Sie verdammt Recht. Clive Taillor wohnt jetzt in Zürich. Und da war noch einer, an dem die Feinman interessiert war, ein Kerl namens Flicker, 'n alter Kumpel von JC, Discjockey in LA ... obwohl, der hat letztens auch böses Pech gehabt, dasselbe Pech wie Sally Feinman. Haben Sie das von Flicker schon gehört? Haben Sie's gehört?« Seine eng stehenden, glänzenden Äuglein wirkten plötzlich ganz wach. »Nein? Tja, Flicker weilt nicht mehr unter uns. Ist tot. Ist den Tod der tausend Stiche gestorben. Obwohl ich schätze, dass er nur die ersten hundert überlebte. Sie haben ihn in 'nem Brunnen gefunden, in so 'nem Nest namens Pacoima. Total vertrocknet. Sah aus wie eine dieser kalifornischen Rosinen, hab ich gehört. Und Sally hat von Annie De-Winter erzählt, von ein oder zwei seltsamen Geschichten aus London. Die DeWinter war doch JCs frühere Freundin. Was halten Sie davon?« Er lachte, bis ich es nicht mehr hören konnte. »Tja, und ich hab noch 'nen Namen für Sie, der Ihnen das Hirn rausfetzen wird. Wollen Sie ihn hören?«

»Raus damit, Mr Fleury.«

»Lee Tripper.«

»Was soll das heißen? Lee Tripper?«

»Sie meinte Sie. Verstehen Sie nicht? Diese Frau, die Sie so sehr liebten! Ich hab's Ihnen ja gesagt – Sie sind der mit dem Motiv, nicht ich. Sally Feinman wollte mich auf Sie ansetzen. Sie wollte mir eine Akte geben. Material über Lee Tripper ...«

»Das ist ja verrückt!«, sagte ich. »Sally hätte niemals ...«

»Sie fühlte sich belogen und betrogen. Hat geglaubt, Sie hätten das Buch geschrieben, um Ihre Spur zu verwischen, Kumpel.« Er grinste. Es war kein schöner Anblick. »Sie wollte Ihren Arsch, Gott ist mein Zeuge. Lieben Sie sie jetzt immer noch?«

»Mein Glaube an die menschliche Natur ist schwer erschüttert, das muss ich zugeben.« Ich schluckte. Jetzt kam es nur darauf an, mir nichts anmerken zu lassen. Ich wollte vor Fleury keine Schwäche zeigen, denn er war der Typ, der es einen büßen ließ.

»Sally glaubte, Sie hätten was mit JCs Tod oder Verschwinden zu tun. Vielleicht haben Sie ihn sogar ermordet. Oder Sie haben ihn an einen Ort gebracht, wo er untertauchen konnte. Und Sally glaubte, Sie würden das geheim halten. Und jetzt ist sie tot. War's denn das wert, Amigo? Noch einmal – *Sie* sind der mit dem Motiv.«

Die Worte zu meiner Verteidigung lagen mir bereits auf der Zunge, aber warum sollte ich sie an Fleury verschwenden? Sally hatte mir nie von ihrem Verdacht erzählt, und falls Fleury die Wahrheit sagte, hatte ich mich gründlich in ihr geirrt. Dabei war ich stets der Überzeugung gewesen, wir wären ehrlich miteinander umgegangen. Nun ja, man lernt nie aus, tra-la-la.

»Aber was wollen Sie jetzt von mir? Ihre Auftraggeberin ist tot. Ihr Auftrag hat sich somit erledigt.«

Fleury zuckte die Achseln. »Sie hat bezahlt, und da sagte ich mir, ich schulde es ihr. Ist nun mal mein Wahlspruch: Gute Arbeit für gutes Geld. Da können Sie fragen, wen Sie wollen.«

»Sie sind wirklich ein unglaublicher Quatschkopf! Wahrscheinlich wollen Sie mich in die Mangel nehmen. Ich sollte auf Ihre Story reinfallen und mich wie ein Trottel erpressen lassen! Aber Sie können ja gar nicht wissen, was in Sallys Akte stand – falls sie überhaupt existiert. Sie haben ja nicht mehr alle Tassen im Schrank! Das ist die Story *Ihres* Lebens, was?«

»Und Sie, mein Freund, haben statt 'nem Hirn Kuhscheiße im Kopf. Ich war gerade auf dem Weg zu ihr, sie wollte mir diese Akte geben ...«

»Über mich?«

»Über die ganze Geschichte. Sie eingeschlossen, nehme ich an. Auch wenn Sie nicht der Mörder sind – Sie waren dort und wissen, was ich gefunden hab. Hab die Wohnung wirklich so gründlich abgesucht wie 'nen schwarzen Köter nach 'ner Zecke. Hab aber nix gefunden. Das im Bad is natürlich schrecklich. Tja, und weil ich nicht weiß, was ich von alldem halten soll, gehe ich wieder runter. Grübel so vor mich hin ... geh erst mal aus der Schusslinie, schlendere den Block entlang. Hol mir einen Hotdog, tu viel Senf drauf ... Die Sauerei hätten Sie mal sehen sollen ... und dann kommen Sie, mit Triefaugen und total verliebt, hähähä ... und einige Zeit später wimmelt's auf der Straße von den Blauen ... und ich denk mir, der gute alte Lee Tripper ist aber pünktlich ...«

»Wie haben Sie mich erkannt?«

»Sie hat mir natürlich ein Foto gegeben. War aus dem Umschlag von Ihrem Buch rausgeschnitten.«

»Es stimmt, ich wollte sie besuchen. Aber Sie wissen, dass sie zu diesem Zeitpunkt bereits tot war. Ich komme als Mörder nicht infrage.«

»Das is nebensächlich. Ich brauch das verdammte Motiv. Wenn man erst mal den Kerl mit dem Motiv hat, kapiert man auch den Rest. Wir beide wissen sehr gut, dass Sie ein Motiv haben ... Sie hatten rausgefunden, dass Sally Ihnen auf der Spur war, da haben Sie ihr ordentlich zugesetzt, um rauszukriegen, was sie über Sie und Ihren Bruder wusste, und als sie's erzählt hatte, haben Sie die heißen Wickler in die Wanne geschmissen. Sie haben sich die Akte geschnappt, sind rausgeschlichen und 'ne Weile später zurückgekommen, um die Leiche zu finden und die Cops zu alarmieren. Das hab ich gedacht.«

»Wenn Sie das Haus beobachtet haben, müssen Sie doch einen anderen Mann gesehen haben ... zumindest beim Rausgehen. Da war ein Mann, der mich auf der Treppe über den Haufen rannte. Ich ging ins Haus, und er kam eine Minute später raus. Sie *müssen* ihn gesehen haben!«

»Sorry, Kumpel. Aber da kam keiner raus.« Langsam verblasste das Grinsen auf Fleurys grauem Gesicht. »Mein Gott! Meinen Sie etwa, der Killer war noch da, als ich das Loft durchsucht hab? Ach du heilige Scheiße! Da bin ich aber froh, dass ich das nicht wusste. Das Leben ist schon gefährlich genug ohne solche Schweinereien.«

»Irgendjemand hat mir auf der Treppe die Eingeweide aus dem Leib geprügelt – na gut, das ist vielleicht ein bisschen übertrieben, aber ...«

»Na klar, na klar.« Fleury bedachte mich erneut mit seinem Grinsen eines Schmierenkomödianten. Ich erhob mich und trat ans Fenster. Das Gewitter schien vorüber zu sein. Der Regen strömte herab und wurde von den dankbaren Palmen auf meiner Terrasse aufgesogen. »Schätze, Sie haben noch nie von Kerlen gehört, die sich selber verletzen, um als Opfer durchzugehen, was? Das passiert, glauben Sie mir. Hab's sogar schon selber getan. Und Sie mussten ja nur die Treppe runterfallen.«

Ich starrte ihn sprachlos an. Fleury war in Schweiß gebadet. Sein Gesicht hatte immer noch die Farbe von Asche, und sein graues Haar klebte am Schädel. Er trug das Hemd mit dem großen Ketchupfleck. Die Fliege hatte sich gelöst und hing nur noch an einem Kragenzipfel. Der Mann war ein solches Wrack, dass man ihm kaum böse sein konnte.

»Fleury, Sie sind mir über. Ich will kein Wort mehr darüber hören.«

»Ach, nun kommen Sie schon, ich glaub ja gar nicht, dass Sie's waren. Und wenn doch ... na, dann hatten Sie wahrscheinlich Ihre Gründe. Hab viele Mörder gekannt, die eigentlich ganz nette Kerle waren. Und es klang ja ganz so, als ob Sally Sie fertig machen wollte.« Er stieß einen Seufzer aus. »Bin völlig erledigt.«

Das Bier war uns ausgegangen, doch ich konnte meinen müden Gast zu Gin und Tonic überreden. Ich sagte ihm, ich müsse noch ein paar Dinge erledigen. Fleury nickte und schaltete den Fernseher an. Vielleicht erwog er, bei mir einzuziehen. Ich brachte es einfach nicht übers Herz, ihn hinaus in den Regen zu schicken. Ich ging ins Schlafzimmer und packte den Koffer für die Reise nach Los Angeles.

Was sollte man von den vertraulichen Informationen eines Morris Fleury halten? Verfolgte er vielleicht noch ein paar geheime Privatinteressen? Hatte Sally mich wirklich in

Verdacht gehabt? Sie war mir sehr vertraut gewesen. Wir hatten miteinander geschlafen und so eng zusammengearbeitet, dass ich mich mehr als einmal gefragt hatte, ob ich nicht doch verliebt war. Und waren ihre Nachforschungen über mich der Grund, warum sie hatte sterben müssen? Wenn es so war, ging es mich verdammt viel an.

Und jemand hatte die Akte, die sie zusammengestellt hatte.

Die Akte über Lee Tripper.

Als ich das nächste Mal nach Morris Fleury sah, war er eingeschlafen. Ich ging selber ins Bett, stand ein paar Stunden später wieder auf, duschte und zog ebenfalls einen – allerdings modischen – Seersucker-Anzug an, wobei ich betete, dass ich darin niemals so aussah wie Morris Fleury. Als ich wieder ins Wohnzimmer kam, war er verschwunden. Er hatte sein Lager wieder auf die Terrasse in einen Liegestuhl verlegt. Die Sonne ging auf. Bald würde sie über die Fifth Avenue scheinen und durch den Central Park bis in Morris Fleurys Augen dringen.

Aber bis dahin säße ich bereits in der Maschine nach L.A.

6.

Am Check-in-Schalter des LaGuardia-Flughafens wartete eine Nachricht auf mich. Heidi Dillinger hatte noch etwas Geschäftliches zu erledigen und würde einen späteren Flug nehmen. Wir sollten uns im Hotel in Los Angeles treffen. Bevor ich an Bord ging, rief ich meinen Bankier Harold Berger an und teilte ihm mit, dass ich bei meinem Portier einen Umschlag mit einem Bankscheck über eine viertel Million Dollar hinterlegt hatte. Nach längerem Lamento seinerseits – »O Gott, o Gott, was hast du denn jetzt wieder angestellt« – konnte ich hinzufügen, dass er den Scheck so bald wie möglich abholen solle. Außerdem solle er sich entspannen, denn Geld sei nicht unbedingt die Quelle jeglichen Übels. Dem hielt Harold entgegen, dass er als Bankier gewiss besser über Geld Bescheid wisse und dass es sehr wohl die Wurzel allen Übels sei. Wenn Harold zu philosophieren anfängt, kann man nur noch auflegen.

Ich lehnte mich bequem in meinem Sitz erster Klasse zurück und bekam Obst und Sekt, Plundergebäck, Rührei mit Räucherlachs sowie heißen Kaffee serviert.

Während ich aß, öffnete ich den Umschlag, den Heidi Dillinger mir am Vorabend gegeben hatte. Er enthielt eine Zimmerreservierung für das Bel Air Hotel. Ein Mietwagen von Rent-A-Wreck – wie witzig! – stand auch schon bereit. Auf einem weiteren Blatt standen die Namen zweier Männer, mit denen ich unbedingt sprechen sollte. Ich kannte die Namen, aber keinen der Männer kannte ich persönlich. Ich hatte diese Namen auf Briefen und Verträgen gesehen, die sich auf JCs Erbe und die Rechte an meinem Buch bezogen.

Manny Stryker war Filmproduzent und wollte einen Film über die letzten Tage von JC Tripper machen. Freddie Rosen war Plattenproduzent und mittlerweile zum Geschäftsführer von MagnaDisc aufgestiegen.

In einem Begleitschreiben deutete Allan Bechtol an, diese Männer wüssten womöglich ein bisschen mehr über das geheime Schicksal von JC Tripper, als man bisher angenommen hatte.

Nach meinem kleinen Schwatz mit Morris Fleury war mein Schlaf spärlich und unruhig gewesen. Folglich nickte ich nach dem Fünftausend-Kalorien-Frühstück ein wenig ein und wachte erst wieder auf, als wir uns den Rockys näherten. Ich ließ mir einen frischen Kaffee bringen und widmete mich den Menschen, die ich in den vergangenen Tagen kennen gelernt hatte.

Zuerst Heidi Dillinger. Bei ihr wusste ich ebenso wenig wie bei Allan Bechtol, was in ihrem Kopf vorging, aber ich hatte in den guten alten Zeiten genug »Strauchdiebe« erlebt, um keinem der beiden zu trauen. Noch nicht. *Strauchdiebe*. Einer von JCs altmodischen Lieblingsausdrücken mit einer ganz klaren Bedeutung. Ob Mrs Dillinger und Mr Bechtol mich in einen Hinterhalt locken wollten, musste ich erst noch herausfinden. Und vorher musste mir klar sein, wie viel ich ihr anvertrauen durfte, damit unsere Zusammenarbeit gedieh.

Hatte es Sinn, ihr von Morris Fleury zu erzählen?

Hatte es Sinn, ihr von dem Verdacht zu erzählen, den Sally Feinman angeblich gegen mich gehegt hatte?

Wie weit konnte ich ihr trauen?

Nicht sehr weit. Noch nicht.

Falls irgendein Unbekannter mich in ein verrücktes Komplott verwickeln wollte, um meinen Bruder zu töten oder zu verstecken, stand ich ohne Verbündete da. Erst musste ich rauskriegen, wer sie waren. Oder sie mussten sich zu erkennen geben.

Heidi Dillinger kam zwei Stunden nach mir im Bel Air an. Ich stand draußen auf einem der pittoresken Brückchen und schaute den Schwänen zu. Fast konnte ich meinen Blick nicht von dem schwarzen Schwan losreißen: Er war der Star der Show und schien es sichtlich zu genießen.

Wir begaben uns auf die schattige überdachte Terrasse und nahmen einen Tisch mit großartiger Aussicht auf den Park. Der gepflegte Rasen prangte in einem satten Smaragdgrün. Heidi Dillinger trug ganz andere Kleidung als in New York: bunte Farben, verspielte Formen. »Also, was haben Sie jetzt vor?« In ihrem Tonfall und ihrem Lächeln lag eine Andeutung von Spott, als ob es nicht ernst gemeint wäre. Ich sah es ihr an: Sie kam sich vor, als würden wir die Schule schwänzen. In New York würde sie sich niemals so gehen lassen. Vielleicht ließ ihre Wachsamkeit nach. Vielleicht verfiel sie endlich meinem jungenhaften Charme. Vielleicht gefiel ihr das an einem Mann.

»Ich fange mit Stryker an.«

»*Wir* fangen mit ...«

»Nein«, schnitt ich ihr gleich das Wort ab. »Es hat keinen Sinn, wenn wir uns beide auf dieselbe Sache stürzen. Ich will, dass Sie sich um Shadow Flicker kümmern. Was sagen die Cops zu der Sache? Ich will die ganze Story erfahren – reden Sie mit den Leuten beim Radiosender, finden Sie einen Reporter, der über den Mord geschrieben hat. Flicker kann aus Gründen ermordet worden sein, die überhaupt nichts mit JC zu tun haben. Vielleicht hing er ganz schlimm an der Nadel. Vielleicht hatte er gewalttätige Freunde. In eine Zisterne geworfen zu werden, kann eine Botschaft an andere Junkies sein, endlich mal ihre Rechnungen zu bezahlen. Er könnte auch ein Informant des Rauschgiftdezernats gewesen sein. Hat ja genug Zeit in der Szene verbracht. Vielleicht hatte er Spielschulden. Wir wissen einfach nichts über die Gründe, aus denen der Mord geschah.«

Sie wirkte nicht sonderlich begeistert. »Ich hab gedacht, wir arbeiten zusammen. Darum geht es doch. Deshalb bin ich mitgekommen. Vier Augen sehen mehr als zwei.« Entweder war sie wirklich dabei, sich zu verlieben, oder sie sollte mich an Bechtols Leine halten.

»Lassen wir das. Wenn Sie bleiben wollen, müssen wir's schon auf meine Art durchziehen.«

»Demnächst geben Sie mir noch zu verstehen, dass Sie allein arbeiten und immer eine Flasche in der Schublade horten.«

»Ich arbeite tatsächlich allein. Besonders, wenn Leichen anfallen.« Ich musste gegen das Verlangen ankämpfen, mir wie Bogart vorzukommen. Erstens war ich viel zu groß. Zweitens kein Privatdetektiv. Alles, was ich über Action wusste, stammte aus Büchern und Filmen. Ich war schon eine traurige Figur, aber vielleicht konnte ich verhindern, dass die anderen es merkten.

Wider Erwarten ließ Heidi Dillinger mir einen charmanten Augenaufschlag zukommen. Vielleicht waren wir ja doch in derselben Geschichte. »Sie trauen mir nicht, stimmt's?«

»Kaum mehr als Gallivan«, erwiderte ich.

»Wer ist Gallivan?«

»'n Typ, den ich früher mal gekannt habe. Beten Sie, dass Sie ihn nie kennen lernen.«

»Was hat er Ihnen denn getan?«

»Ich sag nur so viel – er ist Asozialer.«

»Wie asozial?«

»Er hockt mit seinem Hintern auf 'nem Fünfer und könnte fürs Rumhängen glatt einen Orden kassieren. Danke der Nachfrage.«

»Warum trauen Sie mir nicht?«

»Sie haben mich angelogen. Einmal ist ja noch okay. Aber wenn es noch einmal geschieht, bin ich selber schuld. Ist wie die Option auf einen Straight Flush – jeder kann erst mal versuchen, die fehlenden Karten zu ziehen. Aber wenn man das immer wieder macht, hat man nichts dazugelernt. Und ich hasse es, als Armleuchter dazustehen.«

»Armleuchter? Ich glaub, ich hab noch nie mit einem Menschen zu tun gehabt, der dieses Wort benutzt hat.«

»Wenn Sie bei mir bleiben, wer weiß, was Sie dann noch alles zu hören kriegen. Vielleicht sag ich bald ›Schwester‹ zu Ihnen oder lobe Sie für Ihre tollen Stelzen, die bis zum Boden gehen.«

»Sie meinen, es gibt keine Grenze für Sie.«

»So gut wie keine.«

»Gut möglich, dass Sie plötzlich sagen: ›Folgen Sie dem Taxi da!‹«

Ich stand auf. »Allmählich begreifen Sie. Also, frisch ans Werk.«

»Sollen wir uns zum Dinner wieder treffen oder so?«

»Abwarten.«

»Sie sind ja plötzlich sehr geheimnisvoll. Das …«

»Sagen Sie's nicht.«

»… das gefällt mir an einem Mann.«

Der Mietwagen von Rent-a-Wreck war ein weißer 58er Cadillac mit Schiebedach und Reifen, deren Profil so abgefahren war, dass sie an Yul Brynners Glatze erinnerten, einem kaputten Rücklicht und dem schalen Geruch nach Zigarrenrauch in den schwarzen Lederpolstern. Der Motor röhrte, als habe man ihn um einige Pferdestärken aufgemotzt. Mit einem guten Fernglas hätte man vielleicht noch die Spitzen der Heckflossen erkennen können. Und zum Linksabbiegen hätte man eigentlich einen Boten zur Kühlerhaube schicken müssen – das merkte ich, als ich das Manöver zum ersten Mal ausführte und durch das riesige Tor des Bel Air auf den Sunset Boulevard einschwenkte.

Ich überlegte, ob der Wagen Heidis Idee gewesen war. Vielleicht existierte ja so etwas wie Humor unter diesen Riffen und Untiefen aus Ehrgeiz und Berechnung. Waren das Qualitäten, die mir an einer Frau gefielen? Ich würde scharf darüber nachdenken müssen, bevor ich mein Augenmerk auf ihren schönen Mund und ihre gertenschlanken Arme und Beine richtete. Weshalb war sie so braun gebrannt? Sonnte sie sich auf Bechtols Dachgarten? Besaß er vielleicht ein Haus in den Hamptons?

Was ging es mich an. Aber sie gefiel mir.

Etwas anderes interessierte mich mehr. Wo war Heidi Dillingers Platz in der Gleichung, die Bechtol aufgestellt hatte? Sollte sie mir helfen, oder sollte sie mich im Auftrag ihres Herrn und Meisters ausspionieren? Wäre es nicht ein Riesenwitz, wenn der berühmte Autor und mutmaßliche Psychopath auch zu jenen gehörte, die über mich Nachforschungen anstellten?

Ich hatte Stryker vom Hotel aus angerufen und mir den Weg zu seinem Haus erklären lassen. Wie sich herausstellte, hatte Bechtol bereits Verbindung mit Stryker aufgenommen, und dank seines Einflusses hatte der Filmmagnat Zeit für mich. »Ich muss noch Katz rausschmeißen und erwarte Lamas«, hatte er gesagt. »Aber kommen Sie ruhig vorbei. Schlimmer kann's nicht mehr werden.« Er sagte mir, wie ich zu seinem Haus auf dem Mulholland Drive gelangte. »Wenn das Tor zu ist, hupen Sie einfach so lange, bis dieser Schwachkopf Sie reinlässt. Herrgott!« Stryker klang ziemlich gestresst. Ich wusste nicht, wer Katz war oder warum er ihn unbedingt rausschmeißen musste. Und Fernando Lamas war tot, wenn ich mich nicht irrte. Aber ich meinte irgendwo gelesen zu haben, dass er einen Sohn hatte, der ebenfalls Schauspieler war. Vielleicht wollte der kommen. Leider hatte ich mein Autogrammbuch in New York vergessen.

Selbstredend war das Tor zu. Ich drückte auf die Hupe, und nach geraumer Zeit erschien ein junger Mann in abgeschnittenen Jeans und einem braun-goldenen Sweatshirt der University of Southern California, dessen Ärmel ebenfalls abgeschnitten waren. Er war groß und braun gebrannt, jung und hübsch, wie ein Junge aus Ipanema. Außerdem wirkte er so kräftig, als könne er das Tor mit bloßen Händen aus den Angeln heben. Sein Blondschopf, an den Seiten kurz und oben sehr lang, wurde von einem Schweißband gehalten. Mit seinem Tennisschläger winkte er mir freundlich zu. Ich nickte. Er fummelte am Tor, bis es aufschwang.

Der junge Mann schaute auf mich hinunter. Er mochte um die zwanzig sein. Dann beugte er sich zum Wagenfenster herab. Ich hoffte nur, er würde nicht das Auto mit mir darin hochheben. »Sie sind aber nicht der Mann«, bemerkte er, »der den Zaun vom Tennisplatz reparieren soll.«

»Da haben Sie allerdings Recht.«

»'n Wahnsinnsloch im Zaun. An einem Morgen war's plötzlich da. Und der Ball rollt immer weg, manchmal bis Santa Monica. Kann ich Ihnen weiterhelfen?«

»Führen Sie mich bitte zu Manny Stryker. Er erwartet mich.«

»Ich bin der Sohn und Erbe. William Randolph. Mein Vater ist hinterm Haus und schmeißt Katz raus.«

»Hab ich schon gehört.«

»Es ist ein Experiment.«

Ein Mädchen im Teenageralter schlenderte gemächlich vom Tennisplatz auf uns zu. Aus einer gewissen Entfernung wirkte sie so süß, dass man für sie hätte sterben können. Aber wie bei so vielen kalifornischen Mädchen wurde dieser Eindruck schwächer, je näher sie kam, und als sie neben uns stand, war sie nichts weiter als ein ganz normales junges Mädel. Der große kalifornische Schwindel.

»Wir haben keine Bälle mehr, Bill«, schmollte sie.

Der große Junge schaute mich an. »Ach nein«, wiederholte er, »keine Bälle mehr.« Er zeigte auf ein Eckchen, wo ich den Wagen abstellen konnte. »Tolle Räder«, bemerkte er.

Ich nickte. »Eins an jeder Ecke. Ist Standard bei diesen alten Kisten.«

Sie begaben sich auf die Suche nach neuen Bällen, und ich bog um die Ecke des Hauses, das so flach gebaut war wie eine lang gestreckte Geschützstellung – wie ein Fort, das den Hügelkamm verteidigte. Es öffnete sich zur Rückseite hin, und das Leben spielte sich in den hinteren Gefilden ab, wie die Immobilienmakler zu sagen pflegen. Ich stand an der Hausecke und sah einem Mann in Trainingshosen und weitem blauen Hemd zu, der einen Ball aus schwarzem Pelz auf Armeslänge von sich gestreckt hielt. Der Mann stand anderthalb Stockwerke über mir auf einem Balkon und beugte sich über den grasbewachsenen Hang. Unter ihm stand ein Mädchen im Bikini und nahm den Pelzball mit einer Videokamera ins Visier. »Okay!«, rief sie. »Wirf!«

Der Mann ließ den Pelzball los, der sich sogleich in eine Katze verwandelte. Das Mädchen im Bikini filmte das Tier, das sich blitzschnell in der Luft drehte und wendete, bis es sicher auf seinen Füßen gelandet war. Die Katze schüttelte sich, schaute die bloßen Füße des Mädchens an, als erwöge sie, diese als Katzenklo zu benutzen, und stolzierte dann unbekümmert davon.

Manny Stryker warf nicht Katz raus, sondern er ließ *Katzen* vom Balkon fallen. Hurra für Hollywood und seine Spleens – und für mein schlechtes Gehör. Man lernt doch nie aus.

Stryker warf noch zwei Wehrpflichtige aus der Katzenfamilie hinunter, dann sah er mich und ließ eine dritte fallen, ohne auf ihre Landung zu achten. Er rief meinen Namen und kam barfuß die Treppe herunter. »Hey, nett, dass Sie kommen, Kumpel. Freut mich zu hören, mit wem Sie Geschäfte machen. Shirl, ich glaub, das reicht für heute. Schau dir das Band an, dann reden wir darüber und bringen's zum Kostümbildner. Braves Mädchen.« Das Mädchen im Bikini schlenderte in Begleitung einer Katze davon. Stryker führte mich zu einem großen runden Tisch, der auf einem Vorsprung aus Stein thronte. Von hier oben hatte man einen unverstellten Blick auf die Nachbargrundstücke weiter unten am Hang mit ihren blauen schimmernden Swimmingpools. Strykers Pool wurde soeben von zwei Männern in Overalls bearbeitet, sie fischten mit großen Netzen darin herum. Unter uns brutzelte Los Angeles unter einer Furcht erregenden braunen Dunstglocke. Es sah aus wie eine Stadt, die von den Vandalen eingenommen und gebrandschatzt wurde.

Stryker bedeutete mir, in einem Sessel aus Segeltuch Platz zu nehmen. Sogleich erschien eine winzige Mexikanerin mit einem Tablett Eistee, geviertelten Zitronen und zwei hohen, ebenfalls mit Eis gefüllten Gläsern. Meiner Meinung nach eine übertriebene Geste, denn es war lange nicht so heiß wie in New York City. »Das ist schon witzig mit diesen Katzen«, eröffnete Stryker das Gespräch. »Je tiefer sie fallen, desto größer ist die Wahrscheinlichkeit, dass sie heil unten ankommen. Sie sind wirklich sehr verschieden von uns Menschen.

Wie lang der Fall einer Katze auch dauern mag, schneller als sechzig Meilen in der Stunde wird sie nicht werden. Wir Menschen hingegen haben ein anderes Verhältnis von Körperoberfläche zu Masse, ergo weniger Luftwiderstand. Wir erreichen im freien Fall eine Geschwindigkeit von bis zu hundertzwanzig Meilen. Und natürlich ist die Katze der geborene Akrobat, sie stammt von Baumspringern ab, die vor Jahrmillionen auf dieser Erde herumhüpften. Aber ... sagen Sie es, wenn ich Sie langweile ... eine Katze muss ungefähr fünf Stockwerke herunterfallen, um ihre Höchstgeschwindigkeit zu erreichen, erst dann entspannt das Vieh sich und spreizt die Beine und fängt in gewisser Weise an zu schweben. Wie ein fliegendes Eichhörnchen. So wird der Luftwiderstand erhöht und der Aufprall bei der Landung auf eine größere Fläche verteilt. Mit unglaublichen Resultaten – da gab's mal eine Katze in New York, die fiel zweiunddreißig Stockwerke tief auf einen Bürgersteig ... Was, glauben Sie, ist ihr passiert?« Geduldig wartete er auf meine Antwort. Hier war endlich mal ein Mann mit einem Hobby.

Um zu zeigen, dass ich zugehört hatte, sagte ich: »Die Katze hat sich, so weit das Auge reicht, auf dem Bürgersteig ausgebreitet.« Sein ausschweifender Bericht hatte mir Gelegenheit gegeben, ihn gründlich zu mustern. Er trug das dunkle lockige Haar kurz geschnitten, und seine Nase sah so breit gequetscht aus, als wäre er selbst schon einige Male zweiunddreißig Etagen tief auf den Bürgersteig gedonnert. Seine Augen waren dunkel und ruhig, während der Rest von ihm ständig herumzappelte. Er schenkte nun Eistee ein und gab in jedes Glas einige Zitronenviertel.

»Die Katze hat sich einen Zahn ausgeschlagen.« Stryker seufzte. »Somit hat die Katze in der Tat neun Leben. Ich muss einfach ein anderes Haus finden. Hier könnte noch eins der Viecher zu Tode kommen. Sie haben keine Zeit, um ihre Beine auszustrecken und den Luftwiderstand zu erhöhen.«

»Sind Sie verrückt, oder steckt hinter diesem Wahnsinn Methode?«

»Ich hab ein neues Drehbuch gekriegt. Der Held ist schon fast eine Comicfigur. Er ist Einbrecher und entkommt immer, indem er sich in eine Katze verwandelt. Ernsthaft. Das Konzept ist ein wenig verschwommen, aber gar nicht so schwer zu verstehen. Unmöglich vorauszusagen, ob es einschlägt. Es könnte ein Knüller werden, aber genauso gut ein Furz in 'nem Raumanzug. Kann keiner vorhersagen. Aber Sie sind bestimmt nicht hergekommen, um meine Katzenschwärmereien zu hören ...«

»Fast hätten Sie mich reingelegt«, sagte ich.

»Bechtol hat irgendwas über Ihren Bruder gesagt. Tja, wir haben die Rechte an Ihrem Buch gekauft. Das Drehbuch ist schon in der Mache. Der Schreiberling ist zwar eine Null, aber was will man machen, er ist halt der *Verfasser*. Der Fluch meines Scheißlebens. Was also ist Bechtols Problem?«

»Das wissen Sie doch. Er glaubt, dass JC noch am Leben ist. Und er scheint zu glauben, dass auch Sie dieser Ansicht sind. Warum denkt er das wohl?«

»Was glauben denn Sie?« Stryker sah mich so schräg an, dass ich die Frage als Scherz auffassen musste. »Ist er noch am Leben?«

»Hören Sie, ich bin schon froh, dass wir gerade dieses Katzenthema begraben haben.«

»Hören Sie, Kumpel, ich bin sehr interessiert an JC. Wir alle haben großes Interesse an JC. Wenn er noch lebt, dann hol's der Teufel ... Ich will keine fünfzehn oder zwanzig Millionen in einen Film mit einem falschen Ende reinstecken. Nicht, wenn ich's vermeiden kann. Ich will ihn nicht tot wie einen Fisch zeigen, und im nächsten Augenblick erscheint er auf den Titelseiten der ganzen Welt – und ich steh da wie der letzte Arsch. Können Sie doch verstehen, oder? Und wer kann mir sagen, was das für meinen Film bedeuten würde? Keiner. Also hätte ich schon gerne eine kleine Vorwarnung, wenn er plötzlich in *Entertainment Tonight* auftaucht. Könnte eine gute Werbung für den Film sein, könnte ihn aber auch kippen. Das weiß ich nicht. Aber ich hätte gern genug Zeit, um für beide Fälle eine Werbekampagne vorzubereiten … Und deshalb habe ich Fragen gestellt und ein paar Leute ausgeschickt, die für mich Informationen einholen. Ist schließlich kein Verbrechen. Morgen zum Beispiel fahre ich nach Paris, weil ich dort eine heiße Spur verfolge: Da gibt's nämlich einen Araber, einen Kameltreiber oder so ähnlich, der JC ein paar Wochen vor seinem Tod in Casablanca kennen lernte …«

Oberhalb des Hauses ertönte wildes Gehupe. Noch ein Besucher. Vielleicht Fernando Lamas' Sohn?

»Lamas«, sagte er erklärend. »Warte schon drei Tage darauf.«

»Ein Kameltreiber«, sagte ich. »Hört sich ein bisschen dünn an.«

»Kann sein, kann nicht sein. Jedenfalls sagt der Mann, Ihr Bruder hätte ihm von einem absolut sicheren Fluchtweg erzählt. Er sagt, Ihr Bruder hätte damals untertauchen und für den Rest seines Lebens Gedichte schreiben wollen.«

»Das ist nicht ganz der Bruder, den ich im Gedächtnis habe. Der würde höchstens pornografische Limericks zu Stande bringen.«

»Jetzt halten Sie mal kurz die Luft an! Er hat jede Menge Gedichte geschrieben, klar? Ein paar sind wirklich glänzend, klar? Ich glaub nicht, dass die Geschichte dieses Arabers so weit hergeholt ist. Hören Sie doch mal wieder in seine Songs rein …«

»Ach ja«, seufzte ich.

»Jedenfalls sagt dieser Araber auch, dass JC es in Casablanca ganz nett getrieben hat. Sagte, er musste JC sehr junge Mädchen besorgen ...«

»Dann war er ein Zuhälter, kein Kameltreiber. Er hat ein Problem mit der Glaubwürdigkeit – wie Sie, mein Freund.«

»Sehr, sehr junge Mädchen und Jungen jeder Altersklasse. Er hat wohl seine Kerze an beiden Enden abgebrannt, wie es heißt.«

»Was für eine gequirlte Scheiße!«

»Na ja, Sie müssen seinen Ruf verteidigen, stimmt's? Er ist Ihr Bruder ...«

»Jetzt hören Sie mal gut zu! Ich war damals dabei. Das mit den Mädchen mag ja angehen, aber mit Jungs, ob alt oder jung, hatte JC nie was am Hut. Wenn Sie diesem Araber auch nur einen Cent zahlen, sind Sie dümmer als Ihre Katzen.«

Ich schaute mich um. Ein seltsames Tier wurde ums Haus herumgeführt. Es hatte vier Beine und sah aus, als hätte es ursprünglich ein Pferd werden sollen, sei aber in der weiteren Gestaltung missglückt. Dann folgte ein zweites.

»Sie beeindrucken mich überhaupt nicht«, sagte Stryker, der die Neuankömmlinge noch nicht bemerkt hatte. »Weder mit Ihrer Empörung noch mit Ihrer Wut. Was soll denn das überhaupt? Sie haben doch Ihren Anteil am Kuchen schon bekommen ... Aber vielleicht befürchten Sie, er könnte zurückkommen und in Zukunft sämtliche Honorare kassieren – ist es das?«

»Ich glaube, dass mein Bruder tot ist. Und ich will, dass es so bleibt. Ich will nicht, dass er oder sein Andenken durch den Schmutz gezogen wird, bloß um Werbung für Ihren Film zu machen. Er ist tot. Ich will nicht auf die Leinwand starren und JC sehen, wie er in der Vorstellung eines verrückten arabischen Kupplers als sexbesessener Rocker dasteht – nicht, wenn er nicht selber anwesend ist und sich verteidigen kann. Deshalb habe ich die Rechte an dem Buch nicht verkauft.«

Stryker erhob sich. Sein Rücken war immer noch den drei – man sehe und staune, drei! – Geschöpfen zugekehrt, die am Pool entlang mehr oder weniger in unsere Richtung geführt wurden.

»Warum haben Sie die Filmrechte verkauft? Weil Sie das Geld wollten. Machen Sie sich nichts vor. Wozu der Wirbel, Sunny Lee? Wir reden hier über Showbusiness. Da geht's nur ums Geld. Es ist ein Geld-Business, zu einem großen Teil von dem hirnlosen Scheiß abhängig, nach dem Zwölfjährige lechzen. Wir sollten uns gar keinen Illusionen hingeben. Ich jedenfalls mache diesen Film wegen Geld. MagnaFilms hat die Rechte gekauft, weil wir viel Geld verdienen wollen. Seien Sie also nicht so ein heiliges Arschloch – Sie machen dabei doch auch Ihren Schnitt, klar? Es ist genug für jeden da. Wenn's Ihnen aber nicht gefällt, dann suchen Sie ihn doch selber ... oder beweisen Sie uns, dass er tot ist. Hab ich vielleicht behauptet, dass Sie der Mörder sind und sich in die Schweiz abgesetzt haben? Nein, hab ich nie. Andere aber glauben das sehr wohl. Und Sie hängen Ihnen an den Hacken, mein Freund. Also machen Sie sich nicht den zum Feind, der nichts gegen Sie hat, klar?«

Eines der Geschöpfe stieß einen sonderbaren Laut aus, und sofort verzog sich Strykers Gesicht zu einem glückstrahlenden Lächeln. Er war um die fünfzig, seine Zähne jedoch noch kein Jahr alt. Er wirbelte herum und schaute auf die Tiere und ihre beiden Pfleger.

»Meine Lamas! Meine Lamas sind endlich angekommen! Ihr kleinen Scheißer, kommt, ja, kommt zu Papa!«

Nun hatte ich mein Autogrammbuch doch nicht gebraucht.

Niemand nahm von meiner Abfahrt Notiz, nur William Randolph Stryker, der im Gebüsch nach einem Ball stocherte. Ich bremste den Caddy, und er schaute auf und grinste, als er mich sah. »Haben schon zwei verloren, seit Sie hier sind. Es liegt an Ellen, sie hat einfach kein Richtungsgefühl.«

Ich nannte ihm eine Adresse und fragte, wie ich wohl da hinkäme. »Hey, das ist ja Freddie Rosens Haus«, sagte er erfreut. »Silver Lake. Liegt näher am Zentrum. Freddie ist echt nett. Hat manchmal Jobs für mich. Und er schenkt mir CDs.« Er sagte mir, wie ich zu Freddie Rosen gelangte.

7.

Zu guter Letzt fand ich die Adresse. Ich hatte keine Ahnung, wo ich mich befand, ob noch in Los Angeles oder in einer der Gemeinden mit einkommensschwacher Bevölkerung, wo die Kinder auf der Straße spielen und an jeder Ecke Teenager rumhängen. Wieder fragte ich nach dem Weg und wurde in die Hügel geschickt. Mein Mietwagen erklomm zunehmend schmalere Straßen mit baufälligen Bungalows. Die Autos der Bewohner parkten am Straßenrand, nicht in Garagen. Das Pflaster war alt und brüchig, aber über allem wiegten sich hohe, schlanke Palmen und vermittelten den Eindruck, dass doch alles irgendwie in Ordnung war.

Allmählich brannten meine Augen, und mein Gesicht fühlte sich an, als hätte ich es in heißes, frisch gemahlenes Kaffeemehl gesteckt. Los Angeles war mir ein Rätsel – in geografischer, klimatischer und zoologischer Hinsicht. Katzen und Lamas. Ich war immer noch mit Gedanken an Stryker beschäftigt, der sich mit so viel Enthusiasmus seinem Katzenexperiment gewidmet hatte, als ich auf einmal merkte, dass ich wieder atmen konnte, ohne zu husten. Ich hatte den Smog der Stadt unter mir gelassen und sah nun durch Palmwipfel und ein paar hochragende Eichen auf sie hinab.

Rosens Haus war das letzte auf dem Hügel; es lag hinter

Mauer und Tor verborgen am Ende einer Sackgasse. Oder konnte man den Hügel als Berg bezeichnen? Woher, zum Teufel, sollte ich das wissen? Ich war fremd hier.

Ich stellte den Caddy ab und ging über die schattige Straße zu dem Tor. Das war eine Sehenswürdigkeit: Es ragte über drei Meter hoch auf und war aus massivem Holz. Und komplett mit Schnitzereien verziert. Sofort kam mir Grinling Gibbons in den Sinn, eine zwangsläufige Assoziation beim Betrachten dieses Tores. Allerdings hätte der Meister niemals solche Unmengen von menschenähnlichen Mäusen, Enten, Eichhörnchen, Kätzchen, Kaninchen, Jagdhunden, Teddybären, Backenhörnchen und Bibern in ein Werk gezwängt. Gar nicht zu reden von den Rittern in voller Rüstung, den Burgfräuleins, die sich aus Turmfenstern beugten, den Drachen mit langen Schwänzen und Riesenflügeln, den Schlangen mit züngelnden Zungen, die sich um knorrige Baumstümpfe ringelten, auf denen Eulen thronten. Dieser Albtraum wirkte wie das während eines furchtbaren Katers entworfene Werk eines Disney-Zeichners. Aber andererseits war es großartig in seiner Verrücktheit, sozusagen eine Metapher für diese Stadt. Und das ist überhaupt so ein Problem in Los Angeles oder in Hollywood: Ständig muss man gegen den Drang ankämpfen, überall Metaphern finden zu wollen. Das kommt natürlich von all den Filmen, die ihrerseits Metaphern für die Wirklichkeit sind ... Sehen Sie, da bin ich schon wieder beim Thema. Wie auch immer, es war später Nachmittag, und die Sonne warf bereits lange Schatten. Im schwindenden Licht schienen die Tiere auf dem Tor lebendig zu werden. Vielleicht stahlen sie sich ja bei Einbruch der Nacht davon und machten in der Stadt einen drauf.

Falls sie sie finden konnten ...

Ich stemmte mich gegen das Tor, das langsam mit knirschenden Angeln aufschwang. Die Zufahrt umrundete einen kleinen Teich mit einer großen Fontäne und Wasserlilien. Am Rande des Springbrunnens saßen Meerjungfrauen und genossen die Dusche von drei Engeln, die ins Wasser pinkelten. Menschen, ob pinkelnd oder nicht, waren nirgends zu sehen, doch aus dem großen Haus drang wahrhaft infernalischer Lärm. Der Bau war die Nachahmung einer mexikanischen Hazienda: viel Gips oder Lehm, Terrakottafliesen und Blumentöpfe und große dunkle Balken, die aussahen, als stützten sie die Konstruktion. Vor der Veranda stand ein edles, altes Mercedes-Kabrio, die Art Automobil, die Reichsmarschall Göring gefallen hätte. Ich blieb am Wagen stehen und sah jemanden auf der Rückbank. Der Krach im Haus nahm an Intensität zu. Es handelte sich – mit viel Fantasie und gutem Willen – um eine Rockband.

»Hallo, du da«, grüßte ich, aber der kleine Junge in den schwarzen Lederpolstern war in ein Buch über Dinosaurier vertieft. »Das ist ja ein Stegosaurus«, sagte ich.

Der Junge schaute auf. Er mochte drei sein, allenfalls dreieinhalb. »Quatsch«, sagte er in einem Ton, der keinen Widerspruch duldete; offensichtlich war er an unwissende Erwachsene gewöhnt. »Dimetrodon. Die sind ziemlich verschieden.« Er zeigte auf den Rückenkamm. »Sehr verschieden«, betonte er noch einmal für die besonders Begriffsstutzigen in der Klasse.

»Was ist das?«

»Was?« Mit großen Augen schaute er mich an. Vielleicht war er doch schon vier. Ich habe keine Kinder. Woher also sollte ich wissen, wie alt dieser Junge war? Für fünf kam er mir noch zu klein vor. Er trug ein Baseballshirt der Brooklyn Dodgers, Bluejeans mit karierten Aufschlägen und rote Turnschuhe, die ungefähr so lang waren wie mein Daumen.

»Das Tütchen da. Was ist da drin?« Ich betete darum, dass ich mich irrte.

»Daddys Koks, nehm ich an.«

»Ach?« Das Tütchen war offen, und ein bisschen weißes Pulver war auf die Sitzbank gerieselt. Ein kleiner weißer Fleck zierte den Finger des Jungen. »Soll ich's mit reinnehmen zu deinem Daddy?«

»Nee! Ich pass drauf auf.« Er kniff die obere Kante des Tütchens wieder zu und zog es mit Besitzergeste an seinen Schenkel heran.

»Klar. Hab schon kapiert. Also, das hier ist aber ein Brontosaurus. Da bin ich mir ganz sicher.«

»Nee. Das is 'n Seismosaurus. Der ist größer. Der größte von allen.«

»Mann, du kennst dich aber aus!«

»Ja.« Er nickte.

»Ist dein Daddy da?«

»Glaub schon. Schläft wahrscheinlich noch.«

»Ich geh mal nachsehen. Und – gefällt dir die Musik?«

Er verzog angewidert das Gesicht.

»Da hast du Recht«, sagte ich.

Im Haus war es düster, und der Krach war einfach ohrenbetäubend. Eine Blondine in einem Seersucker-Kostüm und mit blau-weißen auffälligen Pumps stand im Korridor. An ihrem Handgelenk baumelte wie ein Armband eine Rolex aus Gold und Platin. Das Rot ihrer Nägel erinnerte an Blut. Ihr Pagenkopf fuhr zu mir herum, und sie musterte mich mit scharfem, misstrauischem Blick, sichtlich wenig begeistert. Dann fuhr sie fort, in den leeren Raum zu sprechen, und ihre Stimme bohrte sich wie ein Säbel durch die Betonwand der Musik. Sie nannte Namen, Orte, Termine, die Planung für den Tag. Ihre Aufzählung klang wie die Marschordnung eines Forts der Fremdenlegion in der Sahara. Komm deinen gesellschaftlichen Verpflichtungen nach oder stirb! Besonders nett klangen ihre abschließenden Worte.

»Und wenn du mich wegen dem Krach nicht gehört hast und deine Verabredungen vergisst, mein lieber kleiner Schwachkopf, dann bist du erledigt.« Sie sah mich an, als hielte sie auch für mich ein paar gesellschaftliche Verpflichtungen bereit, die mir wahrscheinlich ebenso wenig in den Kram passen würden wie dem Hausherrn. Dann wurde sie sich der Situation bewusst und setzte ein unbarmherziges Lächeln auf. Sie erinnerte ein wenig an die junge Doris Day. »Und wer sind Sie? Ach, sagen Sie's nicht, eigentlich will ich's gar nicht wissen. Der Tierarzt sind Sie jedenfalls nicht, und der ist der einzige Mensch, den ich im Moment herbeisehne. Ich hab einen Flandrischen Treibhund am Hals, der schon den ganzen Morgen in den Pool kotzt. Unangenehm, das können Sie mir glauben. Schlucken Hunde eigentlich auch diese Haarbälle? Ich hoffe doch nicht. Wenn Sie zu Freddie wollen – der ist überraschenderweise schon aufgestanden. Sie finden ihn im Musikzimmer.« Sie wies mir die Richtung mit einer ihrer langen Krallen. Selbst ein Massai-Krieger hätte sich einen Angriff auf die Dame gründlich überlegt. »Ich hab ja immer schon gesagt, dass Freddie mal eine ordentliche Tracht Prügel braucht.« Sie zeigte ihre Zähne. »Und jetzt war es so weit.« In einer Wolke von Giorgio fegte sie an mir vorbei, und ich ging in das Zimmer, das sie mir gezeigt hatte.

Die Musik, die den Raum zum Beben brachte, drang aus den größten, verbeultesten Lautsprecherboxen, die ich je gesehen hatte. Man spürte den Sound aus dem Boden kommen und sich wie eine Schlange am Hosenbein emporwinden. Ein kahlköpfiger Mann saß in einem Sessel, wie ihn auch mein Großvater besessen hatte; als Opa in den Ruhestand ging, hatte er sich so ein Teil gekauft. Der Kahlköpfige trug einen verblichenen blauen Morgenmantel und starrte mich durch eine Wolke von Zigarettenrauch an. Er bewegte die Lippen, aber ich verstand kein Wort und zuckte die Achseln. Auf einem billigen Plattenspieler drehte sich eine Platte ohne Label. Eine fünfundvierziger. Wieder bewegte der Mann die Lippen, wieder hob ich ratlos die Schultern. Doch er hörte nicht auf, und plötzlich wurde mir klar, dass er fluchte. Es war wie im Fernsehen: Wenn der Trainer der Mannschaft sich ereifert, hört man auch nichts. Der Mann beugte sich vor und legte einen Schalter um. Die plötzliche Stille tat in den Ohren weh.

»Nehme an«, er schrie immer noch, »Sie sind dieser Kerl, von dem Bechtol gesprochen hat.«

»Ich bin nicht irgendein *Kerl*. Ich bin Lee Tripper. Sie schicken mir doch immer diese fetten Honorarschecks.« Ich könnte mit JCs Musik auch zu 'nem anderen Label gehen. *Kerl*. Meine Güte! Ich musterte die Anlage. »Nettes Gerät.«

»Ist 'ne Grundregel. Wenn du Scheiße rausbringst, musst du sie dir auch anhören. Je schlechter die Anlage, desto besser klingt es. Das hat Mick the J mir beigebracht. Man muss schließlich seine Wurzeln kennen.«

»Hab ich auch schon mal gehört. Eigentlich wollte ich auch nicht so einfach reinplatzen – Sie hätten mich ja für 'nen Drogenfahnder halten und abknallen können.«

»Was soll denn das heißen? Ich bin gerade erst aufgestanden, hab meinen ersten Nescafé eingeworfen und kann noch nicht besonders klar denken. Wollen Sie mich verarschen, oder was?«

»Sie sind echt widerlich. Ich kenne Sie jetzt gerade mal dreißig Sekunden, aber es kommt mir schon so vor, als säße ich bis zum Arsch in der Scheiße. Ich hab Ihren Sohn draußen in dem netten kleinen Mercedes gesehen. Er hütet gerade Ihr Koks. Wirklich edel. Wenn ich auch nur ein bisschen Mumm hätte, würde ich Ihnen den Kopf abreißen und in ein Loch stopfen.«

»Ach du Scheiße, Mann, stehen Sie immer mit dem falschen Fuß auf, oder was?« Rosen erhob sich und streifte seinen Morgenmantel ab. Er hatte Größe 58, war stark sonnengebräunt und machte einen schmierigen Eindruck. Um den dicken Hals trug er Goldketten mit Medaillons. Er hatte sein Verfallsdatum schon um fünfzehn Jahre überschritten, andererseits war er einflussreicher Plattenproduzent. Vielleicht muss ein Plattenproduzent in L.A. so aussehen. Vielleicht war für Freddie Rosen die Zeit angehalten worden. »Wir wollen doch nicht gleich am Anfang Ärger miteinander kriegen, Mann. Lassen Sie uns mal 'ne Minute chillen. Die verdammte Tracht Prügel macht mich immer reichlich depressiv.«

»Lassen Sie Ihr Sexleben aus dem Spiel.«

Er zog sich ein handbemaltes Hemd über. Ich hatte schon geahnt, dass es ihm zu eng sein würde. Irgendwo in L.A. gab es wahrscheinlich einen Laden mit Klamotten, die immer ein bisschen zu eng sind, und Freddie Rosen war Stammkunde. Er knöpfte das Hemd zu und sah nun aus, als hätte er den Wet-T-Shirt-Wettbewerb am ersten Abend des Club-Med-Urlaubs gewonnen. Er streckte mir eine Hand mit vier Ringen entgegen. Die Ringe waren mit Brillanten besetzt, die bei ihm wie Zirkone wirkten. Und diese Missgeburt war Chef von MagnaDisc. Ich schüttelte ihm dennoch die Hand. Man muss eben seine Pflicht tun.

»Kommen Sie, es ist Zeit für Freddie Deuces Computerkurs.« Wir gingen aus dem Haus. Die Schatten waren länger geworden. »Danach lade ich Sie zum Frühstück ein, dann können wir uns besser kennen lernen.« Er beugte sich zum Rücksitz seines Mercedes, wo sein Sohn mit kleinen Plastikdinosauriern spielte. »He, Deuce, willst du Computer spielen?«

»Du machst wohl Witze«, erwiderte der kleine Junge. »Na klar!«

»Gib mir fünf, Mann«, sagte Rosen, und sie klatschten die Handflächen gegeneinander. »Und gib mir das Tütchen. Schlimmes Zeug. Gefährlich.« Sein Sohn reichte ihm das Tütchen. Wir stiegen in den schicken kleinen Wagen und fuhren los, durch das Tor, wo die Tiere immer noch herumtollten, und den Hügel hinunter.

»Mein Auto steht oben bei Ihnen«, sagte ich. »Finden Sie auch wieder zurück?«

»Mach ich jeden Tag.«

»Mit Brotkrümeln«, warf sein Sohn ein und brach in hysterisches Lachen aus.

»Also, was ist nun mit einer ordentlichen Tracht Prügel?«

»Nein danke, steh ich nicht so drauf.«

Rosen lachte und strich über seinen Räuberschnurrbart. »Ist der Name einer neuen Band, von der die Welt noch hören wird. A Damned Good Trashing. ADGT. Die Rückkehr zum puren Heavy Metal. Wird ein Riesenerfolg. Hey, Deuce? Nimmst du mal die Tüte?« Er reichte das Koks nach hinten. »Ist 'n ganz schlimmes Zeug. Verstanden? Koks ist schlimm. Okay, dann mach die Tüte auf und wirf das Zeug raus.«

Ich sah dem grinsenden Jungen zu, während der Wind das weiße Pulver erfasste und über die Straße davonwehte.

»War das jetzt für mich inszeniert?«, fragte ich.

Wieder lachte Rosen. »Ist mir doch egal, was Sie denken. Muss meinem Sohn mit gutem Beispiel vorangehen.« Er seufzte. »Die Freuden der Vaterschaft. Ich muss es drangeben, das Zeug. Hab doch immer gesagt, ich könnte, wenn ich nur wollte. Und Deuce bringt mich dazu. Freddie Rosen der Zweite. Jetzt werden wir ja sehen, ob's was bringt.« Er hielt vor einer Grundschule. Sein Sohn sprang hinaus, voller Ungeduld, endlich an den Computer zu kommen. Freddie Rosen sagte, er sei gleich wieder da. Ich sah ihnen nach, als sie über den Rasen schlenderten und die Schule betraten. Inzwischen sprach der Junge schon mit einem anderen Kind, und Freddie redete lebhaft auf eine Frau ein, die mit ihrer Tochter gekommen war.

Als er wieder zum Wagen kam, sagte er: »Zeit fürs Frühstück.« Es war fünf Uhr nachmittags, aber für Freddie Rosen war es offensichtlich noch Morgen. Wir fuhren endlos lange, bis wir zu einem Diner namens Nate and Al's in Beverly Hills kamen. Wie sich herausstellte, gehörte es zu einer New-Yorker-Deli-Kette. Rosen führte mich zu einer der hinteren Nischen. Ich bestellte einen getoasteten Bagel und Kaffee. Er nahm Omelette mit Lachs und Zwiebeln, Kartoffeln, Bagels, als Beilage eine Portion K'nish, diese jüdischen gefüllten Teigbällchen, und obendrauf noch einen Schlag Krautsalat. Er schaute mich an. »Ich muss 'ne Diät machen. Ich bin ein Wrack. Ich brauch ein Image-Transplantat. Ich brauch ein wirklich gutes Toupet. Und ich brauch einen erstklassigen Trainer, der zu mir nach Hause kommt und meinen Körper zu etwas Schönem formt, zu dem Tempel, der er eigentlich sein sollte ... Denn was hab ich jetzt? Wenn es Sara Lee nicht gäbe, könnte ich mich nicht mehr unter die Leute wagen.« Traurig schaufelte er sich eine Gabelladung mit ungefähr zweihundert Kalorien rein.

»Ich wollte etwas über meinen Bruder erfahren. Bechtol glaubt, er könnte vielleicht noch am Leben sein. Und Sie sind einer derjenigen, die ich danach fragen soll.«

Rosen schien mich gar nicht gehört zu haben. »Meinen Sie, es macht mir Spaß, so auszusehen? Himmelarsch, bin ich denn verrückt? Mit diesen Scheiß-Goldketten seh ich aus wie ein Sado-Maso-Freak aus irgend 'nem Provinznest. Zu enge Hemden lassen mich fett wirken – nein, verdammt, ich *bin* fett! Und diese verdammte Fotze, meine Frau Samantha, die sich gern Sammy nennen lässt – was hab ich getan, so ein Miststück zu verdienen? Was für Sünden hab ich begangen? Meinen Sie, ich möchte den Jungen in einem Sandkasten voller Koks aufziehen? Mein Problem ist das Berufsrisiko. Ich bin achtundvierzig, ein Überbleibsel der Steinzeit. Der Stoned-Zeit, sollte man wohl besser sagen. Ich meine, ich hab einfach keinen Mumm. Die haben mich vor langer Zeit gekauft ...« Schweißtropfen erschienen auf seinem kahlen Schädel. »Wissen Sie, wie viel ich letztes Jahr verdient hab? Weit über 'ne Million. Und womit verplempere ich mein Leben? Mit der zweiten oder dritten Generation dieser durchgedrehten kleinen Scheißer mit ihren heulenden Elektrogitarren und Keyboards und MTV-Hirnen ... und die DJs lassen sich schmieren wie früher. Ich verkaufe diesen Scheiß und nenne ihn Unterhaltung und Musik und Spaß ... Es ist widerlich! Ich bin wirklich unterbezahlt, meine Seele schmort in der Vorhölle.« Er schaufelte das Essen in sich hinein und quasselte in einem fort wie ein Speed-Junkie aus der guten alten Zeit. »Mit JC Tripper war es was anderes. Der war einer der Großen, der amerikanische Joe Cocker, eine richtige Legende. Joseph Christian Tripper, Harvard-Absolvent ... ein Mann wie aus der Renaissance, könnte man sagen, so einen kriegen wir nie wieder. Natürlich hat ihn das Dope mehr oder weniger reingeritten ...«

»Haben Sie meinen Bruder eigentlich mal kennen gelernt?«

»Hab ihn auf 'n paar Partys und Preisverleihungen getroffen. Er war wohl immer 'n bisschen menschenscheu – aber, verdammt, wer wüsste das besser als Sie! Richtig gekannt hab ich ihn eigentlich nicht.« Er probierte seinen K'nish, schnitt ihn in zwei Hälften und sperrte den Mund auf wie ein Scheunentor. Eines musste man ihm lassen – der Mann konnte wirklich reinhauen.

»Was läuft denn zwischen Ihnen und Bechtol?«, fragte ich.

»Warum hat er mich zu Ihnen geschickt? Und verstehen Sie

mich nicht falsch: Die Liste Ihrer Wehwehchen war schon faszinierend.«

»Geben Sie's doch zu«, sagte er. »Am Anfang konnten Sie mich nicht ausstehen.«

»Das ist Ihnen aufgefallen?«

»Ich musste Sie für mich gewinnen.« Er lächelte so gewinnend wie möglich. »Ich spüre solche Dinge. Vibrationen, wissen Sie. Schlechtes Karma. Aber jetzt können Sie mich besser leiden, oder?«

»Klar«, gab ich zurück. »Jetzt kann ich Sie besser leiden.«

»Danke, Kumpel. Das ist wirklich sehr wichtig für mich. Also, was Bechtol sich dabei gedacht hat ... Tja, wer kann das wissen? Dieser Mann ist ein Genie, ein großer Schriftsteller, nicht wahr? Einer der größten. Ein Riese ...«

»Er versteht sein Handwerk.«

»Wir verstehen uns sehr gut, Bechtol und ich. Also, Lee ... Ich darf Sie doch Lee nennen? ... Wir haben über Ihren Bruder geredet. Bechtol hat mir all diese Geschichten erzählt, und da hab ich das Meine dazu beigesteuert, Sachen, die ich mal gehört hab ...« Er zuckte die Achseln. »Sie wissen's doch.«

»Jetzt mal nicht so schüchtern, Freddie. Ich weiß es eben nicht.«

»Diese Mordsache.« Er schniefte und vertilgte den Rest K'nish und Krautsalat. »Es ist schwer, darüber zu reden – mit *Ihnen* zu reden.«

»Und warum, Freddie?«

»Na ja, ich hör immer wieder, was in Tanger passiert ist, und immer läuft's auf Mord raus. Irgendjemand wurde damals in Tanger ermordet ... Ihr Bruder? Oder hat irgendein armer Schlucker dran glauben müssen, damit Ihr Bruder verschwinden konnte? Aber vielleicht waren Sie's ja selber. Vielleicht hat der treue Bruder den Killer gegeben ... Hüter Ihres

Bruders ... wurde dann in die Klapsmühle in der Schweiz verfrachtet, hat die ganze Sache vertuscht ... haha!«

»Und alles nur, damit JC verschwinden konnte.« Ich schüttelte den Kopf.

»Hören Sie, wichtige Leute der MagnaGroup haben sich lange Zeit deswegen vor Angst in die Hosen gemacht. Die hatten echt Schiss.« Rosen drehte und wand sich und schaute immer wieder auf die Uhr.

»Wovor hatten sie Angst?«

»Wovor? Wovor?«

»Genau, Freddie. Das fragt man sich doch.«

»Finden Sie die Vorstellung von Mord nicht beängstigend? Also, mir jagt Mord Angst ein. Ihnen etwa nicht? Na, vielleicht nicht. Aber betrachten Sie doch mal die Zusammenhänge: JC Tripper ist tot, sein Bruder verschwindet, die Leiche wird diskret verbrannt, die ganze Geschichte wird vertuscht, aber sofort sind Gerüchte im Umlauf, ob JC wirklich tot ist. Hat man ihn kaltgemacht? Oder ist er einfach so gestorben? Und warum in so einem armseligen Ort wie Tanger? Ist ja wie in einem alten Claude-Rains-Film. Und wie sich herausstellt, nehmen sie's praktischerweise in Tanger mit den Dokumenten nicht so genau, es ist halt alles ein bisschen dunstig in Tanger ... Klingt wie ein Song von JC Tripper, was?« Er lachte leise, hatte sich sichtlich wieder beruhigt.

»Es *war* ein Song von JC Tripper«, klärte ich ihn auf. »Ich war dabei, als er ihn schrieb. Es war sein letzter Song. Der berühmte, verloren gegangene Abschiedssong von JC Tripper, der zur Legende wurde, weil niemand weiß, was damit geschehen ist.« In diesem Moment lief es mir kalt den Rücken hinunter, und das lag nicht an der Klimaanlage.

»Das war die ganze Story.« Rosen grinste und schob seinen Teller weg. »›Alles ist dunstig in Tanger.‹ Stellen Sie sich vor, was dieser Song wert wäre, wenn er plötzlich irgendwo auftauchte.«

»Man stelle sich vor.«

»Alles ist dunstig in Tanger«, wiederholte er und begann langsam die Verse zu rezitieren, »oder ist es doch klar in Tanger, vielleicht sind Nebel und Rauch nur in mir, in meinem Kopf, in Nebel und Rauch einer erhitzten Seele in Tanger ...«

»Woher kennen Sie den Text? Keiner kennt die genauen Worte ...«

»*Sie* aber schon«, entgegnete Rosen.

»Ich war ja auch dabei. Sie nicht. Woher kennen Sie den Text, Freddie?«

»Er kam mit der Post, mein Freund.«

»Wann kam er mit der Post, Freddie?«

»Vor einem Monat. Der Song kam einfach mit der Post.«

»Und weshalb glauben Sie, dass er authentisch ist?«

»Weil es JCs Handschrift ist. Kein Zweifel. Wir haben es nachprüfen lassen.«

»Wo ist der Brief aufgegeben worden?« Mein Puls hatte sich auf drei Schläge in der Minute verlangsamt. Auf so eine Wendung der Ereignisse war ich nicht vorbereitet gewesen. Wo war dieser Song gewesen, all die Jahre – bei wem?

»Eine meiner Sekretärinnen hat den Brief aufgemacht und auf meinen Schreibtisch gelegt. Ich war zu der Zeit in Vegas. Als ich zurückkam, hatte die blöde Kuh vergessen, den Brief zu datieren. Hab ihn erst Tage später in die Finger bekommen. Da war der Umschlag schon längst verschwunden. Es gab keinen Begleitbrief, nichts. Nur das Blatt mit dem Song. Tja, das ist schon ein Rätsel, Kumpel.«

»Und Sie haben es Bechtol erzählt?«

»Ich bin eben ein treuer Soldat.«

»Was soll denn das wieder heißen?«

»Wenn ein guter Soldat seinen Marschbefehl kriegt, marschiert er los.«

»Und warum haben Sie es Bechtol erzählt?«

»Wegen des Marschbefehls.«

»Wer gibt Ihnen diesen Befehl?«

»Wer ist mein Arbeitgeber?« Er bedeutete dem Kellner, ihm die Rechnung zu bringen.

»Warum tun Sie so geheimnisvoll?«

»Ich bin nur eine Art Mittelsmann. Und andauernd geht mir Mord im Kopf herum ... Gerüchte über einen Mord.« Er zuckte die Achseln. »Das alles macht mir Angst. Es kommt aus der Vergangenheit, macht ›Buh‹, und ich krieg Angst. Wenn Menschen sterben ... was ist?«

»›Gerüchte über einen Mord.‹ Das war auch ein Song von JC. Dafür hat er Platin gekriegt.«

»Aber er hat ihn selbst aufgenommen, Lee. Mann, ich mag diesen Ausdruck in Ihren Augen nicht.«

»›Der Ausdruck in deinen Augen.‹ Was passiert denn hier, Freddie? Wollen wir das ganze verdammte Gespräch aus JCs Songtiteln bestreiten? Wissen Sie, Fred ... Sie haben doch nichts dagegen, wenn ich Sie einfach Fred nenne? ... Manche dieser Morde sind nicht bloß Gerüchte. Sie sind wirklich passiert ...«

»Ich weiß. Und wirkliche Morde machen mir am meisten Angst ...«

»Sally Feinman wurde vor ihrem Tod gefoltert. Wissen Sie, Fred, warum?«

»Jetzt machen Sie aber mal 'nen Punkt, Lee!«

»Und diese Zisterne in Pacoima ist bestimmt auch nicht besonders gemütlich gewesen ... was, wenn er noch gar nicht richtig tot war, als sie ihn hineinstopften? Der arme alte Shadow.«

»Das ist *die* Untertreibung der Achtziger, Lee. Und genau

der Grund, warum ich so verschwiegen wie möglich bin, während ich mich gleichzeitig bemühe, ein guter kleiner Soldat zu sein ...«

»Mir reicht's allmählich mit diesem Soldatenquatsch.«

»Sorry. Aber als Metapher passt es. Ich könnte mich auch als Bauern in diesem Spiel bezeichnen. Wie wär das?«

»Wir sprachen über meinen toten Bruder«, mahnte ich. »Ich will nichts von diesem Scheiß ...«

»Betrachten Sie's doch mal von der positiven Seite. Vielleicht ist er gar nicht so furchtbar tot. Vielleicht hat JC diesen Song geschickt ... vielleicht will er nach all den Jahren wieder aus der Versenkung auftauchen. Warum nicht? Schon ein verrückter Kerl, dieser JC.«

»JC ist tot«, beharrte ich. »Jeder, der damals bei ihm war, hätte sich den Song schnappen können ... bei dem Chaos damals.«

»Hören Sie, wenn Sie das glauben wollen, dann tun Sie's. Ich muss mich jetzt auf die Socken machen. Wir wollen Deuce abholen und Sie zurück zu Ihrer Klapperkiste bringen.« Er zwängte seinen Bauch aus der Nische, ein Manöver, bei dem seine Hemdenknöpfe um Gnade flehten.

Wir holten Freddie den Zweiten ab und lauschten seinem Geplapper über Computer. Keiner von uns verstand, worüber er redete.

Als Rosen neben dem alten Caddy hielt, drehte er sich zu mir um und legte eine Hand auf meine Schulter.

»Sie sind in Ordnung, Lee. Wirklich. Sie haben sich meinen ganzen Scheiß angehört und sehr viel Geduld bewiesen.«

»Wo wir gerade noch von Untertreibung gesprochen haben«, scherzte ich.

»Also werde ich Ihnen ein kleines Geschenk machen.«

»Bitte kein Koks.«

»Schlimmes Zeug«, tönte es vom Rücksitz. »Muss man wegwerfen.«

»Ich will Ihnen nur einen Namen verraten«, sagte er. »Erspart Ihnen eine Menge Nachforschungen. Cotter Whitney der Dritte. Ich bin nur einfacher Soldat, Cotter Whitney aber ist so was wie der Oberbefehlshaber.«

Freddie the Deuce winkte mir, als sie durch das Tor zu ihrem Heim fuhren, zu Sammy the Shit.

8.

Die Palmen warfen bereits lange Schatten über den Sunset Boulevard, als ich zum Bel Air Hotel zurückkehrte, im Gesicht eine frische kühle Brise. Der Verkehr rollte stetig dahin, und ich ließ den Caddy mitrollen. Ich stellte mir vor, dass er den Weg kannte. So hatte ich Muße, über Stryker und seinen Araber in Paris nachzudenken, der behauptet hatte, JCs Fluchtweg zu kennen. Über Morris Fleury und Sallys Akte, die nun leider verschwunden war, und über Freddie Rosen, der JCs letzten Song vor einem Monat in seiner Post gefunden hatte … zwanzig Jahre nach JCs Tod.

Es war ein ganz nettes Paket an Verwicklungen, und auf die eine oder andere Art schien ich überall und jedes Mal eine Rolle zu spielen. Gab es wirklich Leute, die glaubten, ich hätte meinen Bruder umgebracht? Oder jemand anderen an seiner statt, damit JC die Kurve kratzen konnte? Und wer brachte jetzt reihenweise Leute um? Und aus welchem Grund? Sally Feinman und Shadow Flicker – wer würde der Nächste sein? Ich vielleicht?

Was genau war Bechtols Plan gewesen, als er Heidi Dillinger anwies, mich heil nach Hause zu bringen? Sollte ich JC finden wie vereinbart? Oder spielte ich in diesem Stück eine andere Rolle, von der ich nichts wusste? Und reichte eine halbe Million – vorausgesetzt, ich lebte lange genug, um auch die zweite Hälfte zu kassieren?

Als ich am Hotel ankam, lagen die Rasenflächen bereits im Schatten. Schwül und schwer lag der Duft von Blumen und Bäumen in der Luft. Der schwarze Schwan, dieses eingebildete Tier, hatte immer noch nicht Feierabend gemacht. Ich überlegte, welcher Staragent diesen Vogel gecastet haben mochte. Ich überquerte die kleine Brücke, fragte an der Rezeption nach Post und bekam einen Umschlag ausgehändigt. Es war hoteleigenes Briefpapier, und mein Name war in geradezu mikroskopisch kleinen Lettern geschrieben. Wer außer Heidi Dillinger konnte mir diesen Brief hinterlassen haben?

Ich begab mich auf mein Zimmer, bestellte eine Flasche Scotch mit Eis und hüpfte kurz unter die Dusche. Als ich fertig war, klopfte der Zimmerkellner und brachte das Bestellte. Ich unterschrieb die Rechnung, wobei ich sorgfältig vermied, auf die Summe zu schauen. Dann gönnte ich mir einen Drink und rief in Heidi Dillingers Zimmer an, aber dort meldete sich niemand. Ich wählte die Nummer der Rezeption und fragte, ob sie eine Nachricht über ihre Rückkehr hinterlassen hätte.

Der Kerl an der Rezeption sagte, er *habe* mir bereits den Brief gegeben. Ich konterte, dass ich ihn noch nicht aufgemacht hätte. In einem Ton, als müsse er einem Schwachkopf die Toilettenspülung erklären, gab er mir zu verstehen, dass Miss Dillinger vor einer Stunde unerwartet ausgecheckt habe. Sie müsse geschäftlich weg, habe sie gesagt, und den Brief hinterlassen. Gewiss würde ich mehr erfahren, wenn ich den Brief las. Der Mann hörte sich so gestresst an, als stünde er hart am Abgrund. Als ich auflegte, redete er immer noch.

Eigentlich hatte ich mich auf den Abend mit Heidi Dillinger gefreut, doch nun war sie fort, und ich tat mir Leid. Außerdem war ich unendlich müde. Der Flug hatte mir drei kostbare Stunden des Tages gestohlen, und in der vergangenen Nacht hatte Morris Fleury mich stundenlang wach gehalten. Ich öffnete den Umschlag und las ihren Brief bequem ausgestreckt auf dem breiten Bett. Durch die Dämmerung drangen die Laute der anbrechenden Nacht.

Tripper,

tut mir Leid, Sie hängen zu lassen, aber der Sirenenruf von Herrn Doktor Bechtol schallte durch das Land, und ich muss ihm folgen. Was kann ich noch sagen, außer: Es tut mir Leid? Aber ich tauche wieder auf, und zwar dann, wenn Sie's am wenigsten erwarten. Versprochen.

Über das Schicksal Ihres Freundes Flicker habe ich so viel herausgefunden, wie ich konnte. Ist nicht viel bei rausgekommen. Man hat ihm die Gurgel durchgeschnitten, usw., usw.

Die Ermittlungen sind noch im Gange, aber ich habe das Gefühl, die Cops sind nicht allzu eifrig, da die Sache mit Drogen zu tun hat. Sie geben ihr Bestes, reißen sich aber kein Bein aus. Ein Zeitungsmensch hat mir gesagt, dass sie lieber nicht zu tief graben wollen, denn »der Typ war ein Parasit aus dem Musikbusiness. Der hatte Verbindungen zum organisierten Verbrechen und war ein Junkie, und keiner will dieses Fass voller Würmer aufmachen«. Verstehen Sie jetzt?

Aber eine Spur habe ich, was wieder mal beweist, dass mein zweiter Name »Recherche« lautet. Donna Kordova, Flickers Witwe. Sie haben sich vor einem Monat getrennt, aber sie hat sich immer noch um ihn gekümmert. Sie muss ein paar Dinge wissen, die wir nicht wissen können, und einiges davon könnte nützlich sein. Einem Mann wie Ihnen sollte es nicht schwer fallen, etwas aus ihr rauszuholen – lassen Sie Ihren Charme spielen. Mrs Kordovas Adresse finden Sie auf dem beiliegenden Blatt.

Graben Sie fleißig weiter. Seien Sie vertrauenswürdig, ehrlich, hilfreich, freundlich, höflich, nett, gehorsam, fröhlich, sparsam, mutig, sauber und ehrfürchtig.
Das gefällt mir an einem Mann.

Bis zum Einbruch der Niagarafälle
  Heidi Dillinger

Sie hatte die winzigste und dabei sauberste Schrift, die ich je gesehen hatte. Ich fragte mich, was ein Graphologe daraus lesen würde. Eins war sicher – sie hätte mühelos das Vaterunser auf Stecknadelköpfe ritzen können.

Sie hatte was. Sie wurde mir immer wichtiger.

Das gefiel mir an dieser Frau. Was es auch war.

Ich weiß, wie lächerlich das klingt, aber ich brauchte geschlagene drei Stunden, um den Marina City Club zu finden. Lachen Sie erst, wenn Sie es selber mal versucht haben. Es war der reinste Dschungel. Als ich ans Meer gelangte, kroch dichter, feuchter, kalter Morgennebel über den Strand von Malibu. Ich hielt Ausschau nach Detektiv Rockfords ramponiertem Wohnwagen, konnte ihn aber nicht finden. Einen Kerl wie ihn hätte ich jetzt wirklich brauchen können. Ich wandte mich nach Süden, richtete mich nach den Hinweisen, die ich aus dem Typen an der Hotelrezeption hatte rausquetschen können. Mit einem Grinsen hatte er angedeutet, dass es eine ganz nette Strecke sei, an deren Ende mich ein Labyrinth erwartete.

Nun stand ich vor dem Santa Monica Pier, der wie ein anklagender Finger in den Nebel zeigte. Die Wirklichkeit hatte sich hinter den Hügeln versteckt. Ich überlegte, wie die Einwohner mit dem Nebel fertig wurden. Es war, als hielte man ein Nickerchen und wachte auf dem Mars wieder auf. Dort war Venice, dahinter die Marina del Rey, und San Diego lag bestimmt auch gleich um die Ecke. Es roch nach Motoröl. Am Straßenrand stand ein brennender Lastwagen wie eine große Fackel, die uns den Weg weisen soll. Mein Gott, nichts wie weg hier!

Endlich sah ich ein viel versprechendes Schild, stieß einen Seufzer der Erleichterung aus, verließ den Freeway und tauchte in das Labyrinth ein. Ich musste an zwei Schnapsläden und einer Tankstelle nach dem Weg fragen. Endlich passierte ich ein Tor, das von einem Pistolenhelden im mittleren Alter bewacht wurde. Doch er war nicht auf Ärger aus, fragte nur, wer ich sei und wen ich besuchen wollte. Ich sagte, ich sei Chevy Chase, und der Mann zuckte nicht mal mit der Wimper. Er gab auch keinen Warnschuss ab, sondern schrieb lediglich den Namen auf. Wie sich herausstellte, war Donna Kordova erst vorgestern in den Jachthafen gezogen. Ich war ihr erster Besucher.

Das Gewirr der vielen Stege und der dichte Nebel im Marina City Club ließen mich vorübergehend an meiner Mission zweifeln. Doch an diesem Morgen war ich entschlossen wie eine Bulldogge. Ich wollte wirklich einen Durchbruch erzielen, bevor ich mich wieder auf den langen Weg zum Freeway machte. Also suchte ich verbissen weiter und stöberte sie schließlich auf. Ich läutete und wartete, schaute derweil über den Jachthafen, die Masten der Segelschiffe und die Antennen der Kajütboote. Ich hörte den geisterhaften Anprall der Wellen an den Stegen, die leise anschlagenden Bootskörper. Kreischende Möwen erschienen aus den Nebelschwaden und verschwanden wieder in den weißen Wolken.

Dann ging die Tür hinter mir auf. Ich drehte mich um und erblickte eine schlanke, ziemlich blasse Frau mit hellbraunem, kurz geschnittenem Haar und grauen Augen von der Größe eines Silberdollars. Sie trug ein T-Shirt mit einem Logo, das ich noch nie zuvor gesehen hatte: Es handelte sich um den stilisierten Schriftzug von A Damn Good Thrashing. Das musste wohl ein brandneues T-Shirt sein. Das Logo zeigte ein friedliches, lächelndes Gesicht. Mit einem Einschussloch zwischen den Augen. Die Frau hielt ihre dünnen weißen Arme unter dem Logo verschränkt. Jeder Experte für Körpersprache hätte mir gesagt, dass ich jetzt eine harte Nuss zu knacken hätte.

»Wer sind Sie, und was wollen Sie?« Die Frau hatte eine hohe Stimme, die ständig brach wie ein trockener Zweig. Sie leckte sich die Lippen. Offenbar litt sie an Mundtrockenheit. »Wenn Sie Reporter sind, dann sind Sie an der falschen Adresse. Wenn Sie kein Reporter sind, auch. Ich erwarte niemanden.« Sie trat einen Schritt zurück und machte Anstalten, die Tür zu schließen.

»Bitte, ich bin kein Reporter. Ich war mit Ihrem Mann befreundet. Vor langer, langer Zeit. Ich heiße Tripper. Lee Tripper.« Ich lächelte so gewinnend ich konnte. »Sie wissen doch ... der Bruder. Ich wette, dass Sie JC damals sogar gekannt haben ...«

»Moment! Hab ich das richtig verstanden? Sie sind JCs Bruder und haben Shadow gekannt?«

»Genau. Ich wollte nur mal kurz vorbeischauen und Ihnen mein Beileid aussprechen. Es tut mir schrecklich Leid, was Shadow ...«

»Und Sie sind wirklich kein Reporter? Das ist jetzt nicht so ein mieser Trick?«

»Nein, nein, warten Sie, ich zeige Ihnen meinen Führerschein.«

Sie wartete tatsächlich, bis ich das Ding aus der Tasche gezogen hatte. Dann schaute sie es an. Dann hoch zu mir, immer noch Zweifel im Blick.

»Ich bin's wirklich«, versicherte ich.

»Kommen Sie rein.« Offenbar hatte sie beschlossen, dass ich wirklich der war, für den ich mich ausgab. Sie trug Guess-Jeans, die ihr ein bisschen zu weit waren, weil sie nicht schlank, sondern mager war. Sie sah aus wie ein kleines Mädchen, das durch eine Laune des Schicksals in den Körper einer über vierzigjährigen Frau versetzt worden war. Aber immerhin war sie nicht arm. Beim Frühstück hatte ich die Immobilienanzeigen in der *Los Angeles Times* studiert und festgestellt, dass die Preise für Eigentumswohnungen im Marina City Club bei 350.000 anfingen und sich sodann in astronomische Höhen schraubten. »Ich bin noch beim Einzug, die Möbel sind noch im Lager, alles ist ein Chaos. Zum Glück habe ich gestern die Cafetiere gefunden. Möchten Sie einen Kaffee?« Ich nickte, und sie wühlte sich auf der Suche nach der Kanne durch Kartons und gepolstertes Packpapier, warf einen Blick über die Schulter und sagte: »Wir kennen uns bereits, wissen Sie. Sie haben einmal mit mir getanzt. Vor ungefähr zwanzig Jahren, vielleicht ist es noch länger her. Ich finde es furchtbar, wenn mir das bewusst wird – ich meine immer, es wäre erst gestern gewesen. Aber es ist dreiundzwanzig oder vierundzwanzig Jahre her. Wir haben getanzt, Sie und ich.« Sie ging in die Küche. »Ihr berühmter Bruder hatte wohl keine Zeit dafür.«

»Es tut mir Leid, aber das ist so lange her, dass ich mich kaum noch daran erinnern kann. Wo war das denn?«

»Bei der Grammy-Verleihung, glaub ich. Jedenfalls bei irgend so einer großen Verleihung. JC hat den Preis für die beste Single und das beste Album bekommen. Grace Slick durfte mit JC tanzen. Ich hab den Bruder abgekriegt. Sie waren richtig nett, aber irgendwie eine Art ... Trostpreis, ehrlich gesagt. Sie haben sich übrigens ziemlich verändert.«

»Das passiert einigen von uns. JC und Shadow zum Beispiel haben sich noch mehr verändert als ich.«

»Wie trinken Sie den Kaffee? Schwarz oder mit Milch? Zucker?«

»Schwarz, ohne Zucker.«

»Lehnen Sie sich besser nicht da an. Die Maler haben die Zierleisten gestrichen. Die Farbe ist noch feucht.«

Sie reichte mir meine Tasse, und wir gingen wieder in das zweistöckige Wohnzimmer.

»Ziehen Sie sich 'ne Kiste ran, Tripper.«

Im Wohnzimmer stand ein riesiges Aquarium, das sie anscheinend als Erstes aufgestellt und angeschlossen hatte. Luftblasen stiegen in einer Säule auf. Die Fische waren rot und blau und gelb und schwarz und wohlgenährt. Sie nippte an ihrem Kaffee und fragte: »Warum sind Sie wirklich gekommen?« Der Nebel hinter dem Fenster schien ins Zimmer eindringen zu wollen.

»Haben Sie eine Ahnung, warum Shadow ermordet wurde?« Ich hatte Mühe, den Blick von den Fischen abzuwenden.

»Man hat mir gesagt, ich soll nicht darüber reden.«

»Das ist doch absurd. Ihr Ehemann wird ermordet, es steht in allen Zeitungen. Er ist ein Prominenter im Showbiz von L.A. – und Sie sollen nicht darüber reden? Wie verschwiegen wollen Sie denn sein? Sie wissen doch, dass ich kein Reporter bin ...«

»Und ich weiß nur, dass Sie gerade aus dem Nichts hereingeschneit sind. Shadow hat Sie nie erwähnt. Ihr wart keine Freunde.« Sie zuckte die Achseln. »Versuchen Sie gar nicht erst, mich zu überzeugen, dass Sie vor Trauer über Shadows Tod niedergeschmettert sind.«

»Wer hat Ihnen gesagt, dass Sie nicht darüber reden sollen?«

»Geht Sie das etwas an? Warum sind Sie wirklich gekommen?«

»Hat Shadow jemals über meinen Bruder gesprochen?«

»Ich kann mich nicht erinnern ...«

»Hat er jemals erwähnt, dass er glaubte, mein Bruder könne noch am Leben sein? Es ist bitterernst, Donna. Nicht nur Shadow wurde ermordet. Vor wenigen Tagen ist auch in New York ein Mord geschehen. Und es besteht die Möglichkeit, dass JC die Verbindung zwischen den beiden Opfern ist ... Eine Menge Leute sind offenbar der Meinung, dass JC noch lebt und dass es lohnt, nach ihm zu suchen ...«

»Oh!«, keuchte sie, »genau dieser Song ist mit der Post gekommen!« Von ihrer eigenen Indiskretion überrascht, schlug sie sich die Hand vor den Mund.

»Daher also haben Sie das T-Shirt«, schloss ich. Allmählich entwickelte ich den Instinkt eines Privatdetektivs. Es machte richtig Spaß. Wie beim Schach, wenn man dem anderen einen Zug voraus ist.

»Woher?«, fragte sie, nun in die Defensive gedrängt.

»Von Freddie Rosen. Beruhigen Sie sich, Donna ... Hat Freddie Ihnen gesagt, Sie sollten ja nichts über den Mord erzählen?«

Donna grinste und nickte. »Na schön, es stimmt. Versprechen Sie mir, dass Sie's ihm nicht verraten? Kennen Sie Freddie überhaupt?«

»Natürlich. Ich bin Lee Tripper, Donna. Ich hab ihn gestern Nachmittag besucht. Und Freddie den Zweiten auch. Klar, Freddie und ich sind alte Bekannte.« Das sollte keine Lüge sein, sondern eine Ermutigung für Donna Kordova. »Er ist zwar nicht direkt damit rausgerückt, aber ich hatte das Gefühl, Sie beide wären ... na ja, Sie stünden sich nahe.« Das war natürlich 'ne Lüge, klar.

»Hat Freddie Ihnen gesagt, wo ich bin?«

»Wer sonst?«

»Das hätten Sie gleich sagen sollen. Freddie ist seit

Shadows Tod sehr gut zu mir gewesen. Die beiden waren eng befreundet. Freddie hat immer in Shadows Show die neuen Alben von MagnaDisc vorgestellt. Shadow war der Einzige auf der Welt, der dieses Zeug spielte.« Sie zeigte auf das Logo auf ihrem T-Shirt.

»Freddie glaubt, dass JC noch lebt«, sagte ich. »Er hat Ihnen von diesem Song erzählt, der per Post kam ...«

»Ist das nicht Wahnsinn? Ich war platt. Freddie auch. Aber er war nicht so froh darüber, wie ich gedacht hätte ... ich meine, bedenken Sie doch, was ein neuer Tripper-Song auslösen könnte. Aber Freddie war wie vor den Kopf geschlagen, fast schon unglücklich.«

»Vielleicht hatte er Angst. War er besorgt?«

»Vielleicht. Doch, ja. Er sagte, er würde mit dieser Sache direkt zur Firmenleitung gehen. Zu MagnaGroup ... dem Typen, der die ganze Chose leitet. Er wohnt in einem von den apolis ...«

»Apolis?«

»Sie wissen schon: Minneapolis oder Indianapolis oder so.«

»Und welcher tolle Typ ist das nun?«

»Der mit diesem überkandidelten Namen: Cotter Whitney der Dritte. Der Big Chief.«

»Freddie hat ihn erwähnt ...« Inzwischen war sie aufgestanden und streute Futter ins Aquarium.

»Donna, ich frage Sie noch einmal – und denken Sie bitte gut nach. Warum sollte jemand Shadow ermorden? Was für ein Motiv könnte er gehabt haben? Darüber haben Sie doch bestimmt mit Freddie gesprochen. Freddie muss doch einen Grund genannt haben, warum Sie mit niemandem darüber reden sollten ...«

Donna starrte ins Aquarium und betrachtete die bunten, leuchtenden Farbkleckse, die sorglos hierhin und dorthin flitzten. Ich habe auch mal Fische gehabt. Eines Nachts überhitzte die Umwälzpumpe, und ich musste die kleinen, aufgeblähten Fischleichen in der Toilette runterspülen. Die sind sehr empfindlich, diese tropischen Fische, und können kochend heißes Wasser überhaupt nicht vertragen.

»Shadow steckte bis zum Hals bei MagnaDisc drin.« Sie senkte die Stimme zu einem verschwörerischen Flüstern. »Das lief seit den Sechzigern so. Manchmal machte er den Mittelsmann zwischen der Plattenfirma und den Musikern ... Sie wissen, was ich meine, Tripper. Es war doch auch Ihre Welt. Sagen Sie was!«

»Sie machen das prächtig. Nur weiter!«

Sie legte die Hände auf ihre mageren Hüften. Noch mehr Körpersprache. »Meine Güte«, seufzte sie. »Er hat Sachen *geliefert*. Dienste geleistet. Es hat sich ausgezahlt, dass er eine besondere Beziehung zu MagnaDisc hatte. Also hat er *Dinge* geliefert ... Mädchen, Jungs oder Drogen. Er war kein Engel. Das ist kein Geschäft für Engel.«

»Es läuft also darauf hinaus, dass Shadow vielleicht zu viel wusste und jemand es mit der Angst zu tun bekommen hat«, sagte ich. »Geht es dabei um alte Geschichten? Oder vielleicht um etwas Aktuelles? Aber wenn er ermordet wurde, weil er zu viel wusste, muss man sich ja wirklich fragen, warum etwas plötzlich so wichtig war ... oder hat sich vielleicht etwas geändert? Ist ein neues Element ins Spiel gekommen?«

»Ich weiß es wirklich nicht. Und ich hab schon jetzt zu viel geredet. Freddie ist so gut zu mir gewesen.« Sie sah sich im Zimmer um, als wäre es der Beweis für Freddies Güte. »Sagen Sie ihm bloß nicht, dass ich so viel erzählt hab, ja?«

»Freddie und Sie sind also ein Paar, wenn ich das richtig verstehe.«

»Ein sehr geheimes Paar. Aber er ist auf seine Art sehr süß, und ich liebe es, wie er mit seinem Sohn umgeht, und

– Himmel hilf! – Sie sollten irgendwann mal diesen Drachen von Ehefrau kennen lernen. Versuchen Sie mal, die ein paar Stunden zu ertragen.« Sie schnitt eine Grimasse. »Freddie hat sich für mich verantwortlich gefühlt ... nein, fragen Sie nicht, ich weiß nicht, warum. Aber wir sind schon lange zusammen ...«

»Hat Shadow das nicht gestört?«

Sie lachte. Es klang nicht unbedingt bitter. »Shadow auf keinen Fall. Shadow hat sein eigenes Leben gelebt. Als er starb, kam Freddie zu mir und hat alles für mich getan.« Hilflos hob sie die Schultern. Ihre Unterlippe zitterte. »Seit sehr langer Zeit hat keiner mehr was für mich getan.«

Ich wollte weg, bevor die Tränen kamen. Falls sie kamen. Ich stand von dem Karton auf und sagte, wie sehr ich es zu schätzen wüsste, dass sie mit mir gesprochen hatte. Und ich versicherte ihr, dass kein Wort über meine Lippen kommen würde.

Sie stand in der Tür und sah mir beim Betrachten des Nebels zu. »Normalerweise hat er sich um diese Zeit verzogen. Ist wahrscheinlich wieder einer von diesen seltsamen Tagen.«

»Noch eins«, sagte ich. »Shadow. Hat Freddie *ihm* jemals erzählt, dass er ›Alles ist dunstig in Tanger‹ per Post gekriegt hat? Hat Shadow das jemals erwähnt?«

»Mir gegenüber nie, aber Sie müssen bedenken, dass die beiden dauernd gequatscht haben. Immer hingen sie am Telefon, mussten sich dringend zum Lunch treffen – Freddie muss es ihm einmal erzählt haben. Er wollte immer Shadows Meinung zu Musiksachen hören.«

»Ich danke Ihnen, Donna.«

»Tripper?«

»Ja.«

»Halten Sie den letzten Tanz für mich frei, ja?«

9.

An die fünfzig Trauerweiden säumten die lange Zufahrt zu der stattlichen Villa im italienischen Stil, die westlich von Minneapolis gelegen war. Der Tankwart hatte dieses Gebiet das »Land der Seen« genannt. Die Privatstraße war so geradlinig wie ein Countrysänger. Manche der herabhängenden Zweige streiften das Dach meines Mietwagens, eines Chrysler Fifth Avenue, ein weißes Gefährt mit roten Ledersitzen und einem kleinen Kompass, der mir anzeigte, dass ich in südlicher Richtung fuhr. Ein tolles Gerät! Fahr Richtung Charleston, und du landest in Albany.

Es war heiß in Minneapolis. Das Thermometer überschritt die Dreißigermarke, als ich den Highway 12 entlangbretterte. Die Städte am Weg hatten Namen wie Wayzata und Minnetonka, und nach jeder Kurve hatte ich das Gefühl, nun müsse ein holdes Indianermädchen auftauchen. So viel zu überspannten Erwartungen. Als ich die Hauptstraße verlassen hatte, gelangte ich zu den Seen, schlängelte mich zwischen ihnen hindurch und betrachtete die Segelboote im gleißenden Sonnenlicht. Hier waren mehr Boote an einem Ort, als ich mir jemals hätte vorstellen können. Und kleine blonde Mädchen mit Haarbändern. Zahllose Volvos und Mercedes-Kombis und Jeeps, von denen jeder gut und gerne zwanzigtausend kostete. Dies war das satte, müßige Leben im Königreich der Reichen und Schönen.

Doch die Straße zum Landsitz der Whitneys war anders, ehrwürdig und gepflegt wie Straßen in manchen Gegenden Frankreichs. Als ich die Trauerweiden hinter mir gelassen hatte, fiel mein Blick auf das Château oder die Villa. Architektur ist nie meine starke Seite gewesen, aber dass dieses Gebäude nicht ganz so riesig war wie das Schloss in Versailles, erkannte ich sofort. Im Vorhof standen große Statuen berühmter Persönlichkeiten aus der Antike, wie sie in Bulfinchs *Mythologie* beschrieben werden. Über dem Hof lag dunstige Hitze, und mein Wagen hatte eine Staubwolke aufgewirbelt. Zu hören waren nur die typischen Laute des Hochsommers, Grillen oder Heuschrecken. Dreißig Fahrzeuge standen auf dem kiesbestreuten Hof, die Motorhaube jeweils im Schatten einer Eiche, einer Sykamore oder eines Ahornbaumes. Als ich ausstieg, wurden mir die Knie weich. Ich hätte nicht gedacht, dass es in Minnesota so heiß sein könnte. Wieder mal eine Fehleinschätzung. Als ich auf die Haustür zuschritt, hörte ich außer den Insekten von irgendwoher leise Musik. Dann erschien ein Mann an der Tür, anscheinend der Butler, und hieß mich mit einem Lächeln willkommen.

»Sie dürften wohl Mr Tripper sein, Sir?«

»Ja, so verhält es sich in der Tat.«

»Ich bin Dobson, Sir. Ich habe Ihren Anruf entgegengenommen. Ich hoffe, die Wegbeschreibung war korrekt?«

»Immerhin bin ich angekommen, Dobson.«

»Sehr erfreulich, Sir. Mrs Whitney lädt Sie ein, ihr auf der Sonnenveranda Gesellschaft zu leisten, bevor Sie die anderen kennen lernen. Hier entlang, Sir.«

Er war weißhaarig und fit, wirkte auf mich wie ein Mann, der sich an verschneiten Wochenenden mit Vierzig-Meilen-

Langläufen entspannt. Ich folgte ihm ins Haus, in dem es kühl und dunkel und unglaublich geräumig war. Eine Ritterrüstung stand am Fuß einer wuchtigen, mit Schnitzereien verzierten Treppe, und Licht fiel lediglich durch ein Buntglasfenster auf dem Treppenabsatz. Das Motiv auf dem Glas stellte offenbar einen Waldsee dar, auf dem ein sehr männlicher aussehender, würdevoller Indianer im Kanu paddelte. Fische sprangen aus dem Wasser empor. Vielleicht wäre noch mehr zu entdecken gewesen – Siedler mit Musketen, die dem Wilden auflauerten –, aber ich musste Dobson folgen und konnte mich nicht mit Einzelheiten aufhalten. Ich hatte am Vortag nach meiner Stippvisite bei Donna Kordova mit dem Butler gesprochen und danach mit Cotter Whitneys Privatsekretärin, die mir versicherte, es sei kein Problem, wenn ich auf einen Sprung vorbeischaute. Vor ein paar Stunden hatte ich noch einmal vom Flughafen der Twin Cities mit Dobson telefoniert, um mir den Weg zum Haus beschreiben zu lassen. Meine Kenntnisse über Minneapolis stammten hauptsächlich aus der *Mary Tyler Moore Show*, aber mit dem Flughafen verband sich noch eine andere Erinnerung: Es ist nämlich der, an dem das Original von *Airport* gedreht wurde. Mit dieser Art von Wissen kann man 'ne Menge Wetten gewinnen. Mein Hirn ist ein Sumpf von solchen Informationen, aber ich kann nichts dagegen machen.

Die Sonnenveranda war voll verglast und angenehm kühl, dennoch hatte man das Gefühl, im Freien zu sein. Die Korbmöbel waren alt und dunkelbraun, bei Kissen und Bezügen herrschten blasse Töne vor, blau und beige, zitronengelb und lila. Es gab viele große, breitblättrige Pflanzen und eine hübsche Frau in einem Rollstuhl, der ebenfalls aus Korbgeflecht und alt war. Dobson stellte mich vor und verschwand wie der Blitz. Draußen auf einer weiten Rasenfläche, die sich zum See hin senkte, tummelten sich hunderte von Menschen. Auch der See war riesig, an meinen bescheidenen Maßstäben gemessen. Nur mit Mühe konnte man die Kiefern erkennen, die das jenseitige Ufer säumten. Auf dem blauen Wasser dümpelten einige Boote mit leuchtend bunten Segeln. Ein Motorboot stieß eine Wolke aus weißem Rauch aus, und ein Kajütboot war vor Anker gegangen. Der See war anscheinend durch einen Kanal mit anderen Seen oder Flüssen verbunden. Manche Gäste spielten Federball, andere Krocket, manche lagen faul in der Sonne, und einige standen an Grillherden und mampften riesige Sandwiches, schlürften dazu Gin und Sangria und amüsierten sich prächtig. Die Szenerie sah aus, als wäre sie von einem Werbefotografen entworfen worden.

»Ich bin Eleanor Whitney.« Die hübsche Dame streckte mir eine braun gebrannte Hand hin. An ihrem Handgelenk funkelte eine goldene Piaget-Uhr mit Brillanten und Smaragden. »Ich will Sie meinem Mann nicht vorenthalten, wollte Sie aber zuerst ein wenig bei mir behalten, denn ich fühle mich einsam hier drin.« Sie rollte von dem Tisch zurück, an dem sie geschrieben hatte. Neben dem Schreibzeug stand ein schwarzer Teller mit ausgesuchten Leckerbissen, die von kundiger Hand zu kleinen Rollen geformt waren. Mrs Whitney hatte ein entzückendes Lächeln. Ihre Sonnenbräune war zu tief, um echt sein zu können. Das Haar mit den blonden Strähnchen war zu einem Pagenkopf geschnitten. Sie bat mich, Platz zu nehmen. »Mein Mann und ich haben uns in die Musik Ihres Bruders verliebt, müssen Sie wissen. Damals arbeitete Cotter hier in den Twin Cities im Familienunternehmen. Er war Lehrling, aber«, wieder lächelte sie, »man könnte sagen, dass er eine glänzende Zukunft vor sich hatte. Sein Vater und sein Großvater wollten, dass er sich hocharbeite, wenigstens ein Jahr lang. Es sollte ihm schließlich nicht alles einfach so in den Schoß fallen, nicht wahr? Jedenfalls liebten wir die Musik Ihres Bruders und haben ihn beide Male gesehen, als er hier spielte, im Guthrie und im alten Met Stadium.« Sie schaute durchs Fenster auf die Freundesschar, die sich auf dem Rasen tummelte. Ich stellte mir vor, dass sie nicht die Menschen sah, sondern etwas, das sich vor langer Zeit ereignet hatte. Ich überlegte, wer von den Menschen auf dem Rasen ihr Mann war. »Ich hab früher so gern getanzt ... Cotter war ja nie ein guter Tänzer. Aber jetzt, wo ich nicht mehr tanzen kann, hat er entdeckt, dass es gar nicht so übel ist. Einer der kleinen Scherze, die das Leben sich erlaubt. Wir haben die Musik Ihres Bruders geliebt ... und hätten nie geglaubt, dass Cotter eines Tages die Firma leiten würde, die JC Tripper weltberühmt machte. Holz fällen und fräsen, das war das Geschäft unserer Vorfahren. Aber die Zeiten ändern sich. Man muss mehrgleisig fahren, und wir haben MagnaGroup geschluckt ... ein ganz schöner Brocken war das.« Sie lächelte verschmitzt. »Nein, so etwas hätten wir uns nie träumen lassen. Auch nicht, dass Cotters Vater sterben und Cotter die Firma übernehmen würde – und noch viel weniger, dass JC Tripper sterben könnte. Damals war es leichter sich vorzustellen, dass wir selbst sterben könnten – nicht Menschen wie Tripper und Joplin und Hendrix und Lennon. Für eine Generation mit solchen Ansprüchen waren wir bemerkenswert dumm. Keinen Sinn für Proportionen. Aber ich langweile Sie mit den Früchten meines einsamen Nachdenkens.«

»Sie langweilen mich keineswegs«, erwiderte ich. »Ich hätte mir auch nie vorstellen können, dass mein Bruder stirbt. Manche Menschen scheinen zur Unsterblichkeit verdammt ...«

»Verdammt? Das Wort klingt seltsam in dem Zusammenhang. So wie ... ›verdammt zu bester Gesundheit‹, oder ›verdammt dazu, seine Beine benutzen zu können‹.«

»Nun ja, so toll ist Unsterblichkeit auch wieder nicht«, gab ich zu. »Die Menschen werden müde und sehnen sich nach dem langen Schlaf.«

»Ich schätze, Sie haben Recht, Mr Tripper. Und dennoch – als Ihr Bruder starb, als es groß auf den Titelseiten stand, dieser rätselhafte Tod, die exotische Umgebung ... es muss Sie doch sehr mitgenommen haben.«

»Ich wünschte, ich könnte den leidgeprüften Bruder mimen, aber damals war ich leider völlig neben der Spur ... hab mich fürchterlich danebenbenommen. Kann mich kaum noch an diese Zeit erinnern. Es war ein schlimmes Jahr.«

»Ich hatte auch ein ziemlich schlimmes Jahr«, erzählte sie. »Damals glaubte ich, es sei wichtig, jung und hübsch und reich und waghalsig zu sein. Ich hätte mich mit jung und hübsch und reich zufrieden geben sollen. Jung und hübsch vergeht ohnehin allzu rasch ...«

»Falls ich das sagen darf: Es sieht so aus, als hätte sich das Junge und Hübsche noch ganz gut gehalten.«

»Hmmm. Nun ja, ich bin neununddreißig, ein Krüppel, und habe gute Knochen und eine gesunde Bräune.«

»Und Sie sind reich. Das muss doch ein Trost sein.«

»Natürlich. Aber ich weiß es nicht wirklich zu schätzen. Nach meiner Erfahrung geht das den meisten Reichen so. Die Reichen, die ich kenne – und ich kenne eigentlich keine anderen Leute –, sind immer schon reich gewesen. Sie und ich, wir können uns Armut nicht mal ansatzweise vorstellen. Unsere Großeltern konnten es vielleicht noch.«

»Nichts ist jemals vollkommen.«

»Sie machen sich lustig über meinen Reichtum.«

»Nur ein bisschen.«

»Aber Sie können sich nicht darüber lustig machen, dass ich ein Krüppel bin.«

»Nein, das nicht. Aber immerhin ist Ihre Behinderung sichtbar. Sie selber können sie sehen, und andere sehen sie auch – folglich erhalten Sie Mitgefühl. Viele Leute aus meinem Bekanntenkreis hingegen sind unsichtbar verkrüppelt. Und das ist viel schlimmer, fürchte ich.«

»Vielleicht fällt Ihnen diese Behauptung deshalb so leicht, weil Sie auf zwei gesunden Beinen herumlaufen.«

»Lassen wir doch meine Beine aus dem Spiel!«

Sie lachte. »Wenn Sie darauf bestehen. Aber ich wollte Ihnen von meinem schlimmen Jahr erzählen ... Es macht Ihnen doch nichts aus, wenn ich so viel rede? Es fällt immer leichter, alles einem Fremden zu erzählen. Vielleicht, weil für ihn die alten Geschichten neu sind. Macht es Ihnen etwas aus? Ich könnte Sie auch zum Hausherrn schicken. Wäre Ihnen das lieber? Seien Sie ehrlich!«

»Nein, gar nicht. Wahrscheinlich bin ich gerade dabei, mich in Sie zu verlieben.«

»In mein Geld?«

»Könnte auch nicht schaden.«

»Freimütigkeit ist ein irritierender Charakterzug. Aber zurück zu meinem schlimmen Jahr und meiner Theorie über den Wagemut. Wir waren waghalsig in jener Zeit, ob es um Drogen ging oder um schnelle Autos, ob man seinen BH verbrannte oder den Einberufungsbefehl, ob man nach Kanada ausrückte oder in den Südstaaten an Bürgerrechtsdemonstrationen teilnahm und riskierte, von Hinterwäldlern überfallen zu werden. Damals war es wichtig, waghalsig zu sein. Aber eigentlich hatte ich nicht den Mut dazu. Folglich war ich bloß tollkühn und habe mir meine Behinderung auf völlig unromantische Weise eingehandelt. Ich bin von einem blöden Boot in einen blöden See gesprungen. Mitten auf einen Stein – und das war's. Ich sitze seit dem Jahr, in dem Ihr Bruder gestorben ist, im Rollstuhl. Und seitdem bin ich ausgehungert nach Wagemut und Tollkühnheit. Übrigens, haben Sie Hunger? Versuchen Sie doch mal mein Sushi. Wir haben einen fantastischen japanischen Koch ... bitte, greifen Sie doch zu! Ich bin schon beim zweiten Teller und vollkommen satt. Hier, ich schenk Ihnen noch den Rest Wein ein. Nehmen Sie's als Vorspeise. Cotter grillt Schweine, zum Hauptgang gibt's Schweinesandwich. Mit Barbecuesauce. Den Geschmack haben Sie noch eine Woche lang im Mund. Nun hab ich Ihnen erzählt, warum ich Sie unbedingt kennen lernen wollte. Ich muss gestehen, der Tod Ihres Bruders hat uns schrecklich mitgenommen ... Ich war damals ohnehin ziemlich deprimiert, habe viel geweint und wollte sterben. Stattdessen ist JC gestorben, und ich fand wieder in die Wirklichkeit zurück – JCs Tod hat mir klar gemacht, dass ich leben wollte oder musste. Ich hatte ein kleines Kind, einen liebevollen Mann, die beste Pflege ...«

»Und eine glänzende Zukunft«, ergänzte ich.

»Und eine glänzende Zukunft. Ihr Bruder hat mit seiner Musik einen Teil meines Lebens bereichert. Dafür konnte ich ihm nie danken, jetzt will ich es wenigstens bei Ihnen tun. Wie schmeckt das Sushi?«

»Köstlich. Ganz anders als sonst.«

»Dafür kann ich garantieren«, sagte sie. »Denn es ist Fugu. Mein Koch schmuggelt es in die Staaten. Wenn er seine Familie in Japan besucht, schafft er es immer, etwas mitzubringen. Fugu.«

»Würde es Ihre Dankbarkeit schmälern, wenn Sie erfahren, dass mein Bruder noch am Leben ist?«

Nachdenklich schaute sie mich an. »Aber ist das nicht rein hypothetisch?«

»Vielleicht, vielleicht auch nicht.«

»Sie meinen allen Ernstes, dass er noch lebt?«

Ich nickte.

»Und deshalb sind Sie gekommen und wollen mit Cotter reden. Ich wünsche Ihnen Glück. Für die Künstler hat er sich nie so sehr interessiert, für das Geld schon ... Ich frage mich, in welchem Zustand JC Tripper wertvoller für Magna ist – tot oder lebendig. Nun, ich bin sicher, dass Cotter Ihre Hypothese sehr interessant finden wird.«

»Vielleicht ist es nur eine blinde Jagd, aber ich will wissen, ob mein Bruder noch lebt. Das müssen Sie mir zugestehen.«

»Haben Sie ihn geliebt? Standen Sie einander nahe?«

»Wir standen uns sehr nahe. Es gibt eine Menge Gründe, warum ich ihn liebe, und ein paar, warum ich ihn hasse. Aber vor allem will ich, dass es ein für alle Mal geklärt wird. Tot oder lebendig – was ist die Wahrheit?«

»Essen Sie auf, Mr Tripper.«

Ich aß die letzten zarten Röllchen aus rohem Fisch und scharfer Sauce.

»Ich hab Ihnen ja schon erzählt, dass ich immer noch nach Wagemut hungere. Tja, und nun haben auch Sie etwas sehr Gefährliches getan. Fugu ist der gefährlichste essbare Fisch, den es auf der Welt gibt. Man nennt ihn auch Kugelfisch. Sie haben ja das Fleisch gesehen, seine schöne Farbe. Aber die Eingeweide, die Ovarien und die Leber dieses Fisches sind voll mit einem Gift namens Tetrodotoxin, das einen umbringt, wenn man Pech hat. Es ist eine Kunst, diesen Fisch fachkundig zu zerlegen. In Japan sterben jedes Jahr an die hundert Menschen nach dem Genuss von Fugu.« Sie holte tief Luft und faltete die Hände im Schoß. »Wie geht's Ihnen?«

»Gut, schätze ich.«

»Nun ja, vermutlich war dies auch das Gefährlichste, was Ihnen heute passieren konnte.«

»Vergessen Sie nicht das Schweinesandwich.«

»Deshalb sagte ich ja ›vermutlich‹. Jetzt habe ich Ihre Zeit aber lange genug in Anspruch genommen. Wenn Ihr Bruder noch am Leben ist, hoffe ich, dass Sie ihn finden. Das ist wahrscheinlich leichter, als Cotter ausfindig zu machen. Ein kleiner Tipp: Er ist der *am wenigsten* wagemutig aussehende Mann da draußen, aber unterschätzen Sie ihn bloß nicht, er kann ein wahrer Teufel sein! Er ist klein, stämmig und hat kaum noch Haare. Und seine Hose – das ist ein gutes Merkmal –, er trägt eine Hose aus verschiedenen Stoffen und Farben. Ein ganz schickes Teil von Brooks Brothers. Nehmen Sie die Tür dort.«

Sie streckte mir ihre Hand entgegen, und ich küsste sie. Ich wusste nicht genau, warum. Vielleicht, weil ihr Wagemut so viel bedeutete.

Das gefällt mir an einer Frau.

Cotter Whitney stand abseits der Menge neben einer riesigen Eiche in der Nähe des Seeufers, die Hände in den Hosentaschen vergraben. Beides, die Hose und der Mann, sahen haargenau so aus, wie seine Frau beschrieben hatte. Er war kein bisschen braun, sondern sah nach einem Stubenhocker aus. Ein wenig übergewichtig, bescheiden, ein wenig schwitzend, aber sehr, sehr sauber. Seine Schädeldecke, über die ein paar dunkle Haarsträhnen gezogen waren, war von der Sonne rot verbrannt.

Er sah mich näher kommen und winkte mit seiner kleinen, fetten Hand. »Mr Tripper, wie nett, dass Sie den Weg in unsere Einöde gefunden haben! Dobson hat mir bereits gesagt, dass Sie eingetroffen sind.« Seine Augen glitten an mir vorbei zum Haus, zu den Verandafenstern, dem Rasen voller schick gekleideter Gäste und dem Zelt aus gelbem Segeltuch, in dem später getanzt werden sollte. »Ich wünschte nur, Ellie würde herauskommen und sich zu unseren Gästen gesellen.« Er seufzte. »Aber sie will partout nicht – ich hab alles versucht. Hat sie überhaupt erzählt, dass das ihre Geburtstagsfeier ist? Sie hat darauf bestanden, dass wir eine Party feiern. Manchmal verstehe ich sie einfach nicht ... morgen Abend geben wir ein Dinner für ein paar enge Freunde, da wird sie wohl auch dabei sein. Aber heute? Alle diese Menschen würden sie so gern sehen, ihr Glück wünschen. Die meisten kennt sie schon ihr Leben lang, aber sie will einfach nicht rauskommen ...« Er sah mich neugierig an. »Verstehen Sie die Frauen, Mr Tripper?«

Er reichte mir eine weiche weiße Hand. Sein Händedruck war wie ein Schraubstock. Ich hatte den Eindruck, dass er eine Menge Geld mit Armdrücken verdienen könnte, falls es so etwas gab in den Etablissements, in denen er verkehrte.

»Ihre Frau hat mir von ihrem Fugu abgegeben. Sonst wüsste ich nichts über sie zu sagen. Was Frauen angeht, schließe ich mich der Meinung des Mannes an, der sagte, die Seele einer Frau sei ein trügerischer Sumpf.«

»Fugu.« Er seufzte. »Mein Gott, ich wünschte, sie würde dieses Zeug nicht anrühren. Warum tut sie das bloß?« Er wechselte das Thema. »Lassen Sie uns ein Stück spazieren gehen. Meine Gäste brauchen mich nicht. Amüsieren sich auch ohne mich.« Er lächelte mich an und brachte eine völlige Veränderung seiner Miene zu Stande. Nun wirkte er wie ein Zwanzigjähriger mit Mondgesicht und Hornbrille, wie der Vorsitzende einer Studentenvereinigung. »Hab mich schon gefragt, wann Sie auftauchen. Wusste, dass wir uns bald kennen lernen.«

»Also, jetzt komme ich mir vor wie im falschen Film. Sie haben mich erwartet?«

Er bückte sich, hob einen verirrten Krocketball auf und warf ihn zu den Spielern zurück. Irgendjemand rief Mary zu, sie solle beim nächsten Mal nicht so hart schlagen. »Ist kein Baseball, Süße«, fuhr die Stimme fort, und darauf folgte mädchenhaftes Gekicher.

»Nun ja, früher oder später mussten Sie auftauchen.« Whitney trug alte Schuhe, mit denen er durchs hohe Gras schlurfte. »Hatte gedacht, Allan Bechtol würde Sie zu mir schicken.«

»Sie kennen Bechtol?« Selbst in meinen eigenen Ohren hörte ich mich wie ein Schwachkopf an. Irgendwie tauchten andauernd neue Dinge aus dem Nichts auf. Alle erzählten mir was, aber nie alles.

»Ob ich ihn kenne? Aber sicher! Teufel auch, er ist der Hauptgrund, weshalb wir den Verlag aufkaufen wollen, der seine Romane herausbringt. Ich bin ein großer Fan von Allan Bechtol. Sie wissen es vielleicht nicht, aber in diesem Teil des Landes wird viel gelesen. Wir haben viele Schriftsteller hervorgebracht, auch einige von den großen. Sinclair Lewis zum Beispiel oder Scott Fitzgerald; Tom Heggen hat *Mister Roberts* geschrieben; Mac Shulman schrieb *Barefoot Boy with Cheek* und erfand Dobie Gillis. Von diesem Tom Gifford stammt *The Wind Chill Factor*, von Judy Guest *Ordinary People*. Dann haben wir noch Rebecca Hill in St. Cloud und Jon Hassler und Garrison Keillor, obwohl der mir ehrlich gesagt auf die Nerven geht ... Ich meine damit, wir hier in Minnesota lesen und schreiben. Deshalb bin ich auf die Idee mit dem Verlag gekommen und natürlich auf Allan Bechtol. Er ist zwar keiner von uns, aber immerhin hat er vor einer Million Jahren für WCCO-Radio gearbeitet. Und als Schriftsteller ist er ein Ass, liefert mehr fürs Geld als Ludlum, finde ich. Also hab ich mich um die Bekanntschaft mit Allan Bechtol bemüht, hab ihm einen Sitz im Aufsichtsrat von MagnaGroup verschafft, hab ihn als Mensch kennen gelernt. MagnaFilms hat sich gerade die Rechte zur Verfilmung zwei seiner Romane gesichert. Also kann ich durchaus behaupten, dass ich Bechtol kenne. Und ich hatte gedacht, dass er Sie zu mir schickt, damit wir reden oder damit Sie mich ins Bild setzen, was auch immer.« Er sah mich erwartungsvoll an. Seine Augen hinter der dunklen Brille waren nicht zu erkennen. Wir kamen an einer Gruppe Kinder vorbei. Sie trugen Badeanzüge und wurden von beaufsichtigenden Teenagern unter viel Gelächter und Geplantsche zu einigen Kanus geführt. Cotter Whitney starrte auf einen Punkt über meiner Schulter. Ich drehte mich um. Über den Baumwipfeln brummte ein Flugzeug dahin, ging hinter dem See in Querlage. An seinen Flügeln hingen Schwimmer. Aus der Entfernung sah es aus wie ein riesiger seltsamer Vogel mit großen Klauen.

»Worüber sollte ich Sie ins Bild setzen?«

»Allmählich kommt es mir so vor, als hätte Allan Ihnen doch nicht alles gesagt. Dann werde ich Sie mal aufklären. Wir bei Magna stecken bis über beide Ohren in der JC-Tripper-Vermarktung ... ach was, wir *sind* die JC-Tripper-Vermarktung. Alles, was mit JC Tripper zusammenhängt, ist für uns von überragendem Interesse. Als Allan mir sagte, dass er einen Roman über einen berühmten toten Rockstar schreiben will, der plötzlich quicklebendig wieder auftaucht, ist er bei mir auf offene Ohren gestoßen. Jetzt ist es unser gemeinsames Projekt. Sie können es von mir aus ein Joint Venture nennen.«

Das Flugzeug – oder Wasserflugzeug, sollte man besser sagen – kreiste nun langsam über dem See. Es wackelte ein bisschen wie eine dicke Biene, die verzweifelt versucht, ihren Kreiselkompass auszurichten. Whitney und ich sahen dem trudelnden Flugzeug zu und hörten das Geplantsche der Kinder, die mit den Kanus herumturnten. Whitney fluchte leise und winkte den Teenagern. »Holt die Kanus raus«, sagte er gerade so laut, dass ich es hören konnte. Dann wandte er sich wieder mir zu.

»Joint Venture?« Wieder klang ich in meinen Ohren wie ein Schwachsinniger. Ich kam mir vor wie ein Dummkopf, der seinen Bauchredner verloren hat.

»Sie bekommen doch eine halbe Million, stimmt's? Eine ganz schöne Menge Asche, wenn ich das mal sagen darf, aber ich bin ja auch ein Neuling auf diesem Gebiet. Und an Allans Verkaufsziffern gemessen dürften eine halbe Million passend sein – nämlich dann, wenn er ein erfolgreiches Buch aus dem Stoff macht. Wie dem auch sei, die Hälfte dieser Summe stammt von Magna. Deshalb«, er zog ein wenig linkisch den Kopf ein, als wäre ihm das Folgende peinlich, »könnte man eigentlich mit Fug und Recht behaupten, dass Sie für mich arbeiten ... ha,ha.«

»Wie kam es nur zu dieser aberwitzigen Idee, dass JC irgendwo lebendig herumgeistert? Können Sie mir sagen, wer dieses Gerücht in die Welt gesetzt hat? Hat man mir irgendwas verschwiegen? Jeder scheint so überzeugt davon, dass er noch lebt ... wenn ich nur an all das Geld denke, das für diese Suche verschleudert wird ...«

»Wissen? Ich weiß verdammt noch mal von gar nichts. Deshalb hab ich ja 'ne viertel Million beigesteuert – um rauszufinden, ob er lebt oder nicht. Früher oder später werde ich mir sowieso die ganze halbe Million aus den Rippen schneiden müssen. Das wird dann ein Vorschuss oder so was Ähnliches sein, wie ich Allan Bechtol kenne.«

»Und wie passen dann die Morde in das Schema?«

Whitney starrte mich verständnislos an.

»Die Morde«, wiederholte ich. »Diese Frau in New York, eine Freundin von mir. Sie hat mit mir die ersten Artikel über JC verfasst ... und dann Shadow Flicker, der Discjockey in L.A. ...«

»Ach Gott, die *Morde*, ja, natürlich, wie passen die ins Bild? Da bin ich überfragt. Zum Kuckuck, wir sind hier in

Minnesota! Mit Mord kenne ich mich nicht aus. In New York und L.A. ist das was ziemlich Alltägliches, stimmt's? Aber hier? Mord? Keinen Schimmer. Haben diese Morde denn irgendwas mit der Suche nach JC Tripper zu tun?« Er hob die Schultern und rammte seine Hände tief in die Taschen seiner auffälligen Hose. »Sie sind der Mann, der es herausfinden muss.« Dieser Gedanke schien ihn zu beruhigen. Sally Feinman hätte diese Szene ausnehmend gut gefallen.

»Und wenn ich ihn finde? Was dann?«

»Nun kommen Sie endlich auf den Punkt, Mr Tripper. Das wollte ich hören. Positives Denken. Haben Sie jemals Hubbard gelesen?«

Der Name sagte mir gar nichts. »Hubbard?«

»L. Ron Hubbard. Scientology. Ja, stimmt, es ist ein Haufen Müll, wie Ellie mir dauernd erzählt, aber dennoch ... Ich hab ihn gelesen. Steckt 'ne Menge drin. Sollten Sie auch mal reinschnuppern. Es geht um die Schwierigkeiten des Lebens. Positives Denken. Es ist die Art Buch, die ...«

»Bei L. Ron Hubbard fällt mir lediglich dieser Laden ein, auf der Melrose Avenue, glaub ich. Ist schon lange her, vielleicht gibt's ihn gar nicht mehr. Jedenfalls haben sie da früher diese Faune und Götter aus Gips und goldene Gnome vertickt, die man sich in den Garten stellen kann – und da gab's auch diese großen Gipsbüsten von Hubbard mit dem blöden kleinen Hut ...«

»Ich weiß, welchen Laden Sie meinen.« Whitney grinste. »Vielleicht haben Sie ja die Götter vor meinem Haus bemerkt – die hab ich alle dort gekauft. Die Welt ist ein Dorf, was, Mr Tripper?«

»Schätze schon«, sagte ich.

»Wenn JC also noch am Leben ist ... JC Tripper zurück aus dem Jenseits. Kein schlechter Titel für ein Comeback-Album: Zurück aus dem Jenseits. Dann wäre er für MagnaDisc eine Menge wert, nicht wahr? Geld, Mr Tripper, es geht doch immer nur ums liebe Geld, wie mein Vater und mein Großvater stets gesagt haben. Und Freddie Rosen ist leider ganz genau vom gleichen Schlag. Darf ich ganz offen sein ...« Sein Blick wanderte hinauf zu dem Wasserflugzeug, das sich kreiselnd von uns entfernte und dabei gefährlich in Schieflage geriet. »Freddie hat's hinter sich, um es mal ganz ehrlich zu sagen. Anders kann man es nicht ausdrücken.«

»Das ist mir eigentlich ziemlich schnuppe«, gab ich zurück. Aber plötzlich musste ich an Sammy the Shit und Freddie den Zweiten und Donna Kordova in ihrer neuen Wohnung am Jachthafen denken – alle diese Leute gehörten zu Freddie.

»MagnaDisc steckt finanziell arg in der Klemme. Freddie ist ein Relikt aus einer anderen Zeit, einer Zeit der Goldkettchen und Schlaghosen und – der Himmel steh uns bei! – der Carnaby Street. Kurz gesagt, ein Relikt aus einer vergangenen Ära. Haben Sie ihn jemals kennen gelernt? Er ist nur noch peinlich. Ein Golden Oldie, der Rost angesetzt hat, ziemlich verdreht ...«

»Ich versteh schon, was Sie meinen«, sagte ich. »Er passt nicht in die heutige Zeit. Wollten Sie das damit sagen? Was Hosen angeht, können Sie ihm aber durchaus das Wasser reichen.«

»Außerdem hat er MagnaDisc ruiniert. Das können wir einfach nicht zulassen, verstehen Sie? Wir müssen uns vor unserem Aufsichtsrat, vor unseren Aktionären verantworten. Wenn wir JC finden und Freddie in den Ruhestand schicken, kommt MagnaDisc wieder ins Geschäft, und zwar nach ganz oben, wo es hingehört.«

»Diese ganze Planung basiert allerdings auf einer Art Fiktion«, wandte ich ein. »Mein Bruder ist tot. Ihr Vorhaben ist verrückt, mein Freund.«

»Verrückt? Na, wir werden ja sehen. Aber irgendjemand hat diesen Song geschickt ... Jemand, der etwas beweisen wollte. Und da ... müssen wir uns doch fragen, wer hat das geschickt? Und warum?« Wieder wanderte sein Blick nach oben, suchte das Flugzeug am Himmel. »Jetzt sehen Sie sich das mal an ... gott-ver-damm-te Scheiße!«

Ich sah es.

Rüttelnd und zitternd kam das Wasserflugzeug in unsere Richtung geflogen, hinter den Segelbooten sank es immer tiefer auf den See hinab. Im Näherkommen sah man deutlich, wie alt es war. Während der Pilot sich verzweifelt bemühte, die Maschine in der Waagerechten zu halten, wackelten die Flügel, als drohten sie abzubrechen. Der Motor hustete und stotterte und würgte dann ab. In einem letzten Aufbäumen richtete die Schnauze sich nach oben, dann schlug das Flugzeug auf dem Wasser auf.

Zuerst mit der Spitze eines Flügels. Die Maschine begann sich zu drehen wie ein langsames Karussell. Einer der dicken, wurstförmigen Schwimmer tauchte ins Wasser ein und zerbrach, stoppte jedoch die Kreiselbewegung. Langsam schwamm das Flugzeug weiter und wurde langsamer, als es sich dem Landesteg näherte. Die aufgewühlte Gischt blieb auf dem Rumpf kleben und glitzerte in der Sonne. Die stumpfe Nase mit dem großen Propeller senkte sich rasch. Der Pilot beeilte sich, die Luke zu öffnen, bevor der Wasserdruck zu stark wurde und er in der Kabine gefangen war. Er kroch heraus und versuchte, sich auf der Querstrebe und dem zweiten Schwimmer zu halten. Er sah aus wie ein großer Junge – und irgendwie kam mir das Gesicht hinter der großen Sonnenbrille bekannt vor. Er trug ein blaues Jeanshemd, Chinos und Reeboks. Seine Arme umklammerten drei grüne Sitzkissen.

Nun glitten die Kanus heran, und der Pilot rief den Teenagern etwas zu. Die Gäste, die alle im selben Augenblick aufgeschrien hatten, versammelten sich am Ufer, um das ungewöhnliche Schauspiel zu beobachten. Die unmittelbare Gefahr war vorüber. Alle lachten und riefen Whitney scherzhafte Bemerkungen zu. Manche fragten, wo denn die Fallschirmspringer landen würden. Whitney hingegen stand stocksteif da und beobachtete, wie der Pilot die drei Kissen in ein Kanu warf. Das Flugzeug sank rasch, der See sog es auf seinen schlammigen Grund.

Der Pilot war tief gebräunt und trug ein Stirnband. Er lachte und scherzte mit den Kindern in den Kanus. Er war ungefähr dreißig Meter vom Ufer entfernt. Beherzt sprang er ins Wasser und kraulte auf den Steg zu. Die Kanus begleiteten ihn. Manche Gäste gingen zu dem verwitterten alten Steg, um ihn zu begrüßen.

Whitney schaute mich an und stieß einen gewaltigen Seufzer der Erleichterung aus. »Was soll denn noch alles passieren?«, meinte er. »Wenn Sie mich kurz entschuldigen würden, der Steg kann diese Menschenmenge nicht tragen ... Ich möchte nicht, dass diese Party ein tragisches Ende nimmt.« Er flitzte zum Landesteg und rief und fuchtelte mit den Händen, um seine Gäste am Betreten des alten Holzstegs zu hindern.

Ich hatte zwar alles mit angesehen, spulte es jetzt jedoch rückwärts, in Zeitlupe, versuchte die Ereignisse voneinander zu trennen. Es hatte keinen Sinn, wenn ich mich ebenfalls zu einer Nahaufnahme zum Steg begab. Der Pilot hatte das Ufer erreicht und wurde hochgehievt. Keinem schien in den Sinn zu kommen, wie knapp er davongekommen war. Von dem Flugzeug war nur noch eine Flügelspitze und der Schwanz zu sehen. Noch während ich zusah, ging beides ebenfalls unter.

Die Kanus gelangten an den Steg, und der Pilot bekam

die Sitzkissen wieder. Er grinste und redete lebhaft auf Cotter Whitney ein. Partygäste standen um die beiden herum und klopften dem jungen Mann auf den Rücken, als hätte er eine Heldentat vollbracht. Schließlich geleitete Whitney ihn durch die Menge zum Haus. Der Pilot hatte eine kleine Wunde über dem Auge. Seine wertvollen Kissen hielt er immer noch im Arm.

Ich wartete am Ufer, bis die Menge sich wieder zerstreut hatte. Ein Schwimmer des Flugzeugs trieb immer noch auf dem See. Ich ging zum Landesteg, fand die Stelle, die ich während der ganzen Zeit im Auge behalten hatte, kniete nieder und suchte auf den halb verrotteten Planken. Dort war der kleine Fleck. Feines weißes Pulver. Fast zertrampelt von den unzähligen Füßen. Ich benetzte den kleinen Finger mit Spucke und kostete. Den Geschmack kannte ich natürlich, aber es war lange her... Außerdem hatte ich Spuren von dem weißen Zeug auf dem Kissen gesehen, als der junge Pilot an mir vorbeiging.

Es handelte sich um William Randolph Stryker, Mannys Sohn.

Er hatte mir erzählt, dass er gelegentlich Jobs für Freddie Rosen erledigte.

War das so ein Job?

Wusste Cotter Whitney Bescheid?

Ach, Whitney, zum Teufel... Wusste ich überhaupt, was hier gespielt wurde?

Mord. Drogen. Und die Überzeugung, dass ein toter Rockstar noch am Leben war. Aber wie passte all das zusammen? Oder irrte ich mich...?

10.

Irgendwie hätte ich gedacht, dass ein Flugzeugabsturz mitten in einer Party den Gästen absolut die Stimmung verhageln würde, aber da hatte ich meine Rechnung ohne die hartgesottenen Minnesotaner gemacht. Ungefähr eine halbe Stunde nach dem Versinken des Flugzeugs hatten sie jegliches Interesse an dem Ereignis verloren. Die Kids paddelten wieder in ihren Kanus herum und spielten mit dem übrig gebliebenen Schwimmer, die Teenager machten sich am Bootshaus nützlich. Die Diener des Hauses hängten japanische Laternen rund um den Tanzboden und an den Ecken des Bootshauses auf. Allmählich wurde es richtig gemütlich.

Ich kannte keine Menschenseele, also stellte ich mich mal hierhin und mal dorthin und versuchte so zu tun, als gehörte ich dazu. In meinen Gedanken kämpfte ich mit den Dämonen, die mit dem Erscheinen jeder neuen Figur in diesem Spiel erneut an die Oberfläche kamen. Es war, als habe jeder Informant eine neue Lage Farbe auf die Leinwand aufgetragen, sodass das ursprüngliche Bild von Allan Bechtol nun ziemlich verdeckt war. Nichts war, wie es schien. Mein ganzes Leben war umgekrempelt worden, seit ich Heidi Dillinger auf der Fifth Avenue kennen gelernt hatte ... seit Allan Bechtol sich als mein alter Kumpel Sam Innis aus Harvard geoutet hatte. Die ständigen Überraschungen kochten mich langsam weich; ich fragte mich, ob ich jemals eine klare Richtung in die ganze Geschichte bringen würde.

Ich sann gerade über Bill Stryker und die mit Kokain präparierten Kissen nach, als Cotter Whitney über den Rasen auf mich zustrebte. Er grinste breit und schüttelte den Kopf, reumütig, wie mir schien. »Tja, was soll ich sagen? Wir versuchen hier draußen immer eine Show zu bieten ... Diesmal muss ich ein ramponiertes altes Flugzeug auf die Rechnung setzen. Schätze, diese Party geht in die Geschichte ein. Zumindest in unseren Kreisen.«

»Was für ein Glück, dass niemand verletzt worden ist«, bemerkte ich. »Werden Sie den Absturz melden?«

Gleichgültig zuckte er die Achseln. »Hab noch nicht darüber nachgedacht. Dieser See ist Privatbesitz ... er gehört mir, will ich damit sagen. Das Flugzeug war ja nichts wert, und niemand ist zu Schaden gekommen. Wem sollte ich das melden? Na ja, werd mich mal erkundigen.«

»Schätze, Sie müssen Ihren Gästen eine Wiederholung bieten.«

Wieder schüttelte er den Kopf. »Mehr Aufregung kann auch ich nicht vertragen. Wo waren wir übrigens stehen geblieben?«

Bevor er sich wieder auf unser Thema stürzen konnte, sagte ich: »Ich glaube, ich habe den Piloten erkannt. Das war doch Bill Stryker, nicht wahr? Hab ihn kürzlich bei Manny Stryker kennen gelernt.«

»Aber ja, genau, das war der junge Bill. Ein toller Bursche, was? Absolut cool im Angesicht der Gefahr. Und ein netter junger Mann. Sind die Kids heutzutage nicht erstaunlich? Es ist wirklich eine andere Ära, Tripper. Sie sind so ... wie soll ich sagen? Begabt, meine ich.«

»Diejenigen, die des Lesens mächtig sind«, lautete meine Erwiderung. »Aber der Rest?« Ich hob die Schultern.

»Sie können lesen und ... ach Gott, sie können so viel *tun*. Nehmen Sie zum Beispiel Bill. Er hat den Pilotenschein und ist ein begabter junger Dokumentarfilmer. Universität Südkalifornien. Ellie und ich können uns glücklich schätzen.« Er strahlte, und seine kleinen runden Augen glänzten.

»Glücklich?«

»Na, das können Sie dich doch denken. Bill ist mit unserer Amanda verbandelt. Die Sache ist ernst, glaub ich. Ein wunderbares junges Paar. Mandy besitzt ein Blockhaus in der Nähe der kanadischen Grenze, und im Sommer kommt Bill immer mit der alten Kiste hergeflogen, um Mandy zu sehen. Sie macht bald ihren Abschluss in Sonderpädagogik auf der USC. Im Sommer arbeitet sie in einem Förderzentrum für verhaltensgestörte Kinder in den Twin Cities. Ein ganz tolles junges Paar.«

Er schwelgte nun derart, dass ich fast eine abschätzige Bemerkung über das Koks vom Stapel gelassen hätte. Aber ich war nicht gekommen, um ihm die Party zu verderben. Dennoch drängte sich die Frage auf. War der junge Bill selbst dick im Drogengeschäft, oder handelte er im Auftrag von Magna? Oder von Freddie Rosen? Hatte er das Zeug aus Kanada mitgebracht? Hatte es überhaupt etwas mit mir und meinen Nachforschungen zu tun ... oder war ich einfach zufällig über etwas sehr Hässliches gestolpert?

Auf einem großen, flachen Teil der Rasenfläche jenseits der Gewächshäuser und Ställe entstand wie aus dem Nichts ein rasantes Softballmatch. Whitney lehnte sich gegen den rauen Stamm einer mächtigen Eiche, faltete die Arme vor der Brust und schaute über sein Anwesen. Seiner Miene war zu entnehmen, dass er mit sich und der Welt zufrieden war. Vielleicht würde er am siebenten Tage ein wenig ruhen. »Der Tanzboden«, sagte er, »erkennen Sie ihn?« Ich sah ihn nur verblüfft an. »Er stammt aus *Picknick*«, erklärte er. »Kim

Novak und Bill Holden – mein Gott, damals haben die noch Filme gedreht, was? Ich spiele mit dem Gedanken, ein Remake zu finanzieren. Was halten Sie davon?«

»Warum? Damit verhunzen Sie bloß ein Meisterwerk mehr. Vielleicht gar mit Madonna und Sean Penn in den Hauptrollen? Wird schwer sein, eine neue Kim Novak zu finden. Es gab halt nur eine.«

»Ich dachte an Melanie Griffith und Don Johnson«, gab er mir völlig unbeeindruckt zu verstehen. »Es gibt immer eine neue Kim Novak.« Entweder war Whitney völlig bescheuert oder superclever. »Freddie Rosen will, dass diese neue Rockband aus St. Paul mitspielt, A Damned Good Thrashing. Egal, was die anderen wollen, Freddie kommt uns mit A Damned Good Thrashing. Er will dieses verdammte *Picknick* um diese Typen, diese Band, herumbauen ... dieser Schmalspurfreddie.«

»Früher muss er aber mal den Durchblick gehabt haben«, gab ich zu bedenken.

Whitney hob die Schultern. »Klar. *Früher* einmal.«

»Denn irgendjemand«, fuhr ich langsam fort, »hält so viel von ihm, dass er ihm dem Song von JC geschickt hat ...«

Wieder zuckte er die Achseln. »Irgendjemand«, wiederholte er, richtete den Blick dann auf mich und schickte Freddie Rosen dorthin, wo der Pfeffer wuchs. »Ich kenne mich mit Entertainment nicht so gut aus. Jedenfalls weiß es noch keiner. Ich gehe gern ins Kino. Ich lese, wenn ich die Zeit dazu habe. Ich bin Geschäftsmann ... kein Genie, nicht mal ansatzweise ... bloß ein Junge vom Lande, der das Familienunternehmen übernommen hat. Aber es gibt ein paar Dinge, die ich aus dem Effeff kenne. Also, jetzt mal Klartext: Wir reden hier über eine große Sache, die JC-Tripper-Sache. Musik- und Filmabteilungen von Magna sind die Teile der MagnaGroup, die einem großen Publikum bekannt sind, die Aufsehen erregen. Wir stecken auch in der Fast-Food-Branche, wir sind im Geschäft mit Tiefkühlkost, wir fahren Schwindel erregende Gewinne mit Mikrowellenfutter ein, das ich nicht mal meinem schlimmsten Feind anbieten würde, wir vertreiben Papierprodukte, besitzen eine Motelkette. Aber Platten und Filme – ein winziger Teil des Konzerns, vielleicht vier oder fünf Prozent unseres Steueraufkommens, im Grunde *nichts* – da klingelt's bei den Leuten. Daran denken sie, wenn sie Magna hören. Es ist verrückt. Tatsache ist, dass es sich bestenfalls um sehr unregelmäßige Profite handelt … ständig geht es rauf, runter, rauf, runter. In einem guten Jahr machen wir nicht mehr Gewinn als ein mäßig hoher Berg Bohnen – und die wären verdammt viel billiger zu produzieren, denn wir könnten sie einfrieren und wüssten im Voraus, wie viel wir verkaufen würden. Ganz anders mit Filmen und Platten. Wenn Sie diese JC-Tripper-Sache durchziehen könnten, hätten wir *wirklich* was … eine Mischung aus *Midnight Express* und Prince und der *Mad-Dogs-and-Englishmen*-Tournee und Lord Byron und allem, was man sonst noch von einem schicksalhaften romantischen Helden erwarten könnte. So jedenfalls sehe ich JC Tripper: als den Lord Byron des Rock …«

»Reden wir jetzt über denselben JC Tripper?«, fragte ich. »Über Joseph Christian Tripper? Meinen Bruder?« Ich wusste nicht, ob ich lachen oder weinen sollte.

»Der Lord Byron des Rock«, wiederholte er.

»Sagen Sie das nicht noch mal!«, mahnte ich.

»Warum denn nicht? Mir gefällt's. Außerdem war er ja wirklich der Lord …«

»Stopp!«

» … der Lord Byron …«

»Warum sagen Sie das dauernd?«

»… des Rock. Warum? Weil es sich so gut anhört. Weil es

nach ganz, ganz viel Geld klingt. Nach mehr als einem kleinen Hügel Bohnen.«

»Das Showbiz hält Sie fest in seinem magischen Griff«, sagte ich.

»Wir drehen einen Film über JCs letzte Tage ...«

»Ich dachte, er sollte angeblich noch am Leben sein.«

»... mit einem Schauspieler wie dem jungen Peter O'Toole ...«

»Wahrscheinlich gibt's immer einen neuen Peter O'Toole. Zufällig auf der gleichen Insel wie Kim Novak.«

»Und dann rühren wir kräftig die Werbetrommel, lancieren die alten Alben, den neuen Soundtrack, stellen alte Songs neu zusammen, packen die Videos auf ein Band und trommeln, trommeln, trommeln ...«

»Und schnaufen und keuchen, wette ich, und brennen das Haus bis auf die Grundmauern nieder.«

»Nein, nein, wir werden einen Chartbreaker hinlegen. Und ich geh zum Aufsichtsrat und zu den Aktionären. Und wissen Sie, was dann passiert? Um es ganz offen zu sagen: Ich werde wie ein Genie dastehen. Das wär mal eine Rolle, die ich gern spielen würde. Und Ihr Bruder, ob verstorben oder nicht, kann mir dabei helfen.«

»Sie müssen's ja wissen«, sagte ich.

»Aber«, mahnte er mit erhobenem Finger, »wir dürfen uns nicht mit heruntergelassenen Hosen erwischen lassen. Ich meine diesen ganzen Blödsinn mit ›Ist er nun tot oder lebt er noch?‹. Wir müssen die Wahrheit herausbekommen. Das ist klar. Hier geht es nicht um tiefgefrorene Erbsen oder Bohnen oder Fastfood-Burritos. Jeder Fehler würde sofort auffallen, und wir würden uns – Gott behüte! – ein neues *Heaven's Gate* einhandeln. Verstehen Sie mich nicht falsch, Magna hätte die Verluste eines *Heaven's Gate* verschmerzen können – werden wohl so um die hundertfünfzig, zweihundert Millionen gewesen sein. Sie müssten schon schwer suchen, bevor Sie so einen Verlust in der Geschäftsbilanz wieder finden würden. Magna ist groß, Mr Tripper, wirklich G-R-O-S-S. Aber in der *Presse* käme es nicht gut an. Also möchte ich nicht anfangen, bevor Ihr Bruder nicht abserviert ist, wenn Sie mir die Formulierung verzeihen. Denn in puncto Unsicherheit haben wir uns schon viel zu weit aufs Glatteis begeben, wie ich finde.« Er klopfte mir schüchtern auf die Schulter. »Nun sind Sie dran, bester Freund.«

Ein Abgesandter des Softballspiels kam auf uns zugetrottet. Er war mittleren Alters, hager, hatte ein Pferdegesicht und zu lange Haare. »Komm, Piggers«, sagte er mit dem ein wenig rotzigen humorvollen Ton, den alte Collegefreunde an sich haben. »Wir brauchen einen Schiedsrichter.« Er schwitzte heftig und keuchte. »Du bist der Richtige. Wir haben's mit Hugo versucht, aber der ist so ein alter Spinner ... behauptet, er versteht nichts vom Spiel. Also musst du es machen.«

Whitney nickte. »Bin gleich bei euch«, versicherte er. Der Mann grinste und joggte davon. Ihm beim Schwitzen zuzuschauen war schon anstrengend. Mein Gastgeber wandte sich wieder an mich, trocknete sich die Stirn mit seinem Taschentuch. »Wenn ich Sie wäre, würde ich noch mal in Tanger beginnen. Wenn JC noch lebt, ist dies der Ort, wo der Schwindel seinen Anfang nahm. Wie ich gehört habe, waren Sie doch dabei, als es zu Ende ging ... aber ich habe auch gehört, dass Sie damals selbst in sehr schlechter Verfassung waren. Fahren Sie wieder dorthin, aber dieses Mal mit klarem, ungetrübtem Blick – und wer weiß, was Sie alles mit dem Geld bewirken können, das Ihnen inzwischen zur Verfügung steht.«

»Ist verdammt lang her«, sagte ich zweifelnd.

»Na ja, war ja nur ein Vorschlag. Die Ausführung überlasse ich Ihnen und Bechtol. Natürlich müssen Sie tun, was Ihnen am besten passt.«

Als die Sonne langsam hinter den Bäumen versank, wurde es feucht vom Abendtau. Die Menschenmenge schien zu wachsen, ergoss sich in Wellen über den dunkler werdenden Rasen. Trotz der zunehmenden Dunkelheit dauerte das Softballspiel an. Ich vernahm Rufe und Schreie und den Aufprall des Schlägers auf dem Ball, dessen Bahn nur noch schwer zu verfolgen war. Die Läufer trampelten an der Grundlinie herum, und junge Mädchen warfen Bälle auf ihre niedliche, ungeschickte Art.

Ich stand am Spielfeldrand und hielt mich an meinem Gin und Tonic fest. Der Tau heftete sich an mein Glas, sodass es mir fast aus den Händen rutschte. Ein Rudel Dalmatiner sorgte für einige Verwirrung, als es auf dem Spielfeld auftauchten und den Ball jagten. Bill Stryker war Schlagmann für das eine Team, und seine Freundin Amanda Whitney wartete aufgeregt am zweiten Schlagmal. Die Energie der Spieler war fast beängstigend. Ich kam mir vor, als sähe ich bei einer obskuren Opferungszeremonie zu. Irgendwo hatte ich mal gelesen, dass die Azteken oder Mayas eine Art Fußball in ähnlichen Stadien wie den unseren gespielt hatten, doch bei ihnen waren die Konsequenzen härter: Die Verlierer wurden geopfert. In dem Falle wäre Cotter Whitney, der auf seine altmodische Art den Schiedsrichter machte, indem er hinter dem Werfer stand, so etwas wie ein Hohepriester gewesen. Und in gewisser Weise war er das auch.

Meine Augen wurden langsam glasig. Das Spiel erschien mir mehr und mehr wie ein Ritual, das kein Ende fand und an dem ich das Verstreichen meiner Lebenszeit messen konnte. Ich war müde, mir war heiß, und mit zunehmender Dunkelheit tauchten Horden von Käfern auf. Sie schwirrten umher und stießen zusammen in ihrer Hast, auf meinem Gesicht zu landen. In meiner unmittelbaren Nähe zählte ich ungefähr zehn oder zwanzig Millionen.

Und während ich blindlings um mich schlug – anscheinend zog das die Viecher noch an –, glaubte ich ein bekanntes Gesicht auf der anderen Seite des Spielfelds zu entdecken. Es war jedoch so dunkel, dass ich meinen Augen nicht trauen wollte. Eine Gestalt, die vielleicht in meine Richtung schaute. Vielleicht aber auch nicht.

Ich wollte nichts überstürzen, ich überlegte. Wie sollte der Kerl hierher kommen? War doch ziemlich weit von zu Hause weg. Andererseits – *wo* war sein Zuhause?

Langsam schritt ich um die Spieler und die johlenden Zuschauer herum. Schaute immer wieder auf die Stelle, wo ich sein Gesicht gesehen hatte. Als ich sie erreicht hatte, war er nicht mehr da, wohl aber ein ganz bestimmter Geruch.

Er war nun irgendwo da vorn, entfernte sich aus meinem Blickfeld, tauchte wieder auf, passierte den Tanzboden. Dort waren mittlerweile die japanischen Laternen in Rot und Grün und Blau und Gelb angezündet worden, und eine Kapelle spielte zum Tanz auf. Es war gewiss nicht A Damn Good Thrashing, sondern ein paar ältere, ergraute Männer. Einer blies das Saxophon: »Blue Moon« erklang.

Hinter der Tribüne verlor ich ihn aus den Augen und glaubte schon, meine Einbildung hätte mir einen Streich gespielt. Es war ein langer Tag gewesen. Vermutlich verlor ich allmählich den Verstand.

Doch dann tauchte er wieder auf.

Er stand neben dem Bootshaus und schaute zu mir herüber. Aber schaute er mich tatsächlich an? Ich war nicht sicher. Dann verschwand er im Bootshaus.

Neben dem Steg ließen Bedienstete eine Flotte Ruderboote zu Wasser und brachten japanische Laternen am Bug an, die sich auf der Seeoberfläche spiegelten. Ich kam zum Bootshaus und blieb stehen, um die Ruderboote zu betrachten, die sanft und leuchtend und wie verzaubert im Wasser schaukelten.

Es war Morris Fleury gewesen. Diesen Pfeifentabak mit Kirschgeschmack konnte man gar nicht verwechseln. Aber ich hatte ihn auch an den krummen Schultern und dem zerknitterten Anzug erkannt.

Was hatte er auf Cotter Whitneys Party verloren?

Während ich noch darüber grübelte, hörte ich hinter mir eine Stimme.

»Wollen Sie nicht mit mir tanzen? Oder wollen wir lieber mit dem Boot rausfahren, und Sie spielen für mich auf dem Banjo?«

Ich drehte mich um und erblickte Heidi Dillinger, die mich fröhlich anstrahlte. Die spröde Dame schien sich wie durch einen Zauberspruch in ein hübsches, erwartungsvolles Mädchen verwandelt zu haben.

Das vielleicht schönste Mädchen, das ich je gesehen hatte.

11.

Natürlich war sie nicht das schönste Mädchen, das ich je gesehen hatte. Sie war nicht so schön wie Julie Christie oder Natalie Wood oder Jean Seberg oder Inger Stevens, die ich alle mal aus der Nähe gesehen habe. Doch drei von ihnen sind tot, und im Wettbewerb um die Schönste der lebenden Schönen wäre Heidi Dillinger heute Nacht eine ernst zu nehmende Kandidatin gewesen. Vielleicht lag es zum Teil an der Umgebung, zum Teil an der Stimmung, in der ich mich befand. Vielleicht waren mir endlich die Schuppen von den Augen gefallen. Vielleicht hatten die Feen Mondstaub auf uns gestreut. Das war es! Feen. Mondstaub. Das passte.

»Sie sehen aus«, sagte Heidi Dillinger, »als würden Sie sich gleich in Mr Hyde verwandeln.«

»So sehe ich immer aus, wenn ich glücklich bin.«

»Na toll. Ist ja einfach toll!«

Sie trug ein locker fallendes Kleid mit einer tief angesetzten Taille, die sich verwegen an ihre Hüften schmiegte. Der Kleiderstoff sah vage afrikanisch aus – tanzende Gestalten, Masken, Schilde, Speere. Mir war, als hätte ich dieses Kleid schon einmal im Schaufenster von Putumayo auf der Lexington gesehen. Brust und Schenkel dehnten den Stoff, und alle paar Sekunden blieb er an ihren Hüften kleben und krallte sich dort fest, als ginge es um sein Leben. Flugzeuge, die vom Himmel fallen? Kissen mit Kokainfüllung? Zwei Menschen, die zuerst gefoltert, dann ermordet werden? Damit wird ein Lee Tripper spielend fertig. Aber diese Frau mit ihrem verführerischen Kleid, da wurde es gefährlich.

Ihre Arme und Beine hatten einen goldenen Schimmer. Sie trug Sandalen, die Fußnägel waren knallrot lackiert. Sie vollführte eine mädchenhafte Pirouette und schaute auf den See hinaus, auf die bunten Lichter in den schaukelnden Booten. Die Tanzcombo spielte gerade »Moon over Miami«. Jede Menge Saxophone. Der Abendwind rauschte in den Bäumen, genau auf die Art, wie ich es mir immer vorgestellt habe. »Was für ein himmlischer Abend«, sagte sie. »Ich freue mich so, dass Sie auch hier sind, aber – wie kam es überhaupt dazu?«

»Wegen meiner Nase für Neues. Wirklich schade, dass ich alles selber rausfinden muss, aber ...« Ich zuckte gleichmütig die Achseln. »Haben Sie den Mann gesehen, der eben noch hier stand?«

»Welchen Mann?« Sie schaute immer noch auf die Lichter im Wasser.

»Riechen Sie's nicht? Pfeifentabak mit Kirschgeschmack?«

»Riecht wie Hustensirup.«

»'n komischer Kauz in einem Seersucker-Anzug, der so zerknittert ist, als würde er ihn schon seit letztem Sommer tragen. Trägt einen Panamahut mit 'nem scheußlichen Hutband.«

»So scheußlich wie A Damned Good Thrashing?«

Ich enthielt mich einer Antwort. Die Witze sollte sie besser mir überlassen. »Raucht eine Maiskolbenpfeife. Ich bin ihm bis hierher gefolgt. Er hat sich ins Bootshaus verzogen.« Über uns senkte sich die Dunkelheit, die Weiden rauschten leise im Wind.

Heidi ging zum Bootshaus und öffnete die Tür. Es war dunkel in dem Haus, aber das andere Ende war zum See hin offen. Das Wasser plätscherte an den Rumpf einiger Motorboote. Ich spähte in alle Ecken. Kein Mensch zu sehen.

»Der kleine Mann«, murmelte sie, »der nicht da war.«

»Wahrscheinlich ist er ein Meister im Verschwinden.«

»Ist er ein Freund von Ihnen?«

»Nein. Er heißt Morris Fleury. Sagt Ihnen der Name was?«

»Sollte er?« Sie schüttelte den Kopf.

»Er hat Sally Feinman gekannt. Ich war ein bisschen überrascht, ihn hier zu sehen.«

»Es ist doch schon ziemlich dunkel. Wahrscheinlich war er's gar nicht.« Heidi Dillinger war in der Tür stehen geblieben. Auf dem Rasen hatten einige Paare zu tanzen begonnen. Sie streckte die Hand aus. »Kommen Sie.«

Sie führte mich zum Tanzboden. Ich troff vor Schweiß. Sie war ruhig und kühl bis in die Fingerspitzen. »Ich wette, dass Sie den Boxstepp beherrschen.«

»Ich sag's Ihnen besser sofort ...«

»Was?«

»Ich tanze nicht, unter keinen Umständen. Es ist eine Frage der Würde.«

»Ihre Würde ist bei mir in guten Händen«, erwiderte sie.

Ich hatte schon sehr lange nicht mehr getanzt. Das letzte Mal mit Annie DeWinter im Ritz. Mit Heidi Dillinger ging es wider Erwarten sehr gut. Ich habe Tanzen immer schon gehasst, aber Heidi führte mich so, dass ich gar nicht genau merkte, was ich tat. Sie legte mir die Hand auf den Nacken und lächelte mich an. Ihre Lippen glänzten, die Oberlippe wirkte wie mit Tau benetzt.

»Also – wie kommt's, dass Sie hier sind?«, wiederholte sie ihre Frage.

Ich erzählte, wie ich über Freddie Rosen und Donna Kordova auf Whitney gekommen war. Ich berichtete von der Unterhaltung mit Cotter Whitney, verschwieg aber einiges davon. Was sollte es bringen, Bill Stryker zu erwähnen oder das Kokain? Heidi Dillinger hatte von dem Flugzeugabsturz gehört, ihn aber nicht gesehen, da sie erst später auf die Party gekommen war. Ich meinte, allein dieser Unfall sei das Eintrittsgeld wert gewesen. Die Combo spielte »You Do Something to Me«, und wir blieben auf der Tanzfläche, weil es ein langsames und romantisches Stück war. Ich hielt sie locker im Arm. Vielleicht war Tanzen doch gar nicht so übel. Doch bevor ich Verse über Liebe und Nacht von mir gab, wollte ich lieber wissen, warum sie nach Minnesota gekommen war.

»Allan und Whitney haben etwas zu besprechen. Über Bücher. Magna will Purvis and Ledbetter aufkaufen, Allans Verlag. Ich bin die Überbringerin der Nachricht.« Sie schmiegte sich an mich. Allmählich füllte sich die Tanzfläche. Ihr Kopf ruhte an meiner Schulter. Sie seufzte leise. »Hugo Ledbetter ist auch hier. Es ist eine Zusammenkunft von Dummköpfen.« Wieder seufzte sie.

»Gefällt mir, wenn Ihre Maske fällt.«

»Meine Madame-Unsichtbar-Maske?«

Ich nickte.

»Sie können sich nicht vorstellen, wie froh ich war, als ich Sie sah. Allan möchte so schrecklich gern wissen, was Sie herausgefunden haben. Erst als er heute Morgen im Bel Air Hotel anrief, merkte ich, dass Sie nicht mehr da waren. Allan war ganz verstört. Er wollte wissen, wo wir Sie suchen sollten, ob man Ihnen trauen könne und warum Sie ihn nicht verständigt hätten, bevor Sie aus Los Angeles abreisten ... Aber nun sind Sie ja hier. Wir werden's ihm sagen. Aber erst morgen. Heute tanzen wir.«

Jedes dritte Stück war »Blue Moon«. Ich versuchte eine Verbindung zu ziehen zwischen der Heidi, die ich auf der Fifth getroffen hatte, und der Frau in meinen Armen. Es hätten zwei völlig verschiedene Frauen sein können. Vielleicht war sie in Wahrheit Schauspielerin und nicht Computerexpertin und Rechercheurin für Bechtol. Vielleicht waren alle Frauen Schauspielerinnen. Oder sie war meinem vergleichsweise teuflischen Charme zum Opfer gefallen. In so einer feenhaften, mondhellen Nacht musste es wohl mein Charme sein.

»Wissen Sie«, flüsterte ich ihr ins Ohr, »manche Männer glauben alles, was man ihnen erzählt.«

»Ich weiß«, gab sie flüsternd zurück. »Das ist ja das Schöne an den Männern.«

»Man könnte fast sagen, dass Männer leichtgläubig sind.«

Sie nickte und hob den Kopf, schaute mich an.

»Und das gefällt mir an einem Mann.«

»Romantik«, fuhr ich fort, »würde es ohne die Leichtgläubigkeit der Männer nicht geben.«

»La Rochefoucauld?«

»Lee Tripper.«

»Nun, sehr wenige Männer würden erkennen, wie wahr Sie soeben gesprochen haben. Hut ab, Tripper.«

»Sie tragen ja gar keinen. Versuchen Sie's mal mit was anderem.«

»Das sind Kleinigkeiten«, sagte sie. »Darüber muss man sich erheben, wenn die Nacht so romantisch ist.« Sie verharrte mitten im Tanzschritt und nahm mich an der Hand. »Können Sie rudern?« Das Kleid schmiegte sich an ihre Brüste. Rudern? Wenn es sein musste, würde ich durchs Feuer gehen.

Die Musik klang über den See. Ab und zu hüpfte ein Gast ins Wasser. Eine sanfte Brise wehte über das riesige Anwesen, das von ein paar Flutlampen beleuchtet wurde, die im

Gebüsch angebracht waren. Die bunten Japanlaternen an den Booten schimmerten in der feuchten Luft. Unsere war grün, und die Flamme flackerte ein wenig. Wir saßen auf Sitzkissen und lehnten uns zurück, betrachteten den Mond und die Sterne. Fast an dieser Stelle war vor wenigen Stunden das Flugzeug gesunken.

Ich war mir nicht sicher, was hier abging. Um es ganz genau zu sagen: War dies nun Geschäft oder Vergnügen?

Meinem Instinkt folgend berührte ich ihr Kinn, um ihren Kopf zu mir zu drehen, aber da hatte sie sich schon umgedreht und ihren Kopf in den Nacken gelegt. Und wir küssten uns – ziemlich lange.

In meinem Innern machte es »Peng«, und ich glaubte, mir müssten gleich ein oder zwei Räder wegfliegen. Als wir uns voneinander lösten, keuchte ich wie der Gewinner des Boston Marathon. Heidi schaute mir in die Augen und lächelte, als wollte sie wenigstens einem von uns gratulieren, dass er seinen Job gut gemacht hatte. Sie gab mir ein Gefühl, einen Test bestanden zu haben.

Dann lehnte sie sich wieder zurück, richtete den Blick auf die Sterne. Heidi Dillinger sah verträumt und entspannt aus wie selten eine Frau auf diesem Planeten. Das entsprach nicht ihrem Naturell, ich wusste es genau. Aber in diesem besonderen Moment erlaubte sie sich eine Schwäche.

»Und?«, flüsterte sie schließlich. »Ist er?«

Ich glitt zurück in die Wirklichkeit. »Ist wer was?«

»Ist JC am Leben?«

»Soweit ich weiß, nicht.« Ich sah sie an. Das Kleid schmiegte sich an ihren flachen Leib und ihre langen Beine. Beim Atmen hob und senkte sich der Stoff. An JC dachte ich in diesem Moment überhaupt nicht; meine Gedanken reichten nicht weiter als zu den Spitzen ihrer knallroten Fußnägel. »Und was, wenn er noch lebt? Was bedeutet das für dich?«

»Er ist ein Vermögenswert der Firma. Denk jetzt bitte nicht, dass ich kalt bin. Ich weiß, er ist dein Bruder. Aber für mich ist er ein Teil meiner Arbeit. Falls er irgendwo ist, bin ich dafür verantwortlich, ihn herzuholen.« Sie stieß einen Seufzer aus.

»JC, der Vermögenswert. Wie die Zeiten sich ändern.«

»Wir finden ihn noch, Tripper.«

»Mach dir bloß nichts vor«, sagte ich.

»Irgendjemand hat Rosen diesen Song geschickt.« Langsam zog sie ihre Hand durchs Wasser. »Irgendjemand hat diese Leute ermordet. Wenn wir herauskriegen, wer es gewesen ist, haben wir's fast geschafft.«

Ich küsste sie.

»Du bist ein verantwortungsloser Mensch. Wir sollten eigentlich arbeiten.«

»Das verstehe ich aber nicht unter Arbeit.«

»Es ist schon spät. Irgendwo musst du doch schlafen.«

»Ich werde mal mit Whitney reden.«

»Warum willst du ihn damit belästigen? Ich hab schon ein Zimmer. Dritter Flur im Westflügel. Ich glaube, es ist das Lincoln-Schlafzimmer.« Sie kicherte.

»Dann hab ich aber immer noch kein Zimmer.«

»Du bist wirklich schwer von Begriff! Ich lade dich gerade zu mir ein, merkst du das nicht?«

»In dem Fall würde ich sagen, immer rein in die gute Stube.«

Eine halbe Stunde später hatte ich geduscht und trottete durch den Flur zu ihrem Zimmer. Heidi lag schon im Bett und hatte die Decke bis zum Kinn hochgezogen. Die Fenster standen offen. Die Tanzcombo spielte noch, und die Flutlampen warfen Schatten auf die Wand des Zimmers. Auf der Party vermisste uns bestimmt keiner. Einige Gäste waren zwar schon gegangen, aber das Fest war noch lange nicht gelaufen. Inzwischen war es besinnlicher geworden. Gin und Tonic flossen immer noch in Strömen, die Leute plauderten, und die Musik schwebte durch den Nachtwind. Leise bewegten sich die Vorhänge im Wind. Es war nun kühler geworden, eine köstliche Sommernacht.

Wir sagten nichts mehr. Ich schlüpfte ins Bett, und sie wandte sich mit geschlossenen Augen und einem weichen Mund zu mir. Lange Zeit gaben wir uns der Liebe hin. Heidi war sehr zielstrebig. Nun gab es kein Kichern mehr – sie nahm ernst, was sie tat, was wir taten. Einmal flüsterte sie mir ins Ohr: »Du würdest mich auslachen, würde ich dir erzählen, wie lange ich das nicht mehr getan habe ...«

»Sag's mir.«

»Ich könnte es nicht aushalten, wenn du lachst. Hör nicht auf!«

Ich konnte sie einfach nicht begreifen. Ich versuchte es nicht einmal.

Später lagen wir nebeneinander und ließen uns von der hereinwehenden sanften Brise trocknen. Sie hatte die Augen geschlossen. Ich schaute zu, wie die Schatten der Bäume über die Wände wanderten. Die Kapelle spielte »String of Pearls«. Ich atmete Heidis Duft ein. Sie strich sich mit der Hand über die Oberschenkel, und ich beobachtete ihre Finger auf dem Fleisch. Dann ließ sie die Hand auf ihrem flachen Bauch ruhen. Ich musste sie wieder haben. Ich küsste ihre Finger, und sie schob ihre Hand tiefer und tiefer, atmete schwerer. Ich küsste sie weiter und vergaß alles andere.

Als ich die Band das nächste Mal hörte, spielte sie »A Fine Romance«, und unsere Köpfe waren an den entgegengesetzten Enden des Bettes. Ich legte eine Hand auf ihr Knie.

»Bist du wach?«, fragte sie.

»Ich denk nach.«

»Worüber?«

»Zum Beispiel, ob ich sterben würde, wenn wir das sofort noch mal machen.«

»Könnte schon sein. Aber es wäre ein schöner Tod.«

»Genau das hab ich auch gedacht. Hemingway.«

»Und was hast du sonst noch gedacht?«

»Bechtol.«

»O nein«, stöhnte sie. »Warum gerade jetzt?«

»Bist du ganz sicher, dass er und du nicht ... du weißt schon.«

Heidi lachte leise. »Mein Gott, lass mich überlegen. Vielleicht hab ich was vergessen.« Sie überlegte kurz. »Nein, ich bin sicher, dass wir nicht Du-weißt-schon-was sind, nie waren und sein werden. Und ich hab auch noch nie gehört, dass er mit jemandem involviert wäre. Aber es ist lieb, dass du fragst. Bechtol beharrt jedenfalls darauf, dass er impotent ist und ich omnipotent ...«

»Tja«, sagte ich, »ich hab aber noch eine Frage, die ihn betrifft.«

»Oh, oh.«

»Warum konnte *er* mir nicht erzählen, dass JCs Song mit der Post gekommen ist? Warum musste es erst 'ne Weile dauern, bis ich über diesen kleinen Schocker gestolpert bin?«

»Weil Bechtols ganzes Leben eine Romanhandlung ist. Er lebt sein Leben wie einen Roman, der sich langsam entfaltet. Das gefällt ihm ... er wusste, dass du die Dinge nach und nach auf deinem Weg entdecken wirst ... und dass es mehr Einfluss auf dich haben würde, wenn du sie selber entdeckst.«

»Na, das ist ja herzig. Toll für ihn, aber für mich, das Meerschweinchen, nicht so sehr. Was weiß er sonst noch – und was weißt *du* sonst noch –, das ich gefälligst selber herausfinden soll?«

»Keine Ahnung. Nichts, soweit ich weiß. Ich kann wirklich nicht für Bechtol sprechen.«

»Dann sollte ich mir besser mal ein paar eigene Geheimnisse zulegen. Gefällt mir nicht, dass ich hier der Einzige bin, der blindes Vertrauen haben soll.«

»Du bist der Einzige, der Geld dafür kriegt, Süßer.«

»Dann schmeißt mich doch raus. Ich komm schon klar.«

»Aha. Du hast also begriffen …«

»Tatsache ist, dass ich nach Bechtols Ansicht der Einzige bin, der JC finden kann. In meiner großmütigen Art sag ich mir, dass er mich mehr braucht als ich sein Geld.«

»Das ist wirklich edel.«

»So bin ich nun mal.«

»Aber du würdest deinen Bruder gern finden.«

»Ich kann es tun oder ich kann es lassen. Meiner Ansicht nach ist er tot.«

»Aber du bist nicht sicher.«

»Natürlich bin ich sicher. Ich tu nur allen einen Gefallen und nehme das Geld. Warum hat Bechtol mir nicht gesagt, dass Whitney oder Magna die Hälfte beisteuert?«

»Na ja, warum sollte er? Was hat das mit dir zu tun?«

»Irgendjemand lügt hier.« Ich war dabei, mich wieder zum Kopfende hochzuarbeiten, und hatte auf halbem Weg angehalten, um ihr Knie zu küssen.

»Irgendjemand lügt immer«, seufzte Heidi.

»Willst du mit mir nach Tanger fahren?«

»Du willst wirklich hin?«

»Warum nicht? Whitney hält es für eine gute Idee.«

»Also glaubst du *doch*, dass JC noch lebt?«

»Mein Bruder ist so tot wie nur was. Ist nicht meine Schuld, dass keiner mir glauben will.«

»Fängst wohl schon an mit deinen Geheimnissen!«

»Ich sag dir, was ich wirklich will …«

»O nein. Ich bin total fertig ...«

»Entspann dich. Im Moment ist meine Lust gestillt.«

»Es gibt doch einen Gott«, seufzte sie.

»Ich will wissen, wer Freddie Rosen diesen Song geschickt hat. Das macht mir wirklich zu schaffen.«

Es war drei Uhr morgens. Die Combo war verschwunden, die Gäste hatten sich aufgemacht, die Flutlampen waren ausgeschaltet, die Japanlaternen erloschen, die Ruderboote dümpelten am Landesteg, und das Mondlicht lag in silbrigen Flecken auf dem Rasen, als wäre es aus einer Kanne gegossen worden. Ich stand am Fenster und ließ die Ereignisse der letzten Stunden Revue passieren. Ja, das alles war tatsächlich geschehen – der Flugzeugabsturz, Morris Fleury, Heidi Dillinger, das Bett, alles war Wirklichkeit. Sie lag im Tiefschlaf. Ich zog Hose, Hemd und Schuhe an. Das Haus war still und dunkel. Ich ging hinaus. Die Haustür stand offen, um die Wärme hereinzulassen. Wenn man genau darauf achtete, schwoll das Zirpen der Grillen zu einem ohrenbetäubenden Lärm an.

Ich hielt mich im Schatten des Hauses, fühlte die Präsenz der Nacht. Geräusche vom See drangen herüber, und es raschelte in den dichten Sträuchern. Nichts war so, wie es zunächst schien. Die stille Nacht war belebt und sehr laut. Sogar Menschen waren unterwegs. Ich kam mir vor wie ein Spion.

Zur Sicherheit hielt ich mich weiterhin verborgen. Im Schatten der mächtigen Bäume fiel das nicht schwer. Langsam schlich ich auf den See zu, hatte aber erst die Hälfte der Strecke zurückgelegt, als ich leise Stimmen und ein schwaches Knarren hörte. Ich schmiegte mich dicht an den Stamm einer mächtigen knorrigen Eiche.

Das Knarren kam von Eleanor Whitneys Rollstuhl, der

über den Kiesweg geschoben wurde. Sie sagte etwas, aber so leise, dass ich ihre Worte nicht verstehen konnte. Der Rollstuhl wurde von einem Mann geschoben, dessen Silhouette an einen beweglichen Heuhaufen erinnerte. Es war ein sehr großer, in der Mitte sehr breiter Mann, der eine Art Kaftan trug. Sein Kehlkopf war vermutlich um einen zusätzlichen Tieftöner erweitert worden. Seine Worte dröhnten, als wandelten Riesen unter uns; die Erde bebte und schüttelte ihre hauchdünne Kruste, auf der wir unsere Zivilisation aufgebaut haben. Während ich dem Donnergrollen lauschte, sah ich im Geiste die Nadel auf der Richterskala ausschlagen. Allein sein Bart bedeckte schon eine beeindruckende Fläche. Als sie ganz nahe an mir vorbeikamen, hörte ich ein einziges verständliches Wort, einen Ausruf von Eleanor Whitney, wohl die Antwort auf etwas Anstößiges, das er gesagt hatte: »Hugo!« Dann lachten beide.

Das war also Hugo Ledbetter. Der bald in der Magna-Group aufgehen würde?

Ich sah ihnen nach, wie sie langsam und majestätisch über den Kiesweg wandelten. Dann verschwanden sie in der Dunkelheit.

Es roch stark nach Blumen und Tau. Ich schlängelte mich weiter Richtung See, vorbei am Bootshaus auf den Steg zu, wo Bill Stryker an Land geklettert war.

Mir war, als würde ich Kirschtabak riechen, aber das konnte nicht sein. Immerhin waren Stunden vergangen. Mein Gedächtnis machte anscheinend Überstunden.

Und dann sah ich sie. Zwei Gestalten am Ende des Steges, die auf den See im Mondlicht hinausschauten. Ich hatte mir den Tabakgestank nicht eingebildet. Die leichte Brise wehte ihn zu mir herüber, wie ein Hinweis auf den Tod, ein Gerücht über Mord.

Morris Fleury war wieder da. Ich sah die hängenden Schultern, den zerknitterten Anzug, die Maiskolbenpfeife, aus deren Kopf sich Rauch kringelte. Er redete, der andere Mann hörte zu. Ich blieb im Schatten des Bootshauses stehen und beobachtete die beiden.

Schließlich machten sie kehrt und schlenderten über den Steg auf mich zu. Und nun sah ich im Mondschein ihre Gesichter.

Fleury hielt die Pfeife zwischen den Zähnen. Nun sprach der andere Mann, der mit dem rundlichen, jungenhaft unschuldigen Gesicht.

Es war Cotter Whitney.

Ich ging allein in den Innenhof zurück, wo der Kamin immer noch Resthitze abstrahlte. Es roch streng nach gebratenem Schwein. Ich ließ mich in einen der gestreiften Liegestühle sinken, faltete die Hände hinter dem Kopf und schaute hoch zu Mond und Sternen und sporadischen Wolken.

Das laute Grillengezirp gab mir das sichere Gefühl, dass bald alles in Ordnung kommen würde. Doch man sollte nie den Versicherungen der Natur glauben. Sie will nur, dass man nicht mehr wachsam ist, und überschüttet einen dann mit einem Krötenregen.

Aber wozu brauchte ich die Natur als Beispiel? Von Intrigen war ich umgeben, und alles gipfelte in der geheimen Unterredung, die ich soeben zwischen dem New Yorker Privatdetektiv Morris Fleury und dem Magna-Aufsichtsratsvorsitzenden Cotter Whitney beobachtet hatte. Ich vermochte zwar keine direkten Schlüsse zu ziehen, konnte aber ein paar Fragen formulieren. Und diese Fragen – auch wenn mir die Antworten noch fehlten – ließen mich zum ersten Mal den Umriss und die große verborgene Masse des Elefanten ahnen.

Vielleicht hatte mir keiner der Beteiligten die Wahrheit gesagt: Sie wollten nichts anderes, als dass JC gefunden wurde. Wahrscheinlich hatten sie gar nicht vor, mir den wahren Grund mitzuteilen. Und während ich da saß und in den Himmel starrte – wobei ich die Vorstellung verbannte, Morris Fleury säße in den Büschen und belauerte mich –, brachte ich ein bisschen Schwung in meine Gedanken.

Sollte ich JC finden, weil sie *fürchteten*, dass er noch am Leben war?

Fürchteten sie ihn, weil er ihnen gefährlich werden konnte? Dann waren sie also gar nicht scharf auf neue Plattenaufnahmen. Sie wollten ihn einfach nur finden … um ihn an seinem Vorhaben zu hindern, was immer das sein mochte?

Der Song, den er geschickt hatte – war dieser Song der »Beweis«, der ihnen zeigen sollte, dass er wohlauf war? Vielleicht. Warum sonst hätte er ihn schicken sollen? Aber was war damit tatsächlich bewiesen? Ich wusste doch, dass dieser Song vor vielen Jahren geschrieben worden war … damit war also nur bewiesen, dass *jemand* ihn geschickt hatte.

Was konnte JC wissen, das Magna schaden konnte? War Magna in Drogengeschäfte verwickelt? Im Musikbusiness waren Drogen an der Tagesordnung. Oder gab es sie vielleicht nur für junge Talente, die man gerade unter Vertrag genommen hatte, und für DJs? Konnte es sein, dass JC den Magna-Konzern auf irgendeine Art erpresste? Aber er war tot. Mein Bruder war tot, das wusste ich genau. Und doch war es möglich, dass jemand seine Rolle spielen, Magna an seiner Stelle erpressen konnte …

Demnach musste JC oder seinem Alter Ego sehr viel an Sicherheit und Verschwiegenheit gelegen sein. Er würde sich verborgen halten.

Und folglich musste jemand mich daran hindern, ihn zu finden.

Wie viel würde er es sich kosten lassen, nicht gefunden zu werden?

Und sollte ich ihm eine Falle stellen, damit er im Auftrag von Magna ermordet wurde? Vielleicht von einem Killer namens Morris Fleury?

Genug der Fragen. Morgen würden Heidi Dillinger und ich uns auf den Weg nach Marokko machen.

Nach Tanger.

12.

Nach Tanger zu reisen war eine beschissene Idee. Es war, als stecke man seine Füße ins Feuer und bekäme zugleich die Augäpfel abrasiert.

Die Idee war von vornherein beschissen; eigentlich hätte ich es wissen müssen. Ich hätte nie nach Tanger fahren sollen, dort gab es nichts zu finden, nur Gift aus alten Wunden, Unrat aus einem früheren Leben und den starken Draht, mit dem ich die Vergangenheit zu verschnüren gehofft hatte. Nun fühlte ich mich wie ein eingesperrtes, panisches Tier, das seinem Schicksal wehrlos ausgeliefert ist. Im psychologischen wie auch im wörtlichen Sinne stürzte Tanger mich in ein furchtbares Chaos.

Und dann die arme Heidi: gefangen in meiner Falle, die ich vor vielen Jahren aufgestellt hatte. Plötzlich hatte sie einen Wahnsinnigen am Hals, während sie gleichzeitig bestrebt war, ihre Arbeit für Sam Innis gut zu machen. Bechtol war nun wieder Innis für mich. Ich weiß, es ist verwirrend, wenn ein Mensch zwei Namen besitzt – und das Einzige, das meine Geschichte mit der klassischen russischen Literatur gemeinsam hat –, aber ich kann nichts daran ändern. Für mich war er Innis, für alle anderen Bechtol. Er bombardierte uns mit Telegrammen, fragte, ja forderte Berichte und Fortschritte, und das war verdammt lästig. Sicher, er konnte argumentieren, dass unsere Rechnungen von seinem Geld bezahlt wurden – und die beiden Fahrkarten erster Klasse nach Casablanca sorgten für eine gewaltige Abbuchung auf der American-Express-Karte, die er Heidi anvertraut hatte.

Von Casablanca fuhren wir nach Tanger. Die fremdartige und doch vertraute Umgebung, die Gerüche und der Wüstenwind, die Kamele und die Gestalten im Burnus, die sich wie Schatten unter den Palmen bewegten – all das zog mich gegen meinen Willen in die Vergangenheit zurück. Vor zwanzig Jahren war mein Leben in Tanger aus den Fugen gegangen, und ich hatte es nie verwunden, obwohl die Schweizer Ärzte sich unendliche Mühe mit mir gegeben hatten. Ich war ausgewichen, hatte gelogen und geleugnet; damals war ich ein Meister der Täuschung.

Und als ich Jahre später wiederkam, um für das gemeinsame Buch mit Sally Feinman zu recherchieren, hakte ich schnell alles ab, damit ich behaupten konnte, sämtliche Schritte noch einmal vollzogen zu haben. Jetzt aber war es anders. Es war ernst. Ich war nicht im eigenen Auftrag hier, und Innis verstand keinen Spaß.

Heidi war von meinem Benehmen genervt, doch neun Zehnteln der Menschheit wäre es nicht anders gegangen. Das verbleibende Zehntel waren die komplett Durchgeknallten – und zu denen gehörte ich. Zwei Tage lang war ich sturzbetrunken und weigerte mich, unser Hotelzimmer zu verlassen. Ich wollte nicht mit ihr reden, wollte nicht Liebe machen. Ich wollte nur dasitzen und ins Leere starren und versuchen, mich nicht von der Vergangenheit überwältigen zu lassen. Es war nicht gerade romantisch. Offenbar waren uns keine besseren Karten zugeteilt worden.

Heidi machte nun die Erfahrung, wie mühsam es war, in Tanger Ermittlungen anzustellen. Seit JCs geheimnisumwittertem Tod und seiner Feuerbestattung waren ja auch erst zwanzig Jahre vergangen. Außer den offiziellen Berichten gab es keinen Beweis dafür, dass mein Bruder vielleicht noch am Leben war. Und diese Berichte waren nichts als ein Haufen Papier, unter dem die unschönen Einzelheiten des Lebens begraben liegen. Die Berichte über den Tod von Joseph Christian Tripper. Heidi konnte den Arzt nicht finden, der den Totenschein ausgestellt hatte. Sie konnte überhaupt niemanden finden, der in irgendeiner Verbindung zu uns gestanden hatte. Und wenn sie mich fragte, fauchte ich sie nur an, dass ich mich an nichts erinnern könne.

Aber am dritten Tag stieß sie auf Will Sasser.

Ich hätte sie umbringen können.

Am Morgen des dritten Tages kam es zwischen Heidi und mir zum großen Krach.

Während sie schlief, soff ich wie ein Loch und steigerte mich immer mehr in meine Panik hinein. In meinem benebelten Hirn glaubte ich, in der Vergangenheit zu sein, und es war grauenhaft. Ich brauche das eigentlich nicht näher zu beschreiben. Jedenfalls war es furchtbar, und ich hörte dieses unglaublich laute Schlagen eines Metronoms. Mein ganzer Körper zitterte unter den Schlägen, unter den hämmernden Stößen, und es hörte nicht auf. Ich hielt die Augen offen, konnte aber nichts sehen.

Das Hämmern war kein Traum. Es weckte Heidi auf. Ich hörte einen entsetzten Schrei und spürte, wie sie an mir zerrte, mich zu Boden warf, wo ich in Fötushaltung liegen blieb.

Aus irgendeinem Grund hatte ich auf Händen und Knien gelegen und mit dem Kopf gegen die Wand geschlagen. Nun war in der Wand ein Loch und in meiner Kopfhaut ein Riss. Ein Anblick wie im Irrenhaus. Ich konnte nichts mehr sehen, weil mir das Blut in die Augen lief. Der Boden war glitschig von Blut, unzusammenhängende Worte strömten aus meinem Mund – ich versuchte, »Alles ist dunstig in Tanger« zu singen. Hervorragend. Ich weiß nicht, was da über mich gekommen war. Ich war wohl kein Mensch mehr. Um ins Nebenzimmer zu gelangen, hätte es einfachere Wege gegeben.

Nun war für Heidi der Zeitpunkt gekommen, Stärke zu zeigen. Oder sie hätte mich zum Teufel wünschen und heimfahren können. Oder sich allein auf die Suche machen.

Sie zeigte Stärke.

Sie säuberte meine Wunde, schimpfte, ich sei ein völlig verblödetes Arschloch, und holte einen Arzt, der die Wunde mit fünfundzwanzig Stichen nähte. Dann sagte Heidi, ich solle mich zusammenreißen, sonst würde sie mir antun, was ich selber noch nicht besorgt hatte. Das klingt jetzt vielleicht simpel, aber ihre Taktik funktionierte. Das viele Blut und das Nähen der Wunde hatten mich schon beträchtlich ernüchtert, aber Heidi noch mehr. Sie kümmerte sich um mich und hielt meine Hand.

Schließlich brach ich zusammen und schlief lange, sehr lange. Als ich aufwachte, war es bereits Abend. Heidi war den ganzen Tag unterwegs gewesen, hatte mit Innis gesprochen, hatte sich in Tanger durchgefragt und den Abfallhaufen meiner Vergangenheit durchstöbert. Und beim Abendessen teilte sie mir mit, dass sie Will Sasser gefunden habe. Ich stöhnte nur.

»Du musst dich doch an Will erinnern«, drängte sie. »Er hat dich jedenfalls nicht vergessen.«

Sofort wurden meine Kopfschmerzen schlimmer.

»Wir treffen ihn morgen«, sagte sie.

Will Sasser hatte eine graue, teigige Gesichtsfarbe bekommen, trug sein langes Haar aber wie früher in einem Sixties-Pferdeschwanz. Auch das Haar war grau, ebenso die buschigen Augenbrauen und der lange Desperado-Schnurrbart, der ihm feucht am Mund klebte. Über Tränensäcken wie Zement blinzelten die Augen, und auf seiner langen, spitzen Nase saß tatsächlich immer noch eine Stahlbrille. Wahrscheinlich trug er auch noch ein Peter-Max-T-Shirt. Will Sasser starrte mich durch den Rauch seiner Zigarette an, als versuchte er mich einzuordnen. Wir saßen in der düsteren Hotelbar mit den großen Deckenventilatoren und Topfpalmen und den Boys in ihren Kellnerjäckchen. Die ganze Szenerie wirkte wie aus einem Hollywoodfilm über Tanger in den Vierzigerjahren. Jeden Augenblick erwartete ich Marta Toren mit einer Tasche voller Familienerbstücke hereinkommen zu sehen, um sie Richard Conte als Bezahlung für ein Ausreisevisum zu geben.

»Siehst mächtig besser aus, als wo wir uns das letzte Mal gesehen haben, Mann«, quetschte Sasser hervor. Rudimentäre Spuren eines Südstaatenakzentes waren immer noch herauszuhören. Tief sog er den Rauch ein, fütterte sein Lungenemphysem. Als ich ihn zuletzt gesehen hatte, war er ein wilder junger Mann von Mitte zwanzig gewesen, der für europäische Rockmagazine schrieb, ein Enthusiast, für den nichts zählte außer Rockmusik. Rock war das Evangelium der Neuzeit, und Sasser wollte einer der Propheten sein. Rock würde uns den Weg weisen, und er war der Verkehrspolizist. Das war ja alles gut und schön, aber er hatte den letzten Bus verpasst. Die Band war ohne ihn abgehauen, und nun hing er seit Ewigkeiten in Tanger herum. Heidi Dillinger hielt sich an ihrem Glas Perrier fest und beäugte uns wie zwei Dinosaurier, die in Erinnerungen schwelgen. Doch leider hatte ich keine Erinnerungen zum Schwelgen, nur diese schwarze Leere, die mich von Zeit zu Zeit überfiel. Wir kauten Will Sassers Erinnerungen an die Zeit in Tanger durch. Was er noch wusste.

»Ich krieg das alles nicht mehr so ganz auf die Reihe«, murmelte ich.

»Das überrascht mich nicht, Mann.« Wieder blinzelte er mich an. Es war der alte Hippieblick, dieses ruhige Starren, das sein Gegenüber von der Tiefsinnigkeit der dahinter verborgenen Gedanken überzeugen will. »Junge, Junge, ich hätte wer weiß was gewettet, dass du nicht mehr runterkommst. Keine Leiter wäre hoch genug gewesen, um dich runterzuholen. Hab damals echt ein paar Abgefahrene, Durchgeknallte gesehen, aber bei dir war es so was von schlimm ... du warst richtig gelb, Mann, Hepatitis, verseuchte Nadeln, Leber kurz vorm Abwinken, du bist ständig hingefallen, konntest dich nicht mehr gerade halten, nichts im Magen behalten, du wusstest nicht mehr, wo du warst, hast gekotzt und gedrückt und deine ein, zwei Liter am Tag getrunken, du wolltest die Medizinmänner nicht sehen, die JC dir besorgte ... Meine Güte, Mann«, seine Augen blitzten über den schweren Tränensäcken, »und auf einmal bist du wieder da, rund und gesund. Du bist ein gottverdammtes Wunder, Mann. Ich meine, du warst am *Sterben*, als ich dich das letzte Mal gesehen habe ...«

»Lass mich das mal auf die Reihe kriegen«, sagte ich. »Du willst damit zum Ausdruck bringen, dass mir nicht besonders wohl war, als wir uns das letzte Mal gesehen haben. Ist das die Quintessenz deiner Worte?«

»Genau, Mann, du warst fertig, *richtig* fertig ...«

»Hab schon verstanden«, sagte ich. »Tja, glücklicherweise kann ich mich nicht erinnern, *wie* schlimm es war. Vielleicht könnten wir das Thema jetzt fallen lassen. Schließlich wollen wir über JC reden ...«

»Ich weiß, ich weiß«, sagte er kopfschüttelnd, und sein Pferdeschwanz schwang hin und her. Sasser trug ein blaues Hemd, Fliege und einen Seersucker-Anzug, der hauptsächlich aus Zigarettenbrandlöchern zu bestehen schien. »Aber dich jetzt zu sehen, ist echt ein Schock, Lee. Du wirkst so fit ... bis auf das da am Kopf. Hast dir wehgetan, was?«

»Unfall. Bin gestürzt.«

»Tja. Manche stürzen«, sagte er leise. Er trank Gin mit ein ganz klein bisschen Tonic drin.

»JC«, erinnerte Heidi ihn.

»Ja, klar, JC, hab gerade darüber nachgedacht. Eigentlich haben wir alle gedacht, dass du's nicht mehr packst, Lee. Ehrlich gesagt haben wir geglaubt, dass du dich umbringen würdest ... JC war mehr oder weniger okay, er war ausgebrannt, sagte immer, er könne nichts mehr schreiben, er wollte nie mehr auftreten. Typisches Rocksyndrom. Das machte ihn fertig. Er konnte nicht arbeiten, konnte sich nicht mehr konzentrieren. JC versuchte alles zusammenzuhalten, und das zu einer Zeit, als alles in Stücke ging. Er konnte nicht schlafen, seine Stimme war fertig, er sagte, er hätte irgendwelche Knoten an den Stimmbändern ... aber er sah nicht aus wie ein Mann, der bald sterben würde.« Immer wieder schaute er mich forschend an, als wollte er begreifen, wie ich überlebt hatte, während mein vergleichsweise gesunder Bruder es nicht lebend aus Tanger herausgeschafft hatte. Allmählich hatte ich das Gefühl, mich für mein Überleben entschuldigen zu müssen. »Erinnerst du dich überhaupt an mich?«, fragte er unvermittelt.

»Sicher, sicher, verschwommen.« Ich versuchte es mit meinem einschmeichelnden Lächeln. »Und das ist mehr, als ich von den meisten Leuten aus der Zeit behaupten kann. Ist nicht gegen dich gerichtet. Du hast ja mitgekriegt, wie schlecht es mir ging.«

»Erinnerst du dich noch an die Nacht, wo du dich selber abfackeln wolltest?«

»Eigentlich mehr daran, wie sie mich abgespritzt haben.«

»Das war JC. Er hat dich mit dem Schlauch abgespritzt. Hat dir das Leben gerettet.«

»Hör zu, mein Freund, es ist nicht meine Schuld, dass mein Bruder gestorben ist. Du scheinst mich dafür verantwortlich zu machen, und das geht mir allmählich auf den Sack. Tut mir Leid, dass ich nicht an seiner Stelle verreckt bin, aber so ist es nun mal. Wir können's nicht ändern, okay?«

»Hey, Mann, entspann dich! Es war doch bloß der Schreck, dass du's geschafft hast ... ich hätte dich echt nicht wiedererkannt.«

»Dann ist es ja gut.«

»Wer war denn dabei, als JC starb?« Heidi wurde langsam ungeduldig. Sie wollte, dass wir endlich auf den Punkt kamen.

»Na ja, die Party war vorbei, verstehen Sie? Wenn ein paar Leute abhauen, sieht das gleich so aus, als wären tausende gegangen. Thumper Gordon ...«

»Der Schlagzeuger«, fiel sie ihm ins Wort, als hätten wir MacDonald »Thumper« Gordon vergessen können, den Koautor einiger großer Hits von JC und Meister der Trommelstöcke.

»Thumper war nach Berlin gegangen«, sagte Sasser, während die Asche seiner Zigarette herunterfiel und sich auf seinem Jackett verteilte, »um das nächste große Projekt in Angriff zu nehmen, das Konzert, das nie stattfinden sollte. Meine Güte! Was für ein Ding – vielleicht war es auch einfach 'ne Nummer zu groß. ›Brandenburg Rock‹ wollten sie's nennen.« Er seufzte voller Ehrfurcht.

Heidi sah mich fragend an. »Eines von JCs wirklich großen Projekten«, erklärte ich. »Und er hätte es durchgezogen. Sie wollten ein Modell bauen, so groß wie das Brandenburger Tor, vielleicht auch größer, aber es sollte in

Westberlin stehen. Und dann wollte er ein 24-Stunden-Konzert geben. Oder eins mit open end, ich weiß es nicht mehr genau ... jedenfalls ist es nie dazu gekommen, und außerdem ist der Kerl tot.« Heidi hatte mir Cola mit Eis verordnet, und ich sehnte mich nach einem richtigen Drink. Es war die reinste Folter, und Sasser laberte weiter, erinnerte mich an all die Dinge, die ich nur zu vergessen wünschte.

»Also, Thumper war nicht mehr da«, nahm er den Faden wieder auf, »ich weiß noch, wie ich ihn zum Flughafen von Casablanca gebracht habe. Da hat er gesagt, er wollte mit JC reden, über die Rechte an einem Buch, das ich schreiben sollte. Es sollte einzig und allein von dem Konzert in Berlin handeln ... was für ein Verlust.« Er seufzte. »Damit wäre Will Sasser ein gemachter Mann gewesen.« Nun warf er sich in die Pose eines Verbitterten. Starrte mich an, als würde ich mir im nächsten Augenblick die Haut vom Gesicht ziehen und einen ganz anderen Menschen zum Vorschein kommen lassen.

»Wer war noch dabei?«, bohrte Heidi und strich sich das blonde Haar aus den Augenwinkeln. Sie hatte sehr feine Gesichtszüge, war sehr konzentriert und hörte jede Nuance heraus. Ich rätselte, wie sie wohl drauf war, aber um das zu erfahren, hätte ich mich durch zu viele Schichten wühlen müssen. Als JC starb und wir alle durchdrehten, war sie noch ein Kind gewesen.

»Annie DeWinter natürlich. Sie war damals gerade zurück nach London gefahren. Tanger hat ihr gar nicht gefallen. Ihr Magen konnte das nicht mehr ab ... all das Dope und JC und die ganzen Mädels um ihn her, das war wie ein Film, wie dieser Film«, er schnippte mit den Fingern, als ihm der Titel wieder einfiel, »*Blow-up*, wo David Hemmings diesen Fotografen spielt, wie heißt er doch gleich ... David Bailey, und die Mädels sind dauernd hinter ihm her, ich *liebe* diesen Film. Jedenfalls war es bei JC genauso. Die Mädels hüpften aus seinem Schrank und zogen für ihn ihre Höschen aus. Das Rockleben eben. Ich wollte immer mal ein Stück schreiben: The Rock Life, aber ich bin in Tanger hängen geblieben und nie dazu gekommen.«

»Das *ist* das Rockleben, mein Freund«, sagte ich zu ihm. »Wenn du hängen bleibst und die Dinge aus den Augen verlierst.«

»Also war Annie DeWinter nicht mehr dabei.« Unbeirrt brachte Heidi uns zum Thema zurück. »In welcher Beziehung stand sie denn zu JC?«

»Sie waren ein Paar«, sagte Sasser achselzuckend. »Annie war fast schon wie eine Ehefrau ... aber halt eine Rockehe, wissen Sie? Sie fand sich damit ab, dass JC ein Star war, sie fand sich mit den Groupies ab ...«

»Hat sie selber nie was gemacht?«, wollte Heidi wissen.

»Sie meinen, mit anderen Männern? Das haben wir uns auch oft gefragt. Aber sie war nicht der Typ dafür. Sehr fein, sehr englisch, sehr diskret. Sie ließ sich nicht so schnell anbaggern. Und als JC starb und alles den Bach runterging, ist sie einfach von der Bildfläche verschwunden. Erstaunlich, wenn man bedenkt, dass sie fast so berühmt war wie JC selbst.« Mit einem Fingerschnippen bestellte er einen Gin und steckte sich eine Zigarette an, hustete dabei in die vorgehaltene Hand wie ein Dampfhammer. Seine Fingernägel waren lang und abgebrochen, und seine Hände zitterten von zu viel Gin. Das hatte das Rock Life aus ihm gemacht.

»Wer war denn nun tatsächlich dabei?«

»Na ja, unser Lee hier und Clive Taillor, der ständig an JCs Seite war. Diener, Fahrer, Vertrauter ... irgendwie hat er deinen Platz eingenommen«, er nickte in meine Richtung, »als du ... krank wurdest und kaum noch was auf die Reihe bekommen hast. Clive ist für dich eingesprungen. Er war derjenige, mit dem JC ganze Nächte durchgeredet hat. Clive hat das immer völlig easy gebracht.«

»Clive Taillor«, erläuterte ich, »war der beste Freund, den JC jemals hatte. Loyal, ehrenhaft, hat ihn nie hängen lassen. Alle haben JC auf die eine oder andere Art hängen lassen, aber Clive nie.«

Heidi schaute mich erwartungsvoll an. »Und?«

Ich zuckte die Achseln. »Das sollte bloß 'n Nachruf auf Clive sein.«

»Wo steckt er jetzt?«

»Ich hab das nicht mehr so im ...«

»In Zürich«, sagte Sasser. »JC hat ihm den Moon Club in Zürich vermacht. Ein paar Wochen vor seinem Tod. Beinahe so, als hätte er gewusst, dass er es nicht mehr lange macht.«

»Oder weil er seinen Plan, von der Bildfläche zu verschwinden, fast abgeschlossen hatte«, betonte Heidi. »Also ... Clive, JC und Lee, mehr waren nicht dabei?«

»Genau. Und dann wachte JC eines Nachts tot auf, wie es heißt. Wäre ein verdammtes Chaos geworden, wäre Clive Taillor nicht gewesen. Er hat sich um alles gekümmert ... der gute Lee ist zusammengebrochen, als er es hörte, und Clive schaffte ihn in ein Privatkrankenhaus, bis JC kremiert war ...«

»Warum diese Eile?«, fragte Heidi. »Viele Leute fanden das ziemlich verdächtig.«

»Überhaupt nicht verdächtig«, schnaufte Sasser. »Taillor wollte nicht, dass Massen von Fans und Leichenfledderern nach Tanger pilgern, um an JCs Grab Orgien zu feiern. Als die Nachricht von seinem Tod bekannt wurde, war JC bereits über die Wüste verstreut. Alles war gelaufen. Thumper und Annie hatten gar keine Zeit mehr, nach Tanger zurückzukehren. JC war nur noch eine Erinnerung – einfach so!« Er schnippte mit den Fingern. »Eine Legende.«

»Tja, das ging ja wie am Schnürchen«, sagte Heidi und warf mir einen Blick zu. Allmählich reichte es mir.

»Mein Güte, mein Bruder war schließlich gestorben! Taillor hat aus Liebe und Freundschaft so gehandelt. Lassen wir ihn in Frieden ruhen. Clive war JC treu ergeben. Das ist doch kein großes Geheimnis!«

Sasser war offensichtlich fest entschlossen, seine Erinnerungen zu Ende zu erzählen. »Und was Lee angeht ... es war vielleicht einen Tag nach der Kremierung – da hat Taillor ihn verpackt und in die Feldstein-Klinik bei Genf geschickt ...«

»Er hat mich nicht geschickt«, verbesserte ich ihn. »Er hat mich persönlich abgegeben. Pflichtbewusst, wie er war.«

Sasser brabbelte weiter. »Und Annie DeWinter hatte einen Nervenzusammenbruch, wie ich hörte. Ist für 'ne Weile verschwunden. Könnte aber auch ein Gerücht sein. Thumper Gordon hat sich mit seinen Millionen nach Japan abgesetzt, dann soll er angeblich ein Hotel auf Martinique gekauft haben. Andere sagen, es war eine Burg in Schottland ...« Er seufzte und nuckelte abwechselnd an seiner Zigarette und seinem Glas. »Und JC und die Traveling Executioner's Band waren Geschichte, Rockgeschichte. Das ... Ende.«

Allmählich fühlte ich mich wieder Mensch werden. Heidi und ich lagen im Bett und hatten die Fenster geöffnet, um die kühle Nachtluft ins Hotelzimmer zu lassen. Wir hatten uns geliebt, und ich hatte eine Weile geschlafen. Als ich aufwachte, merkte ich, dass ich von Annie DeWinter geträumt hatte. Eine Frau wie Annie vergisst man nicht. Auf ihre Weise war sie vor zwanzig Jahren ebenso berühmt gewesen wie JC. Ein Supermodel der Sechziger, ein wunderschönes Symbol, dem alle Mädchen gleichen wollten. Es gab Millionen kleiner Möchtegern-Annies, die sich wünschten, so groß zu sein wie sie oder so schlank, sie wollten Annies lange Beine haben, ihr langes, glattes Haar und ihre Augen, groß und dunkel wie Tinte. Annie trug stets Stirnbänder und kleidete sich in Westen und Röcke, die nicht einmal den halben Oberschenkel bedeckten. Sie hatte einen wahnsinnig großen Mund mit gesunden weißen Zähnen und pflegte sich mit blassrosa Gloss die Lippen anzumalen. Ihre Finger waren lang und braun, und sie hatte praktisch keinen Busen. Sie passte perfekt in die Zeit. Sie war eine Ikone. Mit achtzehn Jahren war sie, die Tochter eines Londoner Anwalts, in der Szene aufgetaucht. Das war 1965. 1967 lernte sie JC Tripper kennen; ihre stürmische Beziehung mit den vielen Höhen und Tiefen dauerte zwei Jahre, bis zu seinem Tod. Ich habe mich oft gefragt, ob Ikonen wie diese beiden einander wirklich kennen lernen, ob sie sich wirklich verlieben. Oder geht es eher darum, wie ich stark vermute, dass zwei berühmte Menschen ihre öffentlichen Persönlichkeiten miteinander vermischen? Haben JC und Annie jemals den wahren Menschen darunter kennen gelernt? Oder haben sie immer um den besten Blick in den Spiegel gekämpft, ihre Rollen und ihren Erfolg aneinander gemessen? Ist es nicht eine Qual, immer das Paar zu sein, das das Publikum sehen will?

Als JC starb, war es, als wäre Annie DeWinter mit ihm gegangen. Sie kündigte ihren lukrativen Vertrag bei einer bekannten Kosmetikfirma. Sie wollte nicht mehr in der *Vogue* abgebildet sein. Auf Filmangebote reagierte sie nicht. Gerüchten zufolge lebte sie auf einem Bauernhof in Südfrankreich, in den Cotswolds oder auf irgendeiner Insel. Dann gab es nicht einmal mehr Gerüchte. Ich habe sie nie mehr wieder gesehen. Aber vergessen habe ich sie auch nie. Ich nehme an, ich habe sie geliebt. Aber sie war Teil meiner Vergangenheit, die ich um des Überlebens willen verdrängen musste.

Doch jetzt, zwanzig Jahre danach, in Tanger, neben Heidi Dillinger im Bett, dachte ich an Annie DeWinter, an den Geruch ihres Shampoos, an die Art, wie sie beim Zuhören mit den Fingern gegen die Lippen tippte, und an ihre Leidenschaft für Kunst – sie war eine der Ersten gewesen, die Egon Schiele sammelte. Ich wachte auf, dachte an Annies Gesicht und sah es vor mir. In meiner Vorstellung trug sie die Ohrringe, die ich ihr einst geschenkt hatte. Sie liebte diese Ohrringe, machte sie zu einem ihrer Markenzeichen, wahrscheinlich, da bin ich sicher, weil ich sie aus einem Kaugummiautomaten gezogen hatte.

Wir saßen beim Frühstück. Heidi machte sich Notizen und beschwerte sich wieder einmal, dass der Arzt, der JCs Totenschein ausgestellt hatte, vor zehn Jahren gestorben war. Sie schimpfte ausgiebig über die lasche Art, wie man die Dinge in Tanger damals gehandhabt hatte. »Alles ist möglich. Sie hätten genauso gut einen an Altersschwäche gestorbenen Kameltreiber verbrennen können, kein Hahn hätte danach gekräht. Vielleicht ist auch überhaupt niemand kremiert worden. Überleg doch mal, Lee«, drängte sie. »Du warst völlig am Ende, kannst dich an gar nichts mehr erinnern. Und Will Sasser ist nur Journalist. Und so, wie er heute aussieht, möchte ich wetten, dass er während der letzten zehn Jahre ständig zugekifft war. Bleiben also nur Clive Taillor und JC selber ... JC war ausgebrannt, konnte keine Songs mehr schreiben, wollte ein neues Leben anfangen. Vielleicht hatte er auch von Annie DeWinter die Nase voll. Und ich möchte dir zwar nicht zu nahe treten, aber von deinem Zustand hatte er bestimmt auch die Nase voll. Daher beschloss er, sich abzusetzen, solange es noch ging – weil er vielleicht nie mehr die Gelegenheit bekommen würde. Er hatte mehr Geld, als er zählen konnte. Er hat Taillor den Moon Club in

Zürich verschafft, hat dich Taillor anvertraut, damit er dich sicher in die Klinik brachte. Und damit war er frei. Er und Taillor haben vermutlich den perfekten Plan ersonnen, und nun glaubt alle Welt, dass er tot ist ...«

Als sie kurz innehielt, um Luft zu holen, stellte ich meine Tasse hin und legte meine Hand auf ihre. »Heidi«, sagte ich geduldig, »er ist tot.« Ein Lächeln begleitete meine Worte. Ich ignorierte meine Kopfschmerzen und das Verlangen, dauernd an die Naht fassen zu wollen. Ich versuchte den Gedanken zu verdrängen – aber am liebsten hätte ich mich wieder für ein halbes Jahr in die Feldstein-Klinik begeben.

»Das ist doch nur Gerede von dir, und du weißt es. Du weißt, dass ich Recht habe. Du weißt, dass die hartnäckige Heidi Dillinger eine Spur aufgenommen hat.«

Kurz vor Mittag rief Sam Innis an. Heidi und ich stritten gerade über unser nächstes Reiseziel. Ich war der Hemmschuh, denn sie hatte beschlossen, dass wir nach Zürich fahren und mit Clive Taillor über die alten Zeiten reden sollten. Ich wünschte immer mehr, mich nicht auf dieses Unternehmen eingelassen zu haben. Ich wollte nur nach Hause. Aber ich wollte auch die halbe Million mit der Option auf mehr. Und vor allem wollte ich dieses Gespenst namens JC Tripper loswerden.

Das Gespräch mit Innis war ziemlich einseitig, Heidi hörte fast nur zu. Ich ging ins Bad und kam wieder heraus, stand am Fenster und ließ mich auf einen Stuhl sinken. Dann stand ich wieder auf und wanderte ruhelos im Zimmer auf und ab. Ab und zu gelang es Heidi, ein Wort einzuwerfen, sie erzählte Innis, was er hören wollte. Endlich legte sie auf und blieb geistesabwesend sitzen.

»Und?«, fragte ich.

»Wir fahren nach Rom. Jetzt gleich.«

»Und was ist mit Zürich?«

»Rom.«

»Sei doch nicht so geheimnisvoll!«

»Innis hat von einem anderen Beteiligten gehört.«

»Ich möchte lieber nicht raten.«

»Thumper Gordon«, sagte sie.

Jetzt hatte ich erst recht Kopfschmerzen.

Die ganze Sache war völlig außer Kontrolle geraten, und wir hatten noch nicht einmal zu Mittag gegessen.

Heidi machte sich auf den Weg, um die Flugtickets zu besorgen. Ich stand am Fenster unseres Hotelzimmers und starrte auf den Verkehr, versuchte mich an Thumper und Annie zu erinnern. Mir graute schon jetzt vor einem Wiedersehen. Ich war so in Gedanken versunken, dass ich den Platz unten vor dem Hotel gar nicht richtig wahrnahm.

Auf einmal erblickte ich Heidi, die in ihrer typischen zielstrebigen Art durch die Menge ging. Sie wollte unsere Tickets abholen.

Doch dann sah ich eine andere Gestalt, die sie rasch einholte. Heidi drehte sich um, nickte kurz, dann ging der Mann neben ihr. Sie sprachen hastig, als hätten sie nicht viel Zeit. Sie gaben ein sehr seltsames Paar ab, fand ich. Und ihr Anblick jagte mir Angst ein. Wieder einmal wurde ich hintergangen. Allmählich gab es immer weniger Menschen, denen ich vertrauen konnte.

Ich schaute zu, wie Heidi Dillinger und Morris Fleury in der Menge verschwanden.

13.

Es hätte schlimmer kommen können.
Der Flieger nach Rom hätte entführt werden können, von Libyern oder Iranern oder der PLO; wir hätten irgendwo am Rande einer Rollbahn gestanden, ohne Klimaanlage und unter Bewachung von schwitzenden Flugzeugentführern, die mit ihren Maschinenpistolen vor unserer Nase rumfuchtelten. Oder eine Bombe hätte hochgehen können, und wir wären in Fetzen auf das Mittelmeer herabgeregnet. Oder wir hätten gezwungen werden können, das Essen an Bord zu verzehren. Nichts davon geschah, und ich hätte mich glücklich schätzen können. Doch Sie wissen ja, wie das so ist – richtig zufrieden ist man nie. Im Augenblick schlug ich mich mit der Erkenntnis herum, dass meine Bettgenossin, meine kühne Kämpferin, meine Geschäftspartnerin mich belog, dass sie ein doppeltes Spiel spielte und ein neues Bündel Geheimnisse hütete. Und zwar ein Bündel mit Namen Morris Fleury, diese ramponierte, obskure Kreatur der Finsternis.

Manchmal, in meinen lichtesten Momenten, kam es mir so vor, als ob er nur zufällig in die Story geraten sei, doch meistens hatte ich das miese Gefühl, dass er sich am Ende als Angelpunkt erweisen und mich nach allen Regeln der Kunst eines Harry Lime fertig machen würde. Was diesen

Fleury anging, hatten sie alle gelogen. Angeblich kannte ihn keiner; er war wie ein zwielichtiger Gast, den niemand eingeladen hatte. Aber der große Tycoon Cotter Whitney hatte mit Fleury im Mondschein auf dem Bootssteg gesprochen. Fleury war in Sally Feinmans Loft gewesen und hatte ihrer verbrannten, verstümmelten Leiche Gesellschaft geleistet. Er hatte mich Pfeife rauchend auf der Terrasse meiner eigenen Wohnung erwartet, um mir mitzuteilen, dass Sally hinter meinem Rücken eine Akte über mich angelegt hatte ... Und nun hatte auch Heidi gelogen, hatte so getan, als würde sie ihn nicht kennen. Fleurys bloße Existenz schien die Leute zu diesen Lügen zu treiben.

Warum leugnete Heidi, dass sie diesen Menschen kannte? Was wusste sie, das ich nicht wissen durfte? Was für eine Art Armleuchter sollte ich sein? Zogen wir denn nicht am selben Strang?

Für wen arbeitete Fleury? War er mir aus Minnesota nachgereist? Sollte er jeden meiner Schritte verfolgen? Oder sollte er, falls er für Whitney arbeitete – zweifellos die beste Annahme –, Heidi und mich beobachten, weil wir im Auftrag von Sam Innis oder Bechtol unterwegs waren? Aber warum sollte er sich dann heimlich mit Heidi treffen? Das konnte er doch nicht machen, wenn er sie bespitzelte ... es sei denn, er spielte ein doppeltes Spiel und betrog seinen Auftraggeber.

Sie sehen schon, wohin zu viel Grübeln führen kann.

Aber mein Kopf pochte ohnehin. Ich beschloss, nie mehr mit diesem Körperteil durch die Wand zu wollen. Und je mehr ich über Heidi Dillinger und Morris Fleury nachdachte, desto schlimmer wurden die Kopfschmerzen. Es ist immer zermürbend, wenn man unerfreuliche Tatsachen über den Menschen herausfindet, mit dem man das Bett teilt ... über den Menschen, dem man vertraut.

Ich war in einer lausigen Stimmung und entsprechend wachsam, als wir zum Hotel Hassler in Rom gelangten und Sam Innis in die Klauen fielen. Heidi hatte bestimmt gemerkt, dass ich sie behandelte wie ein grober Klotz, aber vielleicht schrieb sie es meinem Alkoholmissbrauch in Tanger und dem nachfolgenden seelischen Kater zu. An der Rezeption warteten bereits einige Nachrichten auf uns. Auf meinen Namen war ein Zimmer reserviert. Innis wollte, dass Heidi sogleich zur Berichterstattung in seine Suite kam. Ich sollte mich in mein Zimmer begeben. »Dusch dich und nimm 'nen Drink, Miezekatze«, hatte er geschrieben.

Gehorsam wie stets kam ich seinem Befehl nach. Eine Dusche wollte ich der Naht am Kopf allerdings nicht zumuten. Also legte ich mich in die Wanne und genoss das heiße Wasser, das meine Schmerzen der Bacchanalien in Marokko heilte. Dabei kam mir ungebeten das Bild von Sally Feinman in ihrer Wanne vor Augen, und ich roch wieder das verbrannte Fleisch; aber dies Bild verging rasch, und mein Unterbewusstsein widmete sich einigen Elementen der JC-Tripper-Affäre. Ich ertappte mich dabei, wie ich die wehmütige Melodie von »Alles ist dunstig in Tanger« summte. Ich fragte mich, warum der Song an Freddie Rosen geschickt worden war und von wem – was hatte das nur zu *bedeuten*? Warum hatten Sally und Shadow sterben müssen? Was hatten sie mit der Suche nach meinem Bruder zu tun? Hinter geschlossenen Augenlidern sah ich wieder das Flugzeug kreiseln und in Cotter Whitneys See stürzen ... Ich sah, wie Bill Stryker die mit Kokain präparierten Kissen rettete, und ich versuchte das in Beziehung zu setzen zu jener Art Mensch, der Whitney zu sein schien. Doch es wollte nicht recht passen ... Ich sah, wie Heidi Dillinger mich auf so elegante Art in der Fifth Avenue angesprochen hatte, wo Mellow Yellow seine Kartentricks vorführte ... Ich roch den Kirschtabak in meiner dunklen Wohnung, in dem engen Treppenhaus bei Sally, in der Hitze am Bootshaus ... Ich versuchte festzustellen, welche Rolle der Konzern MagnaGroup bei alldem spielte, doch es war hoffnungslos: Magna hatte überall die Finger im Spiel.

Das Telefon schreckte mich auf. Sam wollte mich sprechen.

Drei Menschen warteten auf mich. Ich kam mir vor wie ein Examenskandidat, der im Begriff steht, seine mündliche Prüfung zu verpatzen. Sam Innis war zwar ohne seine wilde Sturmnacht angereist, war aber in seinen zerknitterten Khakihosen und dem Buschhemd ein vertrauter Anblick. Das drahtige Haar seiner Unterarme passte zu seinem Bart, der einem Ako-Pads nicht unähnlich sah. Seine Füße steckten in Bergschuhen, die auf dem vergoldeten Couchtisch ruhten. Er begrüßte mich und bedeutete mir, in einem vergoldeten Stuhl mit brokatbezogenem Sitz und Lehne Platz zu nehmen. Das Sitzmöbel sah reichlich wackelig aus. »Cotter kennst du ja«, sagte er, und Whitney mit seinem runden Chorknabengesicht stand auf und gab mir die Hand. Er trug einen leichten grauen Nadelstreifenanzug und roch nach Royall Lyme. »Und dieser große Kerl ist mein Verleger, Hugo Ledbetter.« Ledbetter war mindestens so riesig wie in jener Nacht, als ich ihn Eleanor Whitneys Rollstuhl hatte schieben sehen. Allerdings trug er jetzt keinen voluminösen Kaftan, sondern einen dunkelblauen Anzug. Sein Kopf mit dem riesigen, grau gesprenkelten Bart hatte die Ausmaße eines Rolls-Royce-Motorblocks. Er maß mindestens einen Meter fünfundneunzig und musste über dreihundert Pfund wiegen. Als er aufstand, schien das Zimmer sich um dreißig Grad zu neigen. »Mr Tripper«, dröhnte es aus seinem mächtigen Brustkasten hervor. Seine Stimme erinnerte an Orson

Welles oder an Gott, suchen Sie sich aus, was Ihnen besser zusagt. Seine Hand glich einem Schaufelbagger. Heidi Dillinger war nirgends zu sehen.

Sam Innis deutete auf ein Tablett mit Diät-Cola und Eiseimer. »Ein Komfort wie zu Hause. Feuchte die Kehle an, Lee. Tanger macht durstig, wie ich gehört habe.«

»Du weißt ja nicht, wie sehr«, gab ich zurück.

»Doch, das wissen wir. Heidi hat uns deine Abenteuer haarklein erzählt. Wie geht's deinem Schädel?«

»Erinnert mich an alte Zeiten«, sagte ich.

»Tut mir Leid, das zu hören.«

»Ich werd's schon überleben.«

Innis nickte. »Und – was denkst du nun, Lee? Ist JC noch am Leben?«

»Ich wüsste nicht, warum. Und ich hab in Tanger nichts erfahren, das für das Gegenteil spräche.«

Heidi musste ihm etwas gesteckt haben, das er hören wollte – in der Jobbeschreibung hatte vermutlich gestanden, sie dürfe ihren Boss niemals enttäuschen –, und nun beharrte Innis darauf, über Tanger und Will Sasser zu schwafeln. Ich beobachtete seine kleinen stechenden Augen, die mir das Gefühl gaben, ein Schmetterling zu sein, der auf einem Schaubrett aufgespießt wurde. Seit dem College war so viel Zeit vergangen, dass ich mir nicht einbilden durfte, diesen Mann zu kennen. Und er war ganz bestimmt nicht mein Kumpel. Die aktuelle Frage lautete eher, ob er eventuell mein Feind war. Heidi arbeitete für Innis und hatte mich belogen, denn sie kannte Morris Fleury. Kannte Innis ihn also auch? Und wenn dem so war, hatten sie dann mit dem Mord an Sally Feinman zu tun … über den Morris Fleury ja Bescheid wusste? Und vielleicht sogar begangen hatte? Die Anspannung ließ mich nach einer Diät-Cola lechzen.

Ich war in der absurden Position, dass ich nicht wagte,

Fragen zu stellen, aus Angst, wie die Antworten ausfallen mochten. Wenn der Feind – wer immer es auch war – sich im Zimmer befand, würde ich ihm durch meine Fragen verraten, dass ich unter die Zeltplane gespäht und einen Blick auf das Monstrositätenkabinett geworfen hatte. Wer war mein Feind? Jeder, der mich belog? Oder wollten sie mir nur die unwesentlichen Fakten verschweigen? Warum sollte überhaupt irgendjemand mein Feind sein? Was hatte ich ihnen getan? Im ungünstigsten Fall war ich nur der Judas, der JC aus seiner Deckung locken sollte – und das war für mich das schlimmste Szenario. Aber JC hatte selbst genug Feinde. Und JCs Feinde waren auch meine Feinde, oder nicht? Es mag andere, bessere Sichtweisen der Situation gegeben haben, aber ich hing an meiner fest. Und ich war sowohl verwirrt als auch verängstigt und versuchte beides zu verbergen.

Cotter Whitney legte sein rundes, leutseliges Gesicht in erwachsene Sorgenfalten und rutschte auf seinem Sitz vor. »Es gibt eine neue Entwicklung, Lee, die sehr bedeutsam sein könnte. Sie müssen es hören.«

Ich nickte und wartete gespannt. Ledbetter stand am Fenster, das auf die Spanische Treppe hinausging. Deutlich erkennbar summte er die Ouvertüre von Elgars Cellokonzert.

Whitney fuhr ein wenig verwirrt fort: »Wie es scheint, haben wir Nachricht von Mr Thumper Gordon.«

»Es scheint?«, sagte Innis säuerlich. Er kraulte seinen Bart, dass die Schuppen flogen. »Es scheint? Seien Sie nicht so ein Schlappschwanz, Cotter ...«

»Nun, wir können ja nicht beweisen, dass es wirklich Gordon war«, sagte Whitney. Er legte eine Engelsgeduld an den Tag, zweifellos sein üblicher Stil in einer schwierigen Situation.

»Wir müssen so tun, als ob es stimmt«, fauchte Innis. »Und Schluss!«

»Hört mal, euer Zank ist ja ganz niedlich«, sagte ich, »aber dafür braucht ihr Mädels mich doch nicht.«

»Vorsicht, Bürschchen«, sagte Innis und wedelte mahnend mit dem Zeigefinger.

Ich stand auf. »Sam, alter Kumpel, du kannst mich mal.« Ich kam bis zur Tür, als seine gebieterische Stimme mich zurückrief. Auf dem Weg zum Stuhl rang ich mir ein gequältes Lachen und eine Entschuldigung ab. »Ihr Typen müsst euch mal entspannen«, riet ich ihnen. »Es ist alles nur ein Spiel. Ihr wisst genau, dass JC tot ist. Wir jagen alle unserem Schwanz nach. Musst du deinen Roman halt über einen toten Rockstar schreiben, Sam.«

»Das werden wir ja sehen«, gab er zurück.

»Manchmal«, sagte ich, während ich mich wieder setzte, »glaube ich fast, dass diese Geschichte überhaupt nichts mit diesem angeblichen Roman zu tun hat. Ich glaube, ihr alle habt mich vom ersten Tag an beschissen ... Ich beschwere mich nicht, ist schließlich euer Geld. Aber ich wünschte, ihr wärt bessere Lügner. Wir haben 'ne Menge Leichen, wir wissen, dass die Morde mit JC und Magna und wer weiß wem noch zusammenhängen ... und ich werde allmählich nervös. Ehrlich gesagt, ich halte euch zwar für mächtig tolle Kerle, aber trotzdem ist mir ein klein bisschen komisch zumute.« Alle starrten irgendwohin, nur mich schaute keiner an. Nicht gerade höflich. Ich gab nach. »Also«, fuhr ich herzlich fort, »wie geht's dem alten Thump?«

»Er hat nur einen Brief mit dem Poststempel von London geschickt. Darin fragte er, wie Freddie Rosen und mir ›Alles ist dunstig in Tanger‹ gefällt. Offenbar hat er den Song an Freddie geschickt. Jedenfalls kam dieser Brief aus London von Thumper oder von jemand anderem, der den Song kannte.« Whitney stieß einen müden Seufzer aus. »Mit anderen Worten, ein Erpresser.«

»Eine heikle Art der Erpressung«, unterbrach Innis.

»Passt gar nicht zum alten Thump«, bemerkte ich.

»Ist mir scheißegal, wie es für dich klingt.«

»Vorsicht, Bürschchen«, sagte ich leise und drohte Innis mit dem Finger. »Ich steh kurz davor, dir dein Geld in den Arsch zu schieben und euch ein für alle Mal den Rücken zu kehren.«

»Den Teufel wirst du tun«, sagte er grinsend.

»Leute, Leute«, sagte Whitney, »lasst uns friedlich bleiben. Lee, ich denke schon, dass es leider eine Art Erpressung ist. Sehr dezent, aber …«

»Wenn es watschelt wie 'ne Ente«, sagte Innis, »quakt wie 'ne Ente und aussieht wie 'ne Ente …«

»… dennoch mit einer leichten Drohung. Mr Gordon behauptet, in seinem Besitz befänden sich viele unveröffentlichte Songs aus JCs letzten Monaten. Den Song über Tanger habe er als Beweis geschickt. Und nun will er mit Magna über die Rechte verhandeln – nebenbei behauptet er, Koautor vieler Songs zu sein. Er will mit Magna über die Veröffentlichung und die Aufnahmen verhandeln … und er will, dass Magna keinen Vorschuss zahlt, sondern ihm das Geld für ein Musiktherapiezentrum für verhaltensgestörte Kinder schickt. Ich sehe Sie lächeln – darf ich fragen, warum?«

»Weil es so wunderbar ist«, sagte ich. »Wahrscheinlich meint er es sogar ernst.«

»Und auch Sie bezieht er mit ein. Ein Aspekt seines Plans, den Sie vielleicht nicht so erheiternd finden werden. Da Sie JCs Erbe sind, fallen die Tantiemen natürlich an Sie, und es ist eine beträchtliche Summe. Aber Mr Gordon versichert, dass Sie bereit sein würden, diese Tantiemen ebenfalls seinem Projekt zu spenden … er *garantiert es*.« Whitney hielt inne, schürzte die Lippen und starrte mich lange an. »Sagen Sie, Lee, hat Mr Gordon sich mit Ihnen in Verbindung gesetzt?« Er sah aus, als hätte man ihm sein Dreirad gestohlen.

Ich lachte und schüttelte den Kopf. »Aber ich kann Ihnen versichern, dass es wirklich Thumper ist, der dahintersteckt. Und wissen Sie was? Er hat Recht. Ich werde die Tantiemen auf sein Projekt überschreiben. Das ist völlig korrekt so. Mann, was für finstere Machenschaften!« Ich konnte nicht aufhören zu grinsen.

»Aber darf ich in meiner Eigenschaft als Manager fragen«, sagte Whitney leise, »was für Magna dabei herausspringt?«

»Na, das liegt doch auf der Hand. Es wäre geradezu demütigend, wenn ein anderes Label ein Best-of-Album von JC herausbrächte. Ganz schlecht für euer Image. Und überdies könnt ihr eure gute Tat in die Zeitung bringen ... dass ihr euren Anteil am Kuchen diesem edlen Projekt spendet. Sehr gut fürs Image. Und wenn Thumper eine neue Band gründet, hättet ihr ihn in der Hand, könntet ihm eure Bedingungen diktieren ... aber versucht bloß nicht, die Leute glauben zu machen, dass irgend so ein fünfundzwanzig Jahre alter Vertrag mit JC noch gültig wäre. Versucht das bloß nicht! Also, warum schluckt ihr die Pille nicht, schreibt ihm 'nen netten Brief, versprecht ihm 'ne Party in L.A., die die Stadt nie vergessen wird ...«

»Diese herzergreifende Unschuld steht Ihnen gut, Lee«, sagte Whitney. »Doch ich bin überzeugt, dass mehr dahintersteckt.«

Innis grub immer noch in seinem Bart nach der Goldader. »Du willst doch nicht behaupten, dass du diesen Scheiß glaubst, Lee?«

»Warum denn nicht?«

»Oh, Lee, jetzt halt mal die Luft an!«

»Ich weiß nicht, warum ich das tun sollte. Aber wenn du's nicht glaubst, was willst du dann dagegen machen?«

Innis zuckte die Achseln.

»Du musst mit ihm reden«, schlug ich vor.

»Tja, das können wir eben nicht«, erklärte Whitney. »Er hat uns nicht mitgeteilt, wo oder wie wir ihn erreichen können. Und er ist ja seit Jahren von der Bildfläche verschwunden.«

Sie setzten das Gespräch fort. Ich erfuhr, dass Heidi auf Innis' Anweisung hin bereits abgereist war und mich in Zürich treffen würde, wo wir Verbindung mit Clive Taillor aufnehmen sollten. Innis betonte noch einmal seine Überzeugung, dass JC noch am Leben war und dass wir ihn bald aus seiner Deckung scheuchen würden. Ich gab ihm zu verstehen, dass es sein Geld und seine hirnlose Überzeugung seien und dass ich weiter mitspielen würde. Whitney kaute verstohlen an seinen Nägeln. Hugo Ledbetter sagte kein einziges Wort.

Natürlich gab es eine Unterströmung, von der ich wenig oder gar nichts wusste. Aber ich konnte sie spüren: Sie hing den dreien an, als wären sie gerade kinntief durch einen Sumpf mit dem Zeug gewatet. Auf dem Weg in mein Zimmer sann ich darüber nach und beschloss nach reiflicher Überlegung, dass ich es gar nicht wissen wollte. Nein, das stimmte nicht ganz. Ich wollte es schon wissen. Aber ich konnte mir gut vorstellen, dass es mich um meinen Seelenfrieden bringen würde.

Auf dem Schreibtisch in meinem Zimmer lehnte ein Umschlag mit dem Flugticket nach Zürich und einer Hotelreservierung. Ich legte mich aufs Bett, den Kopf voller unbeantworteter Fragen und schrecklichem Argwohn. Ich wünschte mir Heidi an meine Seite – und dann fiel mir ein, dass ich ja auch mit ihr nicht mehr offen reden konnte. Nicht bevor ich herausbekam, was sie mit Morris Fleury zu schaffen hatte. Und das würde bei meinem Tempo vermutlich ewig dauern.

Ich dachte auch an Annie DeWinter, an ihr glänzendes

schwarzes Haar, das Stirnband in den leuchtenden Farben, an ihre winzigen Brüste ohne BH in der Fransenweste, die hohen Stiefel ... Mein Gott, wie lang war das alles her! Ich überlegte, wie sie jetzt aussah, welche Beziehungen sie eingegangen war, was sie erfahren und gelernt hatte, worüber sie weinte oder lachte, jetzt, zwanzig Jahre später. Sie bemächtigte sich meiner Gedanken, sie nagte und zerrte an mir wie früher – und da klingelte das Telefon. Die Stimme am anderen Ende war so tief, dass mein Trommelfell zu vibrieren begann. Es war Hugo Ledbetter. Er wollte mit mir dinieren. Er nannte mir eine Adresse in Trastevere, sagte mir, über welche Brücke ich gehen müsse, und riet mir, vor dem Überqueren dieser Brücke aus dem Taxi zu steigen. »Ich muss Sie sprechen, Mr Tripper. Und zwar allein.«

»Und Sie schicken mir keine Korsage oder Pralinen?«

»Ich bin sicher, dass Ihr Humor in Ihren Kreisen ein Renner ist, Mr Tripper, auf mich aber macht er wenig Eindruck.«

»Dann haben Sie's also nicht auf meinen Körper abgesehen?«

»Sie sind überhaupt nicht mein Typ, Sir. Es geht um etwas Geschäftliches. Sie dürften entdecken, dass wir ähnliche Interessen haben. Seien Sie um Punkt neun da, Mr Tripper, sonst werde ich sehr ungehalten.«

»Cotter Whitney ist ein hoffnungsloser Waschlappen, das ist das Problem bei der ganzen verdammten Geschichte. Er kennt sich mit Tiefkühlerbsen und mit Fastfood-Burgern aus, hat aber keine Ahnung von der Unterhaltungsbranche. Mein Gott, ich bin auch so ein Fachidiot mit meinem Verlag ... und deshalb sollte mein neuer Geschäftspartner lieber wissen, was er tut. Na ja, das ist die Quintessenz dessen, worum es geht, der Bodensatz sozusagen.«

Hugo Ledbetter verputzte soeben das zweite Pfund Linguine mit Muschelsauce; ab und zu pickte er Muschelreste aus seinem Bart. Wir saßen an einem Holztisch im Hinterzimmer eines Lebensmittelladens. Auf den Tischen flackerten Kerzen, Wachs tropfte auf die saucenbekleckerte Tischdecke. Ledbetter trug einen Strohhut, um den Van Gogh ihn beneidet hätte, einen violetten Kaftan, alte Kordhosen und schwere Sandalen. Seine Schaufelhände drehten geschickt die Gabel mit der Pasta. Den Rotwein trank er wie Wasser. Er wirkte wie ein Wesen aus einer anderen Welt, der Stimme nach Darth Vader.

»Jemand erpresst Magna«, sagte er, »und das geht mir gewaltig auf den Geist. *Jemand.* Wer? Ihr verstorbener Bruder? Thumper Gordon? Woher soll ich das wissen? Ich bin Verleger. Bin zwar nicht von den Einkünften aus meinem Verlagshaus abhängig ... Aber ich bin kein Schwachkopf. Ich rieche es, wenn da irgendwo ein Furz ist, und dieser Deal riecht ganz stark danach.«

»Ganz sicher, dass Sie nicht zufällig auch Schriftsteller sind?«

Ledbetter schob sich ein beträchtliches Quantum warmes, knuspriges Brot in das Loch mitten in seinem Bart. Dann streckte er die Hand nach der Platte mit den Antipasti aus und schaute mich verblüfft an. »Sie haben ja alle Anchovis aufgegessen!«

»Leckere salzige Dinger«, sagte ich.

»Wie schade!«

»So spielt das Leben.«

»Mord. Erpressung. Was steckt dahinter? Eine sehr schwierige Frage, Mr Tripper. Mich interessiert diese Angelegenheit jedoch nur insoweit, da ich in diesen Deal mit Magna verwickelt bin. Mein Verlag existiert seit über hundert Jahren und braucht keine Unterstützung durch eine riesige Muttergesellschaft. Wir kommen auch so zurecht. Selbst wenn Allan Bechtol uns verlassen sollte – falls Magna einen anderen Verlag aufkauft oder selbst einen aufbaut –, würden wir es ohne große Verluste überstehen. Ich leugne nicht, dass die Fusion uns gewisse Vorteile bringt, aber die sind nicht lebenswichtig. Wenn jedoch Menschen ermordet werden und mein Autor aktiv oder als Opfer in ein Spiel verwickelt ist, das ich nicht durchschaue, wenn ein toter Rockstar womöglich gar nicht tot ist und auch mit der Sache zu tun hat – dann, Mr Tripper, rieche ich einen Furz. Und wenn ich einen Furz rieche, werde ich unruhig. Ich habe Whitney ganz offiziell mitgeteilt, dass ich noch unschlüssig bin, und nun ist er unruhig. Er wollte den berühmten Verleger einsacken, wollte ihn als Trophäe an die Wand hängen. Er will nicht als Versager dastehen, so einfach ist das. Er will nicht hören, dass er am Rande einer Pleite steht ... Mr Tripper, was geht da bloß vor?«

»Sehr schlimme Dinge«, antwortete ich.

»Wie aufmerksam von Ihnen«, sagte er zwischen einzelnen Happen.

»Ich blicke auch nicht durch. Aber Ihr Instinkt trügt nicht, würde ich meinen. Irgendwo in diesem ganzen Chaos werden wir auf Drogen stoßen ...«

»O verdammt!«

»... und auf Mord und ... was noch? Nennen Sie mir irgendetwas Unangenehmes, und ich garantiere Ihnen, dass wir das auch noch serviert bekommen.«

»Warum machen Sie überhaupt mit? Liegt Ihnen so viel daran, Ihren Bruder zu finden?«

»Ich möchte JC Tripper ein für alle Mal zur Ruhe betten. Wenn ich Innis – Bechtol – überzeugt habe, dass er tot ist, hab ich's wohl endlich geschafft. Deshalb bin ich dabei. Und natürlich geht es mir um das Geld. Nicht nur um die

Summe, die Bechtol mir zahlt. Können Sie sich vorstellen, wie diese Geschichte sich auf den Verkauf von JCs Alben auswirken wird? Und ich bin sein Erbe ... ich kann's mir leisten, Thumper für die neuen Songs Tantiemen hinzublättern. Also besteht mein Hauptanliegen darin, dass JC tot ist, endgültig und unwiderruflich tot ... und mir liegt nichts daran, ihn zu finden.«

»Das könnte aber zum Problem werden, Mr Tripper.«

»Warum? Ich könnte mir locker eine ganze Hand voll Probleme ausdenken, aber was meinen Sie damit?«

»Ich bin ziemlich sicher, dass JC Tripper noch lebt.«

»Das halte ich für verdammt unwahrscheinlich.«

»Nun hören Sie doch mal zu, Sie ungeduldiger Mensch. Alles hängt mit JC zusammen, denken Sie doch nach! Glauben Sie denn, all diese Dinge wären nur zufällig geschehen? Wohl kaum. Nein, ich glaube, die Geschichte beginnt bei Cotter Whitney ... und JC Tripper. Aus irgendwelchen Gründen täuschte JC vor zwanzig Jahren seinen Tod vor, lebte fröhlich weiter und beschloss dann – seine Gründe tun hier nichts zur Sache –, Magna zu erpressen. JC weiß genug über Magna, über Drogengeschichten beispielsweise oder finanzielle Unregelmäßigkeiten, um denen eine Höllenangst einzujagen. Er meldet sich bei Whitney, schickt den Song, trägt seine Forderungen vor – kurz, er macht dem kleinen Waschlappen die Hölle heiß. Aber Whitney weiß nicht, ob der Erpresser JC ist oder Thumper oder irgendein dahergelaufener Irrer. Oder ein Mittelsmann. Also wendet er sich an Bechtol mit der Idee für einen Roman über den getürkten Tod eines Rocksängers. Bechtol gefällt das Projekt. Er ist mit JC und Ihnen zur Schule gegangen, das passt ihm gut ins Konzept, und er wendet sich an Sie, erzählt von seiner Idee für den Roman, erzählt genug über den Hintergrund, um Ihr Interesse zu wecken. Und zur selben Zeit bricht um Sie herum die Hölle los, weil das wirkliche Leben mit Mord im Gefolge Einlass begehrt, und Sally Feinman wird tot aufgefunden. Alles kommt zusammen: Bechtol, Sally Feinman, dieser Discjockey in Los Angeles, sie alle hatten auf irgendeine Weise mit JC zu tun. Und nicht zu vergessen, mit *Ihnen*, junger Mann ...« Er leerte unsere zweite Flasche Wein, während ich an einem riesigen Kalbsschnitzel herumsäbelte. »Mein Szenario ist die Antwort auf die einzig relevante Frage in dieser mysteriösen Geschichte – können Sie sich vorstellen, wie diese Frage lautet?« Eine dritte Flasche Wein wurde gebracht, und Ledbetter schenkte uns ein.

»Wie lautet die Frage?«

»Warum sind die so besessen davon, JC zu finden? Warum so verzweifelt? Warum warten sie nicht, bis er auf sie zukommt? Wenn sie ohnehin zahlen müssen – warum die Eile?«

Er grinste, als hüte er hinter seinem gewaltigen Bart unzählige Geheimnisse. »Weil sie übermächtige Angst vor dem haben, was er gegen sie in der Hand hat – sie können nicht warten, sie dürfen nicht auf ihr Glück bauen. JC spielt mit ihnen, und das halten sie nicht aus. Whitney scheißt sich vor Angst in die Hose, um es mal salopp auszudrücken. Sie wollen mit JC verhandeln ...«

»Machen Sie sich doch nichts vor«, sagte ich. »Wenn Sie Recht haben mit dem, was Sie da zusammenfaseln, dann wird man ihn töten.«

»Ich weiß nicht, ob das der richtige Schluss ist.« Ledbetter tupfte sich den Mund mit der triefenden Serviette ab. Man hätte sie auskochen und Suppe davon machen können. »Ich weiß nicht, ob ich die Mörder unter Magnas Bossen suchen würde. JC selbst könnte doch allen Grund haben zu glauben, dass sie ihn umbringen wollen. Und dann mordet er, um zu verhindern, dass sie ihn finden – logisch, nicht wahr? Und wen sollte er wohl eher umbringen als die Menschen, die am besten wissen, wo er zu finden ist?« Seine Augen blitzten anzüglich unter den wilden, buschigen Brauen hervor. »Ich nenne keine Namen, wohlgemerkt.«

»Mein Bruder stellt keine Bedrohung für mich dar.«

»Sehr edel ausgedrückt. Aber wenn jemand ihn finden könnte, dann Sie, wie Allan ganz richtig sagt. Und deshalb sind Sie in größter Gefahr.«

»Mein Bruder ist tot.«

»Andere leider auch.« Ledbetter grinste. »In diesem Spiel gibt es einen Lügner und einen Schurken. Oder mehrere, allesamt sehr gefährliche Leute. Sie erwecken in mir den drängenden Wunsch, ganz woanders zu sein. Aber ich habe Ihre Geduld lange genug in Anspruch genommen, Mr Tripper. Ich wollte lediglich, dass Sie über die Lage zwischen Whitney, Bechtol und mir unterrichtet sind. Vielleicht interessiert es Sie, dass Whitney sich große Sorgen macht, ich könnte die Fusion wegen all dieser fragwürdigen Details platzen lassen ... Whitney wird wirklich erpresst, wenn nicht von Ihrem Bruder, dann von jemand anderem. Die Gefahr ist sehr real, Mr Tripper. Das wollte ich Ihnen klar machen. Die Motive dieser großen Männer sind seltsam, sie leben in einem Klima von Lügen und Verleugnungen und Angst und Gier und wissen nicht mehr, wer sie im Grunde sind. Sie haben sich in einer Wildnis der Angst verloren. Solche Männer sind gefährlich. Sie haben sehr viel zu verlieren und wollen ihren Besitz erhalten. Und das trifft auf uns alle zu.« Er hob die Augenbrauen. Ein koboldhaftes Grinsen erschien in dem Bartgestrüpp. »Selbst auf Sie, Mr Tripper. Ich habe alle genau beobachtet, und Sie sind zweifellos der Geheimnisvollste. Verraten Sie mir doch Ihr Geheimnis, Mr Tripper.«

»Ich bin der Einzige, der die Wahrheit sagt«, log ich.

Er brach in dröhnendes Gelächter aus, das mir in diesem

Augenblick sogar echt vorkam. »Ihr seid wirklich alle verrückt! Was, frage ich mich, wird wohl als Nächstes geschehen?«

Ich zuckte die Achseln. »Die Spannung bringt mich noch um.«

Das brachte ihn wieder so zum Lachen, dass der Tisch wackelte.

14.

Wie eine trudelnde Münze schlüpfte der Alitalia-Jet durch die Wolken der Abenddämmerung. Auf den silbrigen Flügeln spiegelte sich die untergehende Sonne. Endlich durchstieß er die unterste dunkle Schicht und geriet in den trüben Nebel über den Berggipfeln. Die dunkelgrünen Bäume wirkten fast schwarz und erinnerten mich an Märchen und Riesen und an jene Zeiten, als ich mich nachts unter der Bettdecke versteckt hatte. Als das Flugzeug auf der von oben winzig erscheinenden Landebahn aufsetzte, war ich in Gedanken immer noch bei bärtigen Bergtrollen mit knorrigen Keulen.

Im Zürcher Flughafen lief ich durch die hallenden Gänge. Er war das reinste Mausoleum, eine Art Elefantenfriedhof, zu dem die Pilger kommen, um vor dem Sterben ein letztes Mal ihr Geld zu besuchen. Alles war peinlich sauber. Das Taxi war ein erst kürzlich vom Fließband gerollter Mercedes, in dem ich mich von der Umwelt hermetisch abgeriegelt fühlte. Mit dem Fahrer konnte man kein Wort wechseln, und auch das Radio war nicht angestellt. Lautlos fuhren wir vor dem neuen, klinisch sauberen Hotel vor, das auf einem der bewaldeten Hügel am Stadtrand lag. Von meinem Balkon hatte ich Ausblick auf den riesigen Bahnhof und die Mündung der Limmat, wo früher das große Zentralhotel gestanden hatte. Der Nebel hing in den Baumwipfeln, und mit dem Sommer war es wohl endgültig vorbei. Das Straßenpflaster war nass, die Luft feucht.

Ich nahm ein Bad und überlegte, ob Heidi schon auf dem Weg war. Innis hatte gesagt, ich solle mir keine Sorgen machen, sie werde sich schon melden. Meiner Meinung nach wusste er vor Sorgen weder aus noch ein, aber das hatte nichts mit mir zu tun. Ich brauchte Heidi nicht, doch mir wäre wohler gewesen, wenn ich sie im Auge behalten konnte; andernfalls musste ich den Verdacht hegen, dass sie sich wieder heimlich mit Morris Fleury traf. Ich versuchte sie aus meinen Gedanken zu verbannen und dachte stattdessen an Clive Taillor. Innis hatte gesagt, Clive müsse besser als jeder andere wissen, wo JC steckte, und das stimmte auch – falls JC noch unter den Lebenden weilte. Clive und JC hatten sich wirklich nahe gestanden. Oder besser gesagt: Clive hatte JC länger ertragen.

Als ich im Telefonbuch nach Clive suchte, klopfte jemand an meine Zimmertür. Draußen stand ein Page mit einer Nachricht auf einem kleinen Silbertablett. Ich gab dem Jungen ein Trinkgeld und ging mit dem Brief zum Fenster. Schwach strahlten die Lichter der Stadt durch den dichter werdenden Nebel.

Auf dem Umschlag stand mein Name. Ich riss ihn auf. Er enthielt ein einzelnes Blatt mit dem Briefkopf des Hotels. Die Nachricht war kurz und bündig.

Taillor erwartet Sie in seinem Haus. Neun Uhr. Seien Sie pünktlich.

Darunter eine Adresse. Allerdings keine Unterschrift. Ich rief die Rezeption an und wurde mit dem Menschen verbunden, der sich um die Kommunikation im Hotel kümmerte.

Die Nachricht war telefonisch durchgegeben und von einem Angestellten getippt worden. Dieser Angestellte hatte bereits Feierabend. Da die Unterschrift fehlte, konnte man nicht nachprüfen, ob der Anrufer ein Mann oder eine Frau gewesen war. Ich fragte, ob man vielleicht vergessen habe, den Namen zu notieren? »Schon möglich, Sir«, antwortete der Mann, »aber dann war es ein Versehen der Person, die angerufen hat.«

Ziemlich mysteriös. Was sollte ich jetzt tun? Abhauen und mich verstecken? Ich war nach Zürich geflogen, um Clive Taillor zu sehen, doch die Mühe der Verabredung hatte man mir bereits abgenommen. Vermutlich steckte Heidi dahinter, im Auftrag von Innis. Und falls jemand anders mich in Clive Taillors Haus locken wollte – was konnte er mir dort antun, das er nicht jederzeit und überall tun konnte? Ich kam mir vor wie ein alter Indianerhäuptling mit dem Namen »Leichte Beute«.

Vorsorglich zog ich gute Klamotten an. Was kann einem schon passieren, wenn man gute Klamotten anhat? Ich wählte eine graue Hose, einen J.-Press-Blazer, ein blaues Hemd, eine gestreifte Krawatte und Ziegenlederschuhe, in denen man sich spiegeln konnte. War ich ein Hüter alter Traditionen oder nur hoffnungslos altmodisch? Oder ein abgehalfteter Rocker im vergeblichen Versuch, sich zu verkleiden?

Vor dem Hotel erwischte ich wieder einen Mercedes. Der Fahrer nickte nur, als ich ihm die Adresse sagte. Dann legte er eine Kassette von Vic Damone ein. Ich ließ mich in die Lederpolster sinken, machte das Fenster auf und ließ die kühle, neblige Luft herein. Es war zehn vor neun.

Das Fahrer brachte mich zu einer steilen, kurzen Sackgasse und sagte, ich müsse zum zweiten oder dritten Haus auf der rechten Seite. Ich stieg aus und streifte meinen Trenchcoat über. Die Straßenlaternen warfen lange Schatten auf den schmalen Bürgersteig. Zu beiden Seiten standen Nadelbäume dicht an dicht; ihr Duft erinnerte an Weihnachten. Die Häuser lagen hinter den Bäumen versteckt, doch man sah ihre Lichter.

Clive Taillors Haus jedoch war dunkel. Hohe Tannen säumten die schmale steinerne Treppe, die vom Bürgersteig zum Haus führte. Es war, als betrete man einen Tunnel. Die Nacht würde noch sehr feucht werden. In der Nähe bellte ein Hund, und ich hörte Gelächter. Offenbar wurde im Nachbarhaus eine Party gefeiert. Ich hatte den Tunnel durchquert und stand nun wenige Meter vor Taillors Haustür. Neben dem leeren Briefkasten brannte eine trübe Lampe, sonst war kein Licht zu sehen. Die Haustür sah massiv und stabil aus. Das Haus selbst war ein Mini-Chalet mit umlaufendem Balkon, ein ziemlich ungewöhnlicher Stil für Zürich. Am Balkon hingen Pflanztöpfe mit vernachlässigten Blumen. Im ersten Stock waren die Fensterläden zugeklappt. Es sah nicht gerade einladend aus.

Ich fasste den schweren Messingklopfer – einen Fuchskopf mit spitzer Schnauze, der so echt aussah, als würde er jeden Moment zu bellen anfangen – und hämmerte an die Tür, doch im Haus rührte sich nichts. Etwas anderes hatte ich auch nicht erwartet; ich wollte mich aber an die üblichen Höflichkeitsregeln halten. Falls es sich um eine Falle handelte, war ich voll hineingetappt. Das Einzige, das zu meinem Glück noch fehlte, war der Gestank nach Kirschtabak und ein Hauch von Schwefel. Aber es roch lediglich nach Nebel und feuchtem Laub. Im Nachbarhaus wurde eine Platte aufgelegt, und ich fühlte mich plötzlich um zwanzig Jahre in die Vergangenheit versetzt: »MacArthur Park« erklang in der Dunkelheit, und der *grüne Zuckerguss schmolz dahin* ... Diesen Song hatte ich seit Ewigkeiten nicht mehr gehört.

Wieder versuchte ich es mit dem Fuchs-Türklopfer,

schlich dann an der Hecke entlang ums Haus und versuchte in die dunklen Fenster zu spähen. Ich ging um das ganze Haus herum und hoffte, dass man mich nicht für einen Einbrecher hielt und die Bullen rief. Irgendwo knallte ein Sektkorken, ein paar Frauen lachten schrill. *Jemand hatte den Kuchen draußen im Regen vergessen und konnte das Rezept nicht mehr finden* ... Ich beendete meine Runde und stand wieder vor der Haustür.

Die Nachricht, die man mir hatte zukommen lassen, war offensichtlich ein Irrtum gewesen.

Um Viertel vor zehn war ich unten am Kai in einer kleinen dunklen Bar und schlürfte einen Bushmill's, während ich über die nutzlosen Schritte eines Narren grübelte. Irgendwie kam ich mir vor wie ein Mann, den man in einen tiefen, dunklen Brunnen geworfen hat. Das war zwar nicht witzig, aber ich merkte, dass ich wie ein dämlicher Loser in meinen Whisky grinste. Irgendwie hatte ich auch einen Wahnsinnshunger.

Der Barkeeper kam zu meinem einsamen Ende der Theke. Er schenkte mir einen frischen Drink in das dickwandige, viereckige Glas ein, und ich prostete ihm zu. »Das Leben«, tönte ich, »ist bestenfalls ein Witz.«

Er war Amerikaner und reagierte sofort. »Das können Sie laut sagen, Kumpel.«

Zum Dinner ging ich in ein Restaurant mit grau und cremefarben gestreiften Wänden, grauen Vasen voller Blumen, viel Zigarrendunst, vollbusigen Frauen in Dirndlkleidern, deren Männer hinter fleischigen Fäusten gähnten, sowie einem Streichquartett, das auf einer winzigen Empore in der Ecke fiedelte, was das Zeug hielt. Fast alle Anwesenden sprachen Deutsch. Ich hatte ein Gefühl von Anonymität, das hervorragend zu meiner zunehmend düsteren Stimmung passte. Ein leeres Haus vorzufinden, in dem man eigentlich eine Party oder ein Wiedersehen erwartet, kann einem Mann ganz schön zusetzen. Heidi steckte wahrscheinlich nicht dahinter. Irgendjemand hatte mir diese völlig falsche Information zukommen lassen und nicht einmal so viel Anstand besessen, seinen Namen zu nennen.

Eine große, schlanke Frau mit langen schwarzen Haaren starrte mich an; dann wendete sie rasch den Blick ab. Sie glich Annie DeWinter, wie sie früher ausgesehen hatte. Ich war einmal mit ihr in Zürich gewesen, als sie gerade eine ihrer depressiven Phasen durchmachte. Sie hatte mich um Hilfe gebeten, doch ich war außer Stande, sie ihr zu geben. Immerhin hatte sie nicht Selbstmord begangen. Also doch kein völliger Fehlschlag. JC hatte damals einen Song über Annie geschrieben, als der Lebenswille sie zu verlassen schien: Sie ging am Kai der Limmat entlang und überlegte, sich ins Wasser zu stürzen. Sie starrte auf die Spiegelung des Mondes wie auf eine Zielscheibe, die zum Sprung verlockte – oder aber ein glühendes Zeichen von Hoffnung, das Leben und Zukunft darstellte. Es war eine herzergreifende Ballade mit dem Titel »Moon in Black Water«, und Annie hatte sie damals mit der Band gesungen. Damit hatte ihre zweijährige Laufbahn als Sängerin begonnen, die jedoch mit JCs Tod ein jähes Ende gefunden hatte. Ich lächelte der Schwarzhaarigen zu, und sie erwiderte mein Lächeln, dann legte sie ihrem Mann die Hand auf den Arm und wandte sich ab. Natürlich war Annie DeWinter inzwischen zwanzig Jahre älter und bestimmt nicht besser dran als der Rest von uns. JC hatte furchtbare Angst vor dem Altwerden gehabt; es schien, als habe er lange vor uns anderen das bedrohliche Vergehen der Zeit gespürt. Ihm war bewusst, dass die Sechzigerjahre nur eine Art Spielplatz für Leute gewesen waren, die nicht erwachsen werden wollten. Während wir anderen durch unser Leben stolperten und dem festen Glauben anhingen, es würde niemals enden, wusste JC, dass es nur eine Episode sein konnte, dass es eines Tages mit den hübschen Mädchen und den geilen Abenteuern vorbei wäre. Danach würden wir uns der Wirklichkeit stellen müssen, und die war kein Spaziergang. Er wusste, dass es nicht mehr war als ein Spiel, während wir anderen glaubten, dass die Welt sich verändert hatte und immer so bleiben würde. JC ahnte unser Schicksal und unseren Niedergang voraus, spürte es wie einen Fluch. Und es machte ihn fertig.

Eine Zeile von einem Song, den er mit Mitte zwanzig geschrieben hatte, kam mir in den Sinn, als ich die junge Frau beobachtete, die so sehr an Annie DeWinter erinnerte. JC hatte genau um die Bedeutung dieser Zeile gewusst, denn er war erwachsener gewesen als wir: *Mein Gott, wie die Zeit vergeht ...* Für uns waren es nur Worte ohne besondere Bedeutung; was wussten wir schon von Zeit oder anderen Dingen, die vergehen würden? Als mir diese Worte jetzt wieder einfielen, traf mich ihre Bedeutung so sehr, dass ich die Augen schließen und mich für einen Moment am Tisch festhalten musste, bis ich mich wieder gefangen hatte. Dann schaute ich erneut zu der Frau hinüber. Sie war real, so wirklich wie dieser Tisch oder mein Leben. Leider war mein Leben im Grunde nicht real, und diese verrückte Eskapade trieb mich zu nahe an die schlimmen Wahrheiten und die noch schlimmeren Lügen ...

»Schade, dass man die Berge nicht gut sehen konnte. Vielleicht ist die Sicht morgen besser.«

Überrascht schaute ich von meinem Teller auf. Die Sätze klangen wie eine geheime Botschaft aus einem Roman von Eric Ambler. Die Stimme war tief und hatte einen starken Akzent. Ich hatte den Mann im Flieger gesehen. Er trug einen Tirolerhut, eines dieser grünen Filzdinger mit Federn, die besser für den Winter geeignet sind. In Rom hatte er unter dem Ding fürchterlich geschwitzt. Er hatte einen kleinen tragbaren Kassettenrekorder und Kopfhörer dabeigehabt. Nun stand er an meinem Tisch und lächelte auf mich herab. Sein Gesicht war glatt und freundlich. Er mochte um die sechzig sein und besaß die Figur eines Berufsringers, der ein wenig aus dem Leim gegangen war.

»Ich war schon mal in Zürich«, antwortete ich. »Hab die Berge viele Male gesehen.«

»Sie sind sehr schön«, sagte er. »Sehr gefährlich, aber auch sehr schön. Wie Frauen, nicht wahr?«

»Wollen Sie nicht einen Kaffee mit mir trinken?«

»Sie sind zu liebenswürdig. Ich will mich nicht aufdrängen. Sie waren so tief in Gedanken. Sie mögen die Berge, nicht wahr?«

»Aber sicher. Sie sind so dunkel und voller Riesen und Trolle. Ich mag sie sehr.«

»Die Antwort von Mutter Natur auf Disneyland.« Er rührte sich nicht von der Stelle. Er starrte mich an, als wollte er sich mein Gesicht einprägen. Fast kam er mir wie ein Phrenologe vor, der meinen Schädel abtasten wollte.

»Sind Sie aus Zürich?«, erkundigte ich mich.

»Mal ja, mal nicht.« Er zuckte die Achseln und tippte an die Krempe seines Tirolerhuts. »Zürich kann ein sehr gefährlicher Ort sein, wie Sie vermutlich wissen.«

»Woher sollte ich das wissen? Es ist das Land der Kuckucksuhren.«

»Es liegt an dem vielen Geld«, erklärte er. »Was sonst? Sehr viel Geld zieht immer Gefahr an, finden Sie nicht?«

»Ich schätze, Sie haben Recht.«

»Denken Sie an meine Worte. Ich weiß, wovon ich spreche.« Endlich trat er einen Schritt zurück. »Bleiben Sie länger in Zürich?«

»Nein, ich glaube eher nicht.«

»Das ist aber schade. Wir hätten mit der Trambahn nach Uetliberg fahren können. Von dort hat man einen herrlichen Blick.« Wieder zuckte er ergeben die Achseln. »Aber es soll nicht sein.«

»Vielleicht können Sie mir helfen. Existiert der Moon Club noch? Den kenne ich von früher ...«

»O ja, den gibt es immer noch, glaube ich. Hat sich allerdings sehr verändert. Nicht die Art Club, die Ihnen zusagen würde, fürchte ich. Aber wer weiß?«

»Immer noch im alten Viertel?«

»Ich glaube schon. Irgendwo zwischen dem Kaufhaus Globus und dem See. Nun, ich wünsche Ihnen einen schönen Abend. Und verzeihen Sie, dass ich Sie einfach angesprochen habe.« Er putzte seine Brille mit einem zerknitterten Taschentuch, das er aus dem Ärmel zog. Eine knappe Verbeugung, dann war er verschwunden.

Zwei Fremde treffen sich zufällig in einer Stadt. Das geschieht ständig, ist etwas ganz Alltägliches. Englische Schriftsteller haben aus solchen Begebenheiten ein ganzes Genre entwickelt. Während ich bei meinem Kaffee sitzen blieb, fiel mein Blick auf den Tisch, an dem der Mann gesessen hatte. Ein Teller mit Kuchenkrümeln, eine Tasse, ein leeres Cognacglas. Wahrscheinlich ein Vertreter.

Am liebsten wäre ich noch lange sitzen geblieben und hätte an Annie und JC und Clive und Innis und Whitney und Heidi und Morris Fleury gedacht, so träge war ich. Aber es war warm im Restaurant, zu warm. Ich bat um die Rechnung, ließ mir meinen Regenmantel bringen und wagte mich in das nasskalte Wetter hinaus. Ich gedachte den Moon Club aufzusuchen, dieses Kellerlokal in der Altstadt auf der anderen Seite der Limmat.

Der Nebel fiel über mich her, machte mich wieder wach.

Ich spazierte los, um das üppige Mahl zu verdauen. Zum Moon Club wollte ich eigentlich nicht mehr; es war nur eine müßige Überlegung gewesen. Aber vielleicht war Clive immer noch der Besitzer, vielleicht war er sogar dort. Morgen würde ich hingehen. Ich wanderte eine Ladenstraße entlang und betrachtete die Auslagen: überteuerte Armbanduhren und Kugelschreiber und Ferngläser, die wie Edelsteine auf Samt dargeboten wurden. Nach ein paar Querstraßen gelangte ich wieder ans Wasser. Ich hätte in Richtung der Straßenlaternen, der wartenden Taxis gehen sollen. Ich hätte ins Hotel gehen und mich ins Bett legen sollen. Aber jenseits des Wassers lockte die Altstadt. Ich musste einfach hingehen. Um der alten Zeiten willen.

Ich überquerte die Limmat und hörte, wie das Wasser unter mir an die Brückenpfeiler schlug; dann spazierte ich auf der anderen Seite am Kai entlang, betrachtete die Spiegelung der Laternen auf dem nassen Pflaster und auf dem Wasser der Limmat. Mit Annie DeWinter war ich damals hier spazieren gegangen. Wir hatten aufs Wasser geschaut, und alles war noch genau wie damals. Nur Annie und ich hatten uns verändert. *Mein Gott, wie die Zeit vergeht ...*

Zu meiner Linken lockten die pittoresken Gässchen der Altstadt; in schier unmöglichen Kurven führten sie den Hügel hinauf. Ich ging eine Gasse entlang und hatte das Gefühl, ein sorgfältig ausgesuchtes Filmset zu betreten. Weiter oben stand ein Mann im Regenmantel pfeifend unter einer Laterne und hielt seinen Hund an der Leine, der eifrig sein Geschäft verrichtete. Der Nebel haftete an den Laternen wie Ballons aus Glas. Eine stille, friedliche Nacht in dem ältesten Viertel einer alten Stadt. Und irgendwo hier in der Nähe war der Moon Club gewesen.

Ich bog um ein paar Ecken, hatte die engen, gewundenen Gassen wieder für mich allein und war sicher, dass ich den Club finden würde. Das Kopfsteinpflaster glänzte wie Juwelen. Es war schlüpfrig und glatt, und irgendwo hinter mir spielte leise Musik, die mir bekannt vorkam. Ich setzte die Bruchstücke zusammen ... Ich kannte den Sänger, ich kannte den Song. Denn ich hatte ihn oft gehört. Ich war sogar dabei gewesen, als JC den Song aufnahm. Es gab nämlich zwei Songs die den Mond zum Thema hatten, einer für Annie und einer für JC selbst: Er hieß »Zurich Moon«, und beide waren auf derselben Single erschienen. JCs Song war eine Art romantische Ballade, ein bittersüßes Lied wie »The Long and Winding Road«, Annies Song hingegen voller Schmerz und zurückhaltender Leidenschaft. »Zurich Moon« war eine Art Nationalhymne der Stadt geworden. JC hatte es mit krächzender Whiskystimme gesungen, lange bevor man Ähnliches von Tom Waits hören sollte. Es gab ein paar Gitarrenriffs, auf die jede Gitarre abfuhr. Dieses verdammte Lied konnte einem wirklich das Herz brechen.

War es Zufall, dass gerade dieses Stück gespielt wurde? Oder war es an mich gerichtet?

Eine Woge der Angst überkam mich. Mein Magen rutschte mir in die Hose, meine Knie zitterten. Ich ging weiter, hörte meine Schritte, lauschte, ob jemand mich verfolgte, und fuhr erschrocken zusammen, als eine dicke Katze unter einer Laterne an der Straßenecke dahinhuschte.

Die Musik folgte mir. Oder ich folgte der Musik. Sie war hier und dann wieder dort, schwer zu lokalisieren.

Ich hasse seltsame Zufälle. Ich glaube nicht daran. Aber in dem Labyrinth der dunklen Gassen hinter mir war jemand, der JCs Song abspielte. Die Musik wehte hierhin und dorthin. Vielleicht lag es am Wind. Ich blieb stehen und wartete, versuchte die Richtung zu bestimmen. Irgendjemand spielte mit mir. Sollte ich der Musik folgen? Oder sie mir? Das kann man bei einem Musikliebhaber nie so genau sagen.

Die Gasse hinter mir verlief bergab und machte eine Kurve. Dort war kein Mensch. Der Nebel war in Regen übergegangen und blähte sich im Wind wie eine Spitzengardine. Über den alten Dächern konnte man die Lichter der Innenstadt sehen. Irgendwo wurde eine Tür zugeworfen, und ich hörte eine schimpfende Männerstimme.

Während ich still stand und auszumachen versuchte, aus welcher Richtung die Musik kam, klang sie auf einmal näher. Mit wild pochendem Herzen zog ich mich in den Schutz eines Hauseingangs zurück und versuchte mich zu beruhigen. Wer war da in der Dunkelheit? Sicher folgte er mir … vielleicht sollte der Song von JC ein Signal sein. Vielleicht wollte der Unbekannte mir damit sagen, dass er ein Freund sei, dass er nur mit mir reden wolle. Vielleicht war es der- oder diejenige, der mir die Nachricht im Hotel hinterlassen hatte …

Endlich vernahm ich Schritte und sah die große, stämmige Gestalt mit dem grünen Tirolerhut, die mich entfernt an Jacques Tati in der Rolle des Monsieur Hulot erinnerte. Einen Augenblick lang spiegelte sich das Licht in seiner Brille. Langsam schritt er über den höchsten Punkt des Hügels und hielt den Kopf leicht zur Seite geneigt, als könne er so die Musik besser hören. Er trug den Kassettenrekorder, jedoch ohne Kopfhörer, sodass die Musik in die Nacht schallte.

Ich zog mich in mein Versteck zurück, wollte ihn an mir vorbeigehen lassen. Ich wartete eine Ewigkeit; es kam mir vor, als ob er wusste, wo ich mich verborgen hielt. Ungefähr zwanzig Meter vor mir blieb er plötzlich unter einer Laterne stehen und spähte neugierig in meine Richtung. Wo ich wohl abgeblieben war? Ich sah ihn zögern; dann drehte er sich langsam um und suchte die Gasse ab, um dann wieder in meine Richtung zu blicken, als könnten seine Augen die Dunkelheit durchdringen. Es folgte ein Blick auf die Uhr.

Schließlich drehte er die Musik ein wenig lauter, als könnte er mich dadurch besser orten, und kam näher. Er zerrte an der Krempe seines drolligen Huts und steckte die andere Hand tief in die Tasche seines Trenchcoats. Mit gesenktem Kopf ging er keine zwei Meter entfernt an mir vorbei und lauschte hingebungsvoll der Musik, während ich den Atem anhielt. Dann war er vorüber. Ich wartete, bis ich seine Schritte nicht mehr hörte, trat aus dem Hauseingang und schaute ihm nach. Die Musik spielte immer noch. Er verschwand im Schatten eines Erkers, tauchte wieder auf. Allmählich verklang JC Trippers Gesang.

Ich seufzte vor Erleichterung. Nun konnte ich loslegen. Ich wollte wissen, was dieser Kerl vorhatte, und machte mich an die Verfolgung. Ich überquerte die nächste Kreuzung und kam unter den Erker, der aus dem ersten Stock herausragte. Der Bürgersteig war an dieser Stelle sehr eng. Zu meiner Rechten spürte ich ein schweres schmiedeeisernes Geländer, nass und glitschig.

Einen Augenblick lehnte ich mich gegen das Geländer – da geschah es. Ich versuchte, die verschwindende Gestalt meines flüchtigen Bekannten nicht aus den Augen zu verlieren …

Ein kurzes Füßescharren, eine Bewegung in meinem Rücken. Ich fuhr herum und erhielt einen Schlag auf Schulter und Rücken, der mich mehr überraschte als schmerzte. Dann legte sich ein kräftiger Arm um meinen Hals und riss mich nach hinten. Wir prallten gegen die Hauswand. Mein Angreifer war ein großer, sehr stämmiger Mann in einem schmutzigen Pullover. Sein keuchender Atem pfiff mir in den Ohren, sein Arm drückte immer fester zu. Ich roch das Pfefferminzbonbon, das er zwischen den Backenzähnen zermalmte. Ich rammte ihm die Ellenbogen in den Bauch, doch er drückte noch fester zu, tastete mit den Fingern der einen Hand nach dem Handgelenk der anderen, um mich wie in einen Schraubstock zu nehmen. Ich wollte husten und konnte nicht, spürte, wie meine Kehle immer enger wurde, meine Lungen schmerzten, während er mir die Luft abschnürte … Doch dann kreischte eine Katze unter uns und schoss auf die Straße. Der Mann prallte überrascht zurück, lockerte seinen Griff für den Bruchteil einer Sekunde. Ich spannte meine Schultermuskeln an, trat ihm mit aller Kraft auf den Fuß und riss mich halb aus seiner Umklammerung. Ich hörte Stoff zerreißen und sah, wie die Knöpfe meines Mantels übers Pflaster rollten. Wieder griff er nach mir, zerrte mich zu sich, als wollte er mich zu Tode drücken, mich zerschmettern, mir den Hals umdrehen. Doch statt mich nach hinten zu werfen, ließ ich mich mit meinem ganzen Gewicht nach vorn fallen, stieß ihm den Schädel ins Gesicht und fühlte die Stiche der Naht aufplatzen. Plötzlich hatte er einen Draht in der Hand. Ich spürte den Schlag im Gesicht, und das scharfe Metall ritzte die Haut über dem Wangenknochen. Ich wehrte mich, streckte eine Hand vor wie eine Klaue und griff in blinder Wut in sein Gesicht, kratzte mit den Fingern darüber, suchte nach der Augenhöhle oder dem Nasenloch, nach etwas, das ich herausbohren oder aufreißen konnte, nur nicht seinen Mund, nur nicht an die Zähne geraten … Nun war er derjenige, der nach Luft schnappte. Er versuchte, mit dem Knie in meinen Schritt zu treten, aber ich rammte meinen armen misshandelten Kopf gegen seine Brust und spürte, wie ihn die Kräfte verließen. Immer noch ließ er den Draht tanzen, doch ich spürte die Schläge am Rücken schon gar nicht mehr. Ich drückte ihn gegen das Geländer, hämmerte auf seine Brust, hörte ihn keuchen, als ich ihn nach hinten über das Geländer bog.

Ich hörte etwas brechen.

Es klang wie die Fahrertür vom Packard meines Großvaters.

Nun drehte ich völlig durch. Ich drückte und drängte, bog den Mann nach hinten, während mir das Blut über die Stirn in die Augen strömte. Ich stieß ihm mit steifen, ausgestreckten Armen gegen die Schultern und schließlich in die Rippen, stieß mit unbeherrschter Angst und Wut.

Als ich endlich aufhörte, war er bereits tot.

Vor lauter Blut konnte ich nicht mehr deutlich sehen. Ich keuchte, sank nach vorn, stützte mich an der Hauswand ab. Obwohl ich schwitzte, war mir klamm und kalt, und ich musste mich erbrechen. Es stank entsetzlich. Als ich einen Schritt zurücktrat, rutschte ich aus – wahrscheinlich auf etwas, das ich heute Abend gegessen hatte, ha, ha – und schlug der Länge nach aufs Kopfsteinpflaster. Nun fühlte ich mich besser. Lag ausgestreckt auf dem nassen Bürgersteig. Nur meine Beine zuckten noch ein wenig. Ich würgte, keuchte, schnitt Grimassen und kämpfte gegen eine Ohnmacht an.

Mein Gott! Ich war verfolgt worden, so viel hatte ich begriffen, aber jetzt hatte ich den Falschen erwischt. Oder die beiden hatten zusammengearbeitet, sich gegenseitig gedeckt. Das Zittern wollte nicht aufhören.

Der Mann hing immer noch über dem Geländer, grotesk verdreht wie eine lebensgroße Puppe, die von einem grausamen Riesenkind weggeworfen worden war. Ich versuchte aufzustehen und rutschte wieder aus.

»Na, hast du's überstanden, Kumpel?«

Da stand jemand neben mir. Ich sah Schuhe mit Kreppsohlen und feuchte Hosenumschläge. Eine Hand streckte sich mir entgegen, und ich griff zu, spürte, wie ich hochgezogen wurde. »Junge, Junge«, sagte die Stimme. »Sie sehen ja furchtbar aus ...«

Ich konnte sein Gesicht in der Dunkelheit nicht erkennen, die Stimme aber kannte ich.

»Wir sollten lieber aufräumen«, sagte er. Sprach's und hievte den leblosen Körper über das Geländer. Er fiel nach unten in einen Durchgang auf eine Mülltonne, was einen Heidenlärm machte. Irgendwo über uns wurde ein Fenster aufgestoßen. Eine Frau schimpfte in einer mir unbekannten Sprache. Offenbar mochte sie es nicht, wenn in ihren Träumen Mord vorkam.

»Kommen Sie, Mann. Zeit, sich auf die Socken zu machen.«

Dann sah ich auch sein Gesicht. Es wirkte angespannt und erschöpft.

Morris Fleury.

Wer sonst?

15.

Wie so vieles in meinem Leben war auch der Moon Club nicht mehr das, was er mal gewesen war. Das hatte eine schlechte, aber auch eine gute Seite. Schlecht war, dass der Club inzwischen ein Postpunk-Publikum anzog: Skinheads, die alte Nazi-Insignien zur Schau trugen, und massige Individuen zweifelhaften Geschlechts, die man am besten als Marsianer einstufen konnte. Die Musik war ohrenbetäubend und grässlich, die Parodie einer längst abgehalfterten Rockversion. In dem Laden tummelten sich die hässlichsten Menschen, die ich jemals gesehen hatte. Das Gute aber war, dass keiner auf mich achtete, als ich bluttriefend und mit aufgeschlagenem Kopf hereinlatschte. Ich passte genau ins Ambiente: Ich hatte auch eine Maske.

Morris Fleury führte mich durch einen düsteren, rot beleuchteten Gang zur Toilette. Zwei Typen, mit genügend Eisen behängt, um als kettenrasselnde Geister durchzugehen, schenkten uns keinerlei Beachtung. Fleury tupfte mir das Blut ab, die Maiskolbenpfeife zwischen die Zähne geklemmt. Sein Anzug war durchnässt. Es war immer noch dieses Teil aus Seersuckerstoff, das er in der Nacht unseres Kennenlernens getragen hatte, als er es sich auf meiner Terrasse gemütlich machte. Ich überlegte, ob der Anzug seitdem jemals Zeit gehabt hatte zu trocknen. Vieles ging mir durch den Kopf, während ich seinem Geschnaufe zuhörte und seine erstaunlich sanften Hände an meinem Skalp spürte. Dazu floss ihm ein unablässiger Strom Worte von den Lippen: Es schien darauf hinauszulaufen, dass nur ein paar Stiche in Mitleidenschaft gezogen waren und ich mir seiner Meinung nach keine großen Sorgen zu machen brauchte.

»Sie haben allerdings einen Mann getötet«, machte er geltend und drückte die Naht zusammen, »obwohl ich nicht glaube, dass da was nachkommt. Gibt nix, was Sie mit dem Kerl da in Verbindung bringen könnte.«

Während er auf meinem Kopf herumtupfte, starrte ich zur Erheiterung in das gesprungene, schmutzige Waschbecken. »Warum sind Sie mir nicht zu Hilfe gekommen?«

»War zu spät da. Und Sie ha'm auch keine Hilfe gebraucht.«

»Ich versteh das einfach nicht«, seufzte ich.

»Nee, ist alles ganz schön verwirrend. Sind diese Geschichten immer. Zu viele Details, zu viele Möglichkeiten. Man muss es einfach kommen lassen und dann gucken, was übrig bleibt. Jetzt nehmen Sie mal ganz langsam den Kopf hoch, sonst fängt's wieder an zu bluten. Wird schon gehen. Was is überhaupt mit Ihrem Kopf passiert? Sie ha'm da genug Stiche für 'n Nähkränzchen.« Er kicherte in sich hinein, wollte gar keine Antwort hören. »Hat die kleine Heidi zu schnell ihre Beine zusammengekniffen?«

Es lohnte die Mühe nicht, ihm zu sagen, er solle verdammt noch mal die Klappe halten. Also schwieg ich und versuchte meine Augen auf mein Bild im Spiegel einzustellen. Mein Gesicht passte hervorragend zu den übrigen Darstellungen edler Pissoirkunst: gekritzelte Pentagramme, Hakenkreuze und abspritzende Penisse. »Der Moon Club«, seufzte ich. Durch den Gang drang lautes Rufen und Gelächter. Die Gäste amüsierten sich prächtig. »Was tun wir hier? Sollen wir etwa Clive suchen?«

»Wir nehmen Stimmung auf. Besuchen die Vergangenheit. Lernen was. Alles verändert sich«, lautete Fleurys Antwort. Er nahm seinen Panamahut ab und wischte über seinen Kahlkopf mit den paar Haarsträhnen, die wie dünne schwarze Fäden quer darüber lagen. Das Taschentuch war nass von meinem Blut und hinterließ rosa Streifen auf seinem grauen feuchten Schädel. Müde blinzelten seine Augen mich an. Er sah erschöpft und alt aus und wirkte nicht mehr besonders gefährlich. In meiner Fantasie hatte ich ihn zu einem Furcht erregenden Mann hochstilisiert, doch in Wirklichkeit war er am Ende und viel ängstlicher als ich selbst. »Irgendwie sehen Sie jetzt wieder wie ein Mensch aus«, sagte er. »Das ha'm wir über meinen Onkel Verm auch immer gesagt. Er kommt von der Seite meiner Mutter, den Boolers. Die waren immer in der Bredouille, ha'm vermurkst, was sie nur angepackt ha'm.« Er fächelte sich mit dem Strohhut und genoss seinen Jargon. »Sie brauchen 'n frisches Hemd, Sonny«, grunzte er widerwillig. »Sonst ...« Er zuckte die Achseln. Doch Tatsache war, dass ich besser aussah als er.

Als wir den Moon Club verließen, war es nach Mitternacht. Der Nebel hatte sich kurzzeitig gelichtet, und der Mond schien durch die Wolkenfetzen. Ein leichter Wind kräuselte die Wasseroberfläche. Hinter uns verklang die laute Musik des Moon Clubs. Die Straßen waren leer. Morgen würde man die Leiche finden, und die Cops würden nach Spuren suchen. Mein Kopf schmerzte nicht mehr. Vielleicht hatten die Stiche mein Gehirn zusammengedrückt. Es tat gut zu laufen. Und mir war, als hätte nicht ich diesen Mord in der Dunkelheit begangen.

»Bin müde«, murrte Fleury. »Brauch 'nen Kaffee.«

Er führte mich zu einem Café, das er zu kennen schien.

Wir setzten uns an einen Ecktisch in der Nähe der fauchenden, dampfenden Espressomaschine. Auf den Tischen flackerten Kerzen. Die Fenster waren beschlagen. Und ein Unbekannter, dachte ich unaufhörlich, ist bei dem Versuch, mich zu töten, selber draufgegangen ...

Wir bekamen unseren Kaffee, und ich nahm Fleury in die Mangel; ich wollte wissen, wer sein verdammter Auftraggeber war und welche Rolle er in diesem Spiel übernommen hatte. Ich sagte ihm auf den Kopf zu, dass ich ihn mit Cotter Whitney am Landesteg und mit Heidi Dillinger in Tanger gesehen hatte.

»Cool bleiben, Kumpel, Sie haben 'nen schlimmen Abend hinter sich. Wollen sich doch nicht unnötig aufregen. Schon früher mal einen kaltgemacht?« Er löffelte Zucker in das dicke schwarze Gebräu.

»Hören Sie mit diesen lächerlichen ...«

»Ich fang noch mal an. Beruhigen Sie sich und ...«

»Wenn Sie das noch einmal sagen, kriegen Sie den Kaffee auf den Anzug.«

»Ich bin Sicherheitschef von Magna. Vielleicht pass ich nicht in Ihr Bild, aber ich bin, was ich bin, und Mr Whitney wird's Ihnen bestätigen. Ich stamm noch aus der Zeit, als Harry Mirsky das Studio leitete, aber Whitney wusste, dass er's richtig machte, als er mich im Paket mit übernahm. Gibt verdammt wenig, was ich nicht über Filme und Platten in dieser Firma weiß. Ich muss immer Whitney persönlich berichten, verstehen Sie?«

Ich nickte, während ich versuchte, die Teile in meinem Kopf zusammenzusetzen. Hoffentlich kam am Ende ein klares Bild heraus.

»Im Moment hat für mich Erpressung absolute Priorität«, fuhr er fort, saugte an einem Zahn und blies Pfeifenrauch in die Luft, »natürlich die Erpressung, die Magna betrifft.

Da ha'm Sie doch von gehört, nicht? Okay. Wir werden erpresst, sind aber nicht sicher, wer dahintersteckt und was sie wollen. Bis jetzt also 'ne Einbahnstraße. Wir können keinen Kontakt mit ihnen aufnehmen, also müssen wir warten, bis sie's tun ... und deshalb müssen sie's uns ständig beweisen, uns Sachen erzählen, die sie eigentlich nicht wissen dürfen. Irgendwo ist da ein Leck, kein Zweifel ...«

»Und wo genau, bitte schön?«

»Hat nix mit Ihnen zu tun, mein Freund. Aber Sie ha'm doch von dem Song gehört, den sie uns geschickt haben, und von dem Brief von Thumper Gordon ... na, und jetzt versuchen wir das ins Bild einzufügen, verstehen Sie?«

»Nicht so richtig«, gab ich zu.

»Na, früher oder später werden wir das alles wieder geradebiegen.« Geräuschvoll schlürfte er seinen Kaffee und kaute ihn gründlich durch. Im Hintergrund spielte Vivaldi vergebens gegen die Espressomaschine an. Die meisten Gäste schienen Studenten zu sein. Alle waren in Gespräche vertieft. »Sie und Bechtol und Sally Feinman und Miss Dillinger – ihr seid mir alle zur selben Zeit aufgetischt worden. Und Bechtols Idee für einen Roman über Ihren Bruder kam gleichzeitig mit den ersten Erpressungsversuchen und dem Brief mit diesem verdammten Song und dem toten Discjockey. Dann wird noch diese Feinman ermordet, und Bechtol bringt Sie ins Spiel und diesen verdammten Hugo Ledbetter ...« Er fuhr sich mit der Hand über den kahlen Schädel. »Wo soll man da bloß anfangen? Ist wie einer von diesen ... diesen Möbiusstreifen, so 'ne Schlange, die sich in sich selber verdreht und in den Schwanz beißt. Welche Teile hängen zusammen? Haben wir's vielleicht mit zwei völlig verschiedenen Sachen zu tun? Die gar nicht zusammenhängen?« Er seufzte, lehnte sich zurück und steckte eine Hand tief in den Hosenbund, hinter die große Gürtelschnalle mit den silbernen Hörnern. »Ich hab mir zu viel aufgeladen, das is es. Nicht nur, dass ich diesen ganzen Wahnsinn durchblicken soll, jetzt trägt mir Whitney noch auf, dass ich Sie im Auge behalten soll, damit Sie nicht in die Bredouille geraten. Ich kann das gar nicht allein leisten, darum geht's. Er bräuchte 'ne ganze Detektivagentur wie Pinkerton's dafür, aber nein, ich soll alles alleine schaffen ... und obendrein soll nichts an die Öffentlichkeit kommen, also kann der arme, alte Fleury den Deckel draufhalten. Und dann noch Ledbetter, der so 'n Riesenwirbel macht, dass Whitney vor Schiss die Wände hochgeht. Wenn er mitkriegt, was Sie sich heute Nacht geleistet haben, macht er aus meinen Hinterbacken Briefbeschwerer, das kann ich Ihnen flüstern.« Er kniff die Augen zu und rieb seine Lider, bis sie rot wurden. Als er die Augen wieder aufmachte, hatte ich nicht den Eindruck, dass sein Aussehen eine Verbesserung erfahren hatte.

»Was läuft zwischen Ihnen und Heidi Dillinger?«, fragte ich. »Als ich Sie bei Whitney in Minnesota herumschleichen sah, hab ich Heidi gefragt, ob Sie einander kennen, aber sie sagte, dem sei nicht so. Doch dann haben Sie Heidi in Tanger getroffen. Warum lügt sie?«

»Sie hat nicht gelogen. Sie hat mich erst in Tanger kennen gelernt. Bechtol sagte ihr am Telefon, wer ich bin, dass ich in Tanger auf sie warten würde und dass sie Ihnen unsere Verbindung verheimlichen sollte. Heidi ist schon eine Kanone, wirklich. Whitney sagte mir, ich sollte sie über alles informieren, damit sie mir berichten konnte, falls sie Bechtol nicht erreichte – zum Teufel, ich bin der, den sie wirklich immer im Auge behalten! Und Heidi gehört zur Mannschaft von Magna. Sie hat für Magna gearbeitet, bevor sie bei Bechtol anfing ... Sie, Tripper, sind ja nur eine Randfigur in diesem Spiel. Heidi dagegen ist 'n Insider, sie muss sich vor Magna und Allan Bechtol rechtfertigen. Sie arbeitet für uns, Sie hingegen sind eher 'ne Art Freiberufler. Sie wurden nur für diesen einen Auftrag angeheuert. Ehrlich gesagt wär's mir lieber, ich hätte nie was von Ihnen oder Ihrem Bruder gehört. Macht mein Leben so verdammt kompliziert.« Fleury zog einen Beutel Cherry-Blend-Tabak aus der Manteltasche und füllte den Kopf seiner Pfeife neu.

»Wer hat versucht, mich umzubringen? Einer von den Männern war im Flugzeug. Er hat sich im Restaurant mit mir unterhalten, dann ist er mir gefolgt und hat einen von JCs Songs auf seinem Kassettenrekorder abgespielt. Hat mich geradewegs zu dem Kerl geführt, der mich angriff ... Wer sind diese Leute?«

Fleury hielt ein Streichholz an den Pfeifenkopf. Als die Pfeife brannte, blinzelte er mich durch Rauchwolken an. Mit dem Rand des Streichholzbriefchens stopfte er den Tabak fester.

»Na ja, einer von denen ist ja jetzt Geschichte.« Fleury hatte ein ekelhaftes Grinsen, denn zwischen seinen gelblichen Zähnen klafften große Lücken. »Hören Sie, ich hab keine Ahnung, wer die waren. Ich wünschte wirklich, ich wüsste es.« Nachdenklich paffte er vor sich hin. »Wahrscheinlich jemand, der nicht wollte, dass Sie JC Tripper finden. Sie sind wahrscheinlich zu nah herangekommen ...«

»Wie kann man denn einem Geist zu nahe kommen?«

»Sehen Sie's, wie Sie wollen, mein Freund. Ich bin's nicht, der hier auf der Abschussliste steht. Ich versuche nur, Sinn in die Sache zu bringen. Wer sonst sollte Sie umbringen wollen? Sie suchen, und JC versteckt sich ...«

»Schon gut, hab's kapiert. Ich bin wahrscheinlich der Einzige, der JC für tot hält.«

»Da ist immer noch Taillor«, sagte er. »Vielleicht weiß er was.« Er gähnte herzhaft.

»Diese Nachricht, dass ich zu Taillors Haus kommen sollte ... waren Sie das?«

Fleury schüttelte den Kopf. Ich berichtete von meinem nutzlosen Besuch bei Taillor, und er hörte mit ungläubiger Miene zu. Glühende Asche quoll über den Rand seiner Pfeife, brannte kleine schwarze Löcher in sein Jackett. »Lassen Sie mich eines klarstellen: Ich bin nicht in Zürich, um Taillor zu *treffen*, sondern ich ermittle aus 'ner ganz anderen Richtung. Ich hab den ganzen Tag seine Kontoauszüge durchgesehen ...«

»Wieso sollte er Ihnen das erlauben?«

»Hab ihn nicht um Erlaubnis gefragt, Tripper.« Er grinste verschlagen.

»Ach, was bin ich dumm! Da hab ich doch wirklich geglaubt, das Schweizer Bankgeheimnis wäre unantastbar.«

»Tja, das ist ein Irrtum. Jedenfalls, wenn so 'n mächtiger Konzern wie Magna was wissen will. Unsere ganzen Geldgeschäfte in Europa werden über eine Bank in Zürich abgewickelt. Unser Konto ist also mächtig fett.« Er nickte selbstgefällig. Ich konnte gar nicht hinsehen. »Und Clive Taillor ist ebenfalls Kunde bei dieser Bank.« Er kicherte auf diese hässliche Art, die einflusslose Menschen an sich haben. »Die Bank tut uns von Zeit zu Zeit 'nen kleinen Gefallen. Wenn wir so 'ne Type wie Taillor überprüfen wollen, brauchen wir dazu bestimmt nicht die Zustimmung vom Aufsichtsrat.« Fleurys Macht, wenn auch aus dritter Hand, machte ihm sichtlich Freude.

»Und, was Interessantes rausgefunden?« Ich bemühte mich um einen leichten Gesprächston, doch dies war die wichtigste Frage, seit ich Heidi auf der Fifth Avenue abgeschleppt hatte – oder vielmehr abgeschleppt wurde.

»Ja, allerdings, Mr Tripper.«

»Und ist es ein Geheimnis?«

»Natürlich.« Er seufzte ob seiner eigenen Wichtigkeit, paffte zufrieden seine Pfeife. »Aber Ihnen kann ich's ja sagen. Sie sind in die Sache verwickelt ... aber eigentlich ist es Ihnen egal, wie es ausgeht, stimmt's?«

»Ich kann damit leben, ja. Es sei denn, ich würde ermordet.«

»Was ich rausgekriegt habe, ist Folgendes: *Ich kann beweisen, dass JC Tripper am Leben ist.* Seit JCs Tod oder angeblichem Tod, seit zwanzig Jahren also, erhält Taillor regelmäßig Geld per Telegrafenanweisung – hier aus der Schweiz oder von den Bahamas oder aus den Staaten. Pünktlich wie 'n Uhrwerk, und die steigenden Lebenshaltungskosten werden auch immer berücksichtigt ... ein oder zwei Jahre wird der gleiche Betrag gezahlt, jeden Monat, dann steigt er, und so weiter und so fort. Ich bin kein Wissenschaftler, aber ich kann einen Beweis erkennen, wenn ich ihn vor mir sehe.«

»Und kann man diese Geldanweisungen zurückverfolgen? Ich meine, kann man den Kontoinhaber ermitteln?«

Fleury rieb sich das Kinn und grub die Finger in seine Bartstoppeln. »Das ist der schwierige Teil. Klar können wir das, aber dazu müsste Whitney 'n paar wichtigen Leuten erst mal ein bisschen Dampf machen. Diese Schweizer Bankiers machen doch irgendwann dicht. Brechen nicht so gerne Regeln. Aber wenn wir rauskriegen, wer Taillor bezahlt, wer ihn seit zwanzig Jahren bezahlt ... also, ich könnt mir gut vorstellen, wen wir dann finden. Ihren Bruder, Mr Tripper. Sie machen sich mal besser für das rührende Wiedersehen bereit. Ich glaube, Clive Taillor hat Ihrem Bruder geholfen, seinen Tod vorzutäuschen und zu verschwinden, und dafür kriegt er immer noch seinen Lohn. Und, Freundchen, ich werde Cotter Whitney schon noch zeigen, dass Morris Fleury 'ne Kanone in diesem Business ist.«

»In welchem Business?«

»Im Find-es-raus-Business, Kumpel. Das kann ich nämlich besser als jeder andere ... etwas *herausfinden*. Und ich krieg raus, wer Taillor bezahlt ... und wenn ich das weiß, haben wir auch alle anderen Antworten: Wer der Erpresser ist und wo JC Tripper sich dieser Tage aufhält. Bin wirklich nahe dran. Und dann feiern wir das große Wiedersehen, Freundchen.«

»Das große Wiedersehen?«

»Klar. Sie und Ihr Bruder – was denn sonst?«

»Haben Sie keine Angst, dass irgendwer im Verborgenen auf Sie wartet und Ihnen den Hals umdreht?«

»Keiner wird Morris Fleury killen, da machen Sie sich man keine Sorgen.«

Morris Fleury beim herzhaften Lachen zuzusehen, war kein besonders erhebender Anblick.

»Sagen Sie mal, Kumpel«, sagte er mit feuchter Aussprache, schon voller Vorfreude, was er als Nächstes absondern würde, »sie würde mich bestimmt umbringen, wenn sie's erführe, aber ... von Mann zu Mann, ich darf's doch wissen, oder?«

»Was wissen, zum Teufel?« In meinem Kopf war ein kleiner Mann mit einem winzigen Hammer und klopfte eifrig ein Loch in meine Schädelwand.

»Na ja, unsere Heidi hat die eine oder andere Sache von sich gegeben, und da hab ich mir gedacht, die hat Sie aber richtig gern. Hab sie nie mit 'nem Kerl gesehen, sie hat immer nur für ihre Arbeit gelebt, aber wenn sie von Ihnen spricht, kriegt sie diesen Blick.« Er kicherte in sich hinein, es klang lüstern. »Würd's gern hören, wie Sie's von ihr kriegen ... Sie wissen schon, was ich meine. *Pussy*. Ich liebe 'ne gute Mösenstory.«

Ob Sie's glauben oder nicht, Mr Ripley, aber meine Kopfschmerzen waren schlimmer geworden.

16.

»Du hast gehört, wie er *zerbrach*?«

Sie drehte sich zu mir um, und ich spürte ihren warmen Atem auf meiner Brust. Sie nahm meine Hand und legte sie auf ihre Brust, drückte meine Fingerspitzen um die Brustwarze zusammen. Dann führte sie meine Hand zum Mund und küsste sie.

»Mein armer Liebling«, sagte sie, »mein armer, armer Liebling. Und Fleury ... *unser* Morris Fleury, das Phantom der Minnesota-Nacht, hat das Blut gestillt?« Wieder küsste sie meine Hand. »Ich darf dich nicht mehr allein losziehen lassen, mein Liebling. Wir müssen dafür sorgen, dass du dich entspannst. Du bist so steif ...«

»Das ist keine Anspannung, Heidi.«

»Irgendwo hab ich schon mal gehört, dass gewaltsamer Tod manche Menschen erregt.« Sie kicherte.

»Ich meine es ernst.«

»Ich weiß.«

»Sprich nicht mit vollem Mund.«

Nun, da ich wusste, dass sie nicht zu Fleurys Leuten gehörte, war der Umgang mit ihr viel unbeschwerter. Doch etwas störte mich immer noch. Allmählich glaubte ich, dass Fleury Recht hatte, was Heidis Gefühle mir gegenüber betraf. Das hatte aber nicht zu unserer Vereinbarung gehört.

Als ich mich von Fleury verabschiedet hatte und ins Hotel zurückkehrte, wartete sie bereits auf mich. Es war nach zwei, eine der düstersten Nächte meines Lebens. Der Nebel war in Regen übergegangen, und mein Kopf schmerzte zum Zerspringen. Ich glaubte, er müsse bald platzen. Alles hämmerte auf mich ein: Morris Fleurys Ermittlungen in der Bank, das furchtbare Geräusch und das Gefühl, als der Rücken meines Angreifers gebrochen war, und die Erinnerung an den Draht, der meine Wange traf. Die Leere in Clive Taillors Haus und der Song »MacArthur Park« ... Heidi Dillinger wartete in der Hotellobby gemütlich zusammengerollt auf einem Sofa und las die *International Herald Tribune*. Schläfrig schaute sie zu mir hoch und meinte, sie habe sich schon gefragt, ob ich noch am Leben wäre. Dann wollte sie wissen, ob ich die ganze Zeit bei Clive Taillor gewesen sei. Hatte ich ihre Nachricht erhalten, dass er mich erwartete? Sie hatte Clive von Madrid aus angerufen, wo sie sich mit Bechtols spanischem Verleger getroffen hatte. Dann hatte sie das Hotel angerufen, um mir die Nachricht zu hinterlassen ...

Wir machten Liebe, bis einer von uns ohnmächtig wurde. Ich nehme an, ich war's ... viel kann man nicht erwarten von einem Mann, der soeben einen Totschlag begangen hat. Der kleine Tod, wie Hemingway – oder ein anderer Kerl – es genannt hatte. Doch es half mir, die Erinnerung an den großen Tod zu verdrängen.

Außerdem half es mir, Annie DeWinter zu vergessen, und das war vermutlich am besten so. Ich dachte auch nicht mehr an Annie, bis Heidi sie zur Sprache brachte und damit die Tür zur letzten Etappe unserer kleinen Saga öffnete. Aber dazu komme ich später.

Sobald der Morgen graute, stolperte ich unter die Dusche, während Heidi bereits mit Bechtol oder Whitney oder irgendeinem Unbekannten telefonierte. Sie verriet nichts über meine Aktivitäten am Vorabend. Inzwischen war sie in die Rolle meiner Beschützerin hineingewachsen.

Lange stand ich unter dem heißen Strahl. Dampf stieg um mich auf, während ich herauszufinden versuchte, welcher Art die Beziehung zwischen Heidi und mir war. Ich spürte ein Unbehagen, das ich nicht abschütteln konnte. *Wir* waren ganz sicher nicht *verliebt*. Aber sie vielleicht? Ich konnte mir nicht vorstellen, was an mir besonders liebenswert sein sollte, und ich selber hatte so lange nicht geliebt, dass ich gar nicht mehr wusste, wie das ging. Ich nahm an, dass Heidi und ich voneinander angezogen wurden, aber es war die Art Anziehung, wie sie zuweilen von sehr abgebrühten Leuten empfunden wird, die durch gemeinsame Interessen aneinander gekettet sind. Wir bestiegen einander, weil der andere zufällig da war, wie die Bergsteiger sagen. Aber das stimmte nicht ganz; es steckte schon mehr dahinter. Und trotzdem war es für mich keine Beziehung – und ich nahm an, dass es ihr ebenso ging. Vielleicht hatte sie erkannt, welch ein Wrack ich war, wie verwundbar ich sein konnte, und das hatte sie gerührt. Vielleicht konnte sie keinem Menschen trauen und hatte plötzlich erkannt, dass sie mir vertraute … Vielleicht war es das.

Ich hatte sie nicht angemacht, sondern sie war es, die in jener Nacht auf Whitneys Party die Initiative ergriffen hatte. Wenn ich ernsthaft darüber nachdachte, wurde ich zornig auf uns beide. Was glaubte sie eigentlich, was sie tat? Was sprang für sie dabei heraus?

Heidi war die geborene Denkerin. Wenn sie mich anschaute, was dachte sie dann?

Ich hatte keine Ahnung.

Und was dachte ich, wenn ich sie anschaute?

Es war an der Zeit, es vor mir selbst zuzugeben.

Ich dachte an Annie DeWinter. Wie ein Song, wie eine Melodie aus der Vergangenheit kam sie zu mir zurück.

Als ich aus dem Bad kam, hing sie nicht mehr am Telefon, sondern saß wartend an dem kleinen Schreibtisch und tippte mit einem Waterman-Kugelschreiber an ihre Zähne. Sie trug ein schiefes Grinsen zur Schau. Diesen Ausdruck hatte ich schon tausende Male auf den Gesichtern unzähliger Frauen gesehen. Er bedeutete schlicht und ergreifend Ärger. Welche Art von Ärger, war unmöglich vorauszusagen, aber das würde ich ja bald merken. Bei gefühlsbetonten Frauen konnten es die ersten Anzeichen eines drohenden Feuersturms sein. Aber Heidi war keine gefühlsbetonte, sondern eine rationale Frau. Irgendwas hatte den Anstoß gegeben, und nun dachte sie über mich nach. Manche Frauen spüren, was in deinem Kopf vorgeht, und es hat überhaupt keinen Sinn, etwas dagegen sagen zu wollen. Ich hatte Schuldgefühle wegen meiner Gedanken unter der Dusche, nicht, weil ich diese Gedanken gehabt hatte, sondern weil sie *Bescheid* wusste. Früher oder später würde ich dafür bezahlen, das sagten mir ihr schiefes Lächeln und ihr langer, abschätziger Blick.

»Tja, Lee, sieht so aus, als ob immer mehr Leute der Überzeugung wären, dass du, mein Liebling, ganz genau weißt, wo JC steckt ... dass du vielleicht sogar mit ihm unter einer Decke steckst.« Schalkhaft blitzte sie mich an. Es machte mich nervös.

»Whitney und Bechtol«, sagte ich, »sind ja wahre Geistesgrößen. Sie sollten den Nobelpreis für Charakterbeurteilung erhalten.«

Heidi zuckte die Achseln. »Ich hab schon dümmere Menschen gekannt.«

»Und was hältst du von mir?« Ich zog mich an, vermied jeden Blickkontakt.

»Oh, ich halte dich für einen ziemlich verschlossenen Kerl, der sich allem entzieht. Ein komplizierter Mann, der sich sein Leben lang versteckt hat. Keiner kennt dich. Du lässt keinen an dich ran.«

»Mein Gott, wie ich diese Laienpsychologie hasse!« Umständlich knöpfte ich mein Hemd zu. »Dieses Seifenoperngewäsch.«

»Offenbar hab ich da einen wunden Punkt getroffen.«

»Hör mal, ich bin bloß ein Kerl, der einen berühmten Bruder hatte und das einfach nicht loswerden kann. JC mag nicht mehr am Leben sein, aber soweit es mich betrifft, gehört er zu den Untoten.« Ich hüpfte auf einem Bein und versuchte meine Hose hochzuziehen.

»Du bist ein Lügner!« Heidi lachte. »Aber das gefällt mir an einem Mann.«

»Blödsinn!« Hoch mit dem Reißverschluss.

»Aber es stimmt, Liebling, du *bist* ein Lügner. Ein Lügner und ein Gauner. Mir kannst du nichts vormachen. Er lebt, und du weißt es, nicht wahr? Und du warst von Anfang an in dieses Versteckspiel verwickelt, nicht wahr?«

»Socken«, sann ich. »Irgendwo müssen doch noch saubere Socken liegen …«

»Außerdem bist du in Annie DeWinter verliebt, stimmt's?«

Aha, endlich kam der Schmetterball. Zuerst hatte sie mich abgelenkt, dann diesen Knaller ins Spiel gebracht. »Was für eine Frage! Ist zwanzig Jahre her, dass ich die Frau gesehen hab. Sie war damals fünfundzwanzig. Jetzt muss sie fünfundvierzig sein. Ich kenn sie ja nicht mal, wie soll ich da verliebt sein?«

»Du brauchst nicht so pikiert zu tun. Wenn du aber

nicht in sie verliebt bist, kann ich es mir noch weniger erklären.«

Endlich fand ich frische Socken und setzte mich auf die Bettkante, um sie anzuziehen. »Was«, seufzte ich, »könntest du wohl mit diesen mysteriösen Anspielungen meinen?«

»Du hast im Schlaf immer wieder ihren Namen gesagt: ›Annie, Annie.‹ Ach, es war furchtbar.« Ganz langsam breitete sich ein Grinsen auf ihrem Gesicht aus. »Ich kam mir vor wie eine Ehefrau, die ihren Mann aushorcht. Oder kennst du noch eine andere Annie?«

Völlig klar: Sie war eine Hexe.

Clive Taillor meldete sich nicht. Eine Stunde später versuchte ich es noch einmal, mit dem gleichen Ergebnis. Heidi sagte, sie wolle sein Haus wenigstens einmal sehen, wollte den Mann einordnen können. Am Flughafen hatte sie einen Wagen gemietet, also erkundigten wir uns nach dem Weg und fuhren los. Zunächst machten wir einen Abstecher in die Altstadt, um uns den Moon Club bei Tageslicht anzuschauen. Er wirkte nicht besonders großartig, aber das war nie der Fall gewesen. Nur damals, als sie alle nach Zürich pilgerten, um den Moon Club zu besuchen – und manche kamen nur aus diesem Grund in die Stadt –, war er eine Art Heiligtum gewesen. Inzwischen konnte man sich das kaum noch vorstellen. Der Moon Club lag still und ruhig da, und wir fuhren weiter zu Clive. Der Nebel hatte sich an der Stadt festgesaugt und kroch an den umliegenden Bergen empor. Uetliberg war nicht zu sehen. Die bewaldeten Hügel glänzten dunkel, als hätte man sie poliert.

Wir ließen den Wagen am Eingang der Sackgasse stehen und gingen den Weg, den ich am Vorabend allein gegangen war. Eine Ewigkeit schien seitdem vergangen zu sein, wahrscheinlich, weil ich in der Zwischenzeit einen Mann getötet, Morris Fleurys Version vom schäbigen Leben kennen gelernt und eine lange Nacht mit Heidi verbracht hatte. Doch die Straße wirkte genau wie gestern. Es war Sonntag und beeindruckend ruhig. Jedes Geräusch wurde vom stetig fallenden Regen geschluckt.

Die Party im Nachbarhaus war vorbei. Durch das Laub erspähte ich einen Mann im gestreiften Bademantel, der mithilfe von Kehrblech und Schrubber für Sauberkeit sorgte. In Taillors Haus war es still. Die Blumenampeln am Balkon troffen vor Nässe. Ich machte mit Heidi dieselbe Runde wie gestern: die Haustür, der Fuchskopf-Türklopfer, der Weg ums Haus, um in eines der Fenster zu spähen – und es war nutzlos wie am Abend zuvor.

»Hast du's nicht mit diesem Eingang versucht?« Wir waren vor einer massiven Holztür an der Rückfront stehen geblieben. Dort standen zwei überquellende Plastikmülleimer, gestapelte Blumentöpfe, eine Kiste mit Gartengeräten, ein Rechen, eine Heckenschere.

»Nein, ist mir gar nicht in den Sinn gekommen. Das Haus war leer. Ich konnte sowieso nicht rein.«

»Lass uns doch mal nachschauen, ob Mr Taillor vielleicht nur einen sehr gesunden Schlaf hat.« Heidi drückte die Klinke herunter und stemmte sich gegen die Tür. Die gab nur widerwillig nach; vermutlich hatte die Feuchtigkeit das Holz aufquellen lassen. Heidi drückte stärker, und die Tür ging auf. Vor uns lag ein Korridor. Sie langte mit einer Hand hinein und knipste das Licht an.

»Einbruch und unerlaubtes Betreten«, sagte ich.

»Nur Betreten«, flüsterte sie.

»Warte mal einen Moment«, mahnte ich. »Gebrauch deinen Grips. Du weißt ganz genau, wenn wir da reingehen, finden wir 'ne Leiche. Mein alter Freund Clive Taillor ist tot. Das sagt einem schon die Logik.«

»Du hast zu viele Filme gesehen.«

»Und viele Bücher gelesen. Vergiss bloß die Bücher nicht. Mir gefällt die Sache überhaupt nicht.«

»Jetzt sei vernünftig. Wenn wir reingehen, wird das die Lage auch nicht ändern. Wenn wir eine Leiche finden, wird es vielleicht ein Schock sein – vielleicht ist es auch gar nicht Clive Taillor. Vielleicht pendelt ja Hugo Ledbetter von der Deckenlampe.«

»Keine Chance. Da würde gleich die ganze Decke runterkommen.« Ich hätte am liebsten über mich und diese absurde Situation gelacht, aber es ging nicht. Ungebeten kamen mir wieder diese Bilder vor Augen: Ich sah mich Sally Feinmans Loft betreten, roch diesen scheußlichen Gestank ...

Das Haus war makellos sauber. Typisch Clive, selbst in den schlimmsten Rockzeiten war er immer durchorganisiert und peinlich genau gewesen. Diese zwanghafte Reinlichkeit hatte ihn für JC und mich unentbehrlich gemacht, da wir eher zum Schlendrian neigten. Clives Bilder hingen gerade, das Geschirr war ordentlich im Küchenschrank gestapelt, die Teppiche akkurat aneinander gelegt. Wie ein Vorwurf an die Unordentlichen hing der Geruch nach einem Putzmittel mit Zitronengeruch in der Luft. Die Bücher waren alphabetisch geordnet, die Buchrücken makellos, und die Aschenbecher waren geleert.

Wir erklommen die blank polierte Holztreppe zum ersten Stock. Hier war es dunkel, weil die Fensterläden geschlossen waren. Die Luft war abgestanden. Es roch nach kaltem Rauch.

Clive Taillor fanden wir in seinem Schlafzimmer an einen hochlehnigen hölzernen Schaukelstuhl gefesselt. Mitten auf seiner Stirn war ein kleines Einschussloch. Er trug ein weißes Hemd mit aufgekrempelten Ärmeln, eine schwarze Hose und war barfuß. Auf seinen Füßen und seinen Unterarmen waren Brandwunden, verkohlte, geschwärzte Kleckse aus getrocknetem Blut. Ich starrte seine Füße an. Vor mir sah ich Sally Feinmans Füße, wie sie aus der Badewanne geragt hatten, roch das verbrannte Fleisch.

Heidi stand neben mir. Sie war kreidebleich geworden und presste die Lippen krampfhaft zusammen, schluckte immer wieder, konnte weder sprechen noch den Blick abwenden. Ich nahm ihren Arm und zog sie hinaus in den Korridor. Mit entsetzten Augen schaute sie mich an. »Clive?« Ihr Mund war trocken, die Zunge klebte ihr am Gaumen.

Ich nickte. »Älter, grauer und nicht mehr so lebendig. Aber es ist Clive.«

Sie lehnte sich gegen die Wand. »Ich muss nachdenken.«

Ich ging wieder ins Schlafzimmer, wobei ich jeden Blick auf die Leiche vermied. In einem gläsernen Aschenbecher waren Zigaretten ausgedrückt worden. Doch danach suchte ich nicht. Ich hielt Ausschau nach einem verkrusteten, verkohlten Tabakbröckchen, das aus einem Pfeifenkopf stammte.

Und ich wurde fündig.

Nach Kirschen roch es zwar nicht. Nur verbrannt. Aber mir war das Beweis genug.

Im Hotel, als der Regen heftiger wurde, auf die Straßen trommelte und in Schwaden über unseren Balkon fegte, fing ich an, gegen Morris Fleury vom Leder zu ziehen. Ich erzählte Heidi, wie er mir seine Verwicklung in die Geschichte erklärt hatte, wie er sie in Tanger getroffen hatte, kurz alles, was er mir vor weniger als vierundzwanzig Stunden mitgeteilt hatte. Ich berichtete vom Fund der Pfeifenasche und sagte, Fleury sei ein tödlicher Schatten, der nur Zerstörung hinterließ. Heidi fand, ich interpretiere zu viel in die Sache hinein. Doch sie war immer noch sehr blass.

»Komm schon, reg dich nicht so über Fleury auf! Der ist doch von vorgestern. Ich denke, er ist bloß jemand, den Rosen und Stryker dem guten alten Whitney aufgedrängt haben, weil Fleury eben *nicht* mitkriegt, war wirklich passiert. Er ist auf dem absteigenden Ast und möchte es möglichst heil nach Hause schaffen. Er ist ein Lakai, Lee, aber er war schon bei Magna, als JC noch lebte – bin eigentlich erstaunt, dass ihr ihn nicht gekannt habt.«

»JC kannte ihn vielleicht, aber davon hat Fleury mir nichts gesagt.«

»Fleury ist doch bloß ein alter, schäbiger Penner. Hast du seinen Anzug nicht bemerkt? Ich meine, sei doch mal großzügig ... Whitney weiß ja kaum, dass es ihn noch gibt, er erträgt ihn nur aus Gewohnheit. Er gehört eben zum Inventar, wie ein alter Schreibtisch, den man vergessen hat wegzuschmeißen. Er ist seit Ewigkeiten bei Magna ...«

»Woher weißt du denn so viel über ihn?«

»Whitney hat es mir erzählt. Er rief mich in Tanger an, um mir mitzuteilen, dass dieser alte Knacker käme, um Kontakt zu mir aufzunehmen. Er sagte, ich könnte Fleury ruhig Nachrichten für ihn, Whitney, anvertrauen, falls ich ihn selbst oder Allan nicht erreichte. Also wirklich, ich glaube, diesmal liegst du schwer daneben, Lee ...«

»Würde mich ehrlich gesagt nicht überraschen. Du bist schließlich die Meisterin der Recherche.«

»Und du schiebst mir immer was in die Schuhe«, sagte sie.

»Teufel auch, nein! Was hab ich denn jetzt schon wieder nicht kapiert?« Ich dachte an Clive Taillor. Ich hasste dieses ganze Scheißspiel. Clive war so anständig gewesen, hatte immer zu JC gehalten, und nun war er ermordet worden. Hatte er ihnen gesagt, was sie wissen wollten? Wer waren *sie* überhaupt? Und ich überlegte, wann die Polizei die Leiche finden würde. Hoffentlich waren wir da längst abgereist. Und ich überlegte, ob Fleury inzwischen Whitney dazu brachte, dass er Druck auf die Bankiers ausübte, um hinter das Geheimnis von Clives jahrzehntelangen Zuwendungen zu kommen.

»Der Punkt ist: Taillor muss genau über JCs weiteren Weg Bescheid gewusst haben. Zum Beispiel auch, wo er sich aufhält, falls er noch am Leben ist. Ich meine, warum sonst hätten sie ihn foltern und umbringen sollen?«

»Vielleicht war Taillor derjenige, der Magna erpresste«, gab ich zu bedenken. »Vielleicht hat er diesen verdammten Song geschickt. Und steckte mit Thumper Gordon unter einer Decke.« Ich wollte bloß reden, wollte die Leere mit Worten füllen, während ich gleichzeitig versuchte, mit Heidis Ideen über Taillor klarzukommen. Was würde wohl passieren, wenn Taillor den Mördern erzählt hatte, was er über meinen Bruder wusste – und natürlich über mich? Was hatte er überhaupt gewusst?

Heidi sah mich kopfschüttelnd an. »Nein, das glaube ich nicht. Ein Erpresser hätte sich mit einem hinterlegten Brief ›für den Fall meines Todes‹ rückversichert, und das ist hier wohl nicht der Fall. Nein, ich glaube, Taillor wurde getötet, um etwas herauszufinden. Oder«, sie runzelte die Stirn, »um ihn daran zu hindern, etwas auszuplaudern ...«

»Und wieder das alte Spiel«, stöhnte ich, meinte es aber nicht so. Denn jetzt war es kein Spiel mehr. »Warum sollten sie sich die Mühe machen, ihn zu foltern, wenn er sowieso nie mehr den Mund aufmachen soll? Na, jedenfalls gefällt mir Morris Fleury als Mörder, und es ist mir egal, was du darüber denkst.«

Sie starrte mich streng an. Allmählich kehrte die Farbe in ihre Wangen zurück. Denn bei ihr verblasste die Erinnerung an die Leiche, an Clive. Mir war das nicht vergönnt. Ich wollte den Mann töten, der Clive ermordet hatte. Vielleicht hatte ich es bereits getan. »Was für einen Grund sollte Fleury haben, Taillor umzubringen?«

»Ich weiß es nicht«, erwiderte ich. »All die Theorien, auf denen die Leute bestehen, basieren darauf, dass JC noch lebt. Und ich weiß, dass er tot ist.«

Sie warf mir einen Blick zu, der besagte, dass ihre Geduld allmählich erschöpft war. »Ich weiß nie, wann ich dir glauben kann.«

»Glaub mir einfach immer, dann geht's dir besser.«

»Wenn Fleury Taillor ermordet hat, könnte es zwei Motive geben.« Wieder tippte sie mit dem Kuli gegen ihre Zähne. Sie wirkte leicht abwesend, als ob sie im Geiste einen Computer programmierte. »Erstens, er wollte herausfinden, wo JC sich aufhält. Er folterte Taillor, um die Antwort zu bekommen. Nachdem er die gewünschten Informationen erhalten hatte – oder auch nicht –, tötete er Taillor, um ihn zum Schweigen zu bringen und ihn daran zu hindern, JC oder wen auch immer zu warnen. Zweitens – und dieses Motiv gefällt mir immer besser, je länger ich darüber nachdenke –, er brachte Taillor um, *weil* der wusste, wo JC steckt. Lass uns annehmen, dass Taillor JCs derzeitigen Aufenthaltsort kennt – und vielleicht ist er nur einer von zwei Menschen *überhaupt*, die diesen Ort kennen. Damit ist er eine Gefahr für JC – wir wissen ja nicht einmal, *wer* JC ist! Sieh mal, es ist viel Zeit vergangen, er musste ja nur seinen Stil ändern, ein bisschen Haar zulegen oder verlieren, das Gleiche mit der Figur ... in zwanzig Jahren kann man sich völlig verändern. Oder, wenn nötig, auch in einem halben Jahr. Jetzt sieh mich nicht so an – es ist durchaus machbar!«

»Einer von zweien«, sagte ich und versuchte wieder festen Boden unter den Füßen zu gewinnen. Was die Frau für eine Einbildungskraft besaß! »Wer sonst soll angeblich wissen, wo JC steckt?«

»Du natürlich!«

Ich stöhnte. »Na ja, JC wird immer JC bleiben.«

»Du bist also auch der Meinung, dass er noch lebt!«, triumphierte sie.

»Um Himmels willen«, sagte ich. »Ein bisschen Chirurgie, 'ne Perücke und 'n falscher Bart – damit wird sogar Ledbetter zu JC! Hör auf mit dem Quatsch, verdammt!«

»Es ist kein Quatsch.«

»Und wie passen die Kerle – oder der Kerl, das werde ich wohl nie rauskriegen – ins Bild, die versucht haben, mich zu killen? Das war nämlich auch kein Quatsch. Ich habe letzte Nacht *einen Mann umgebracht*!«

»Ich weiß, Liebling.«

»Versuch nicht, mich zu trösten!«

»Es muss furchtbar für dich gewesen sein ...«

»Es ist kein verfluchtes bisschen witzig!«

»Ich weiß, es tut mir Leid. Wer die waren? Wie ich bereits gesagt habe ... sie wollten JC finden oder ...«

»Mir hat aber niemand Fragen gestellt, wenn ich deiner Erinnerung auf die Sprünge helfen darf. Ich sollte gekillt werden, nicht verhört.«

»Und was sagt dir das? Ich möchte eigentlich nicht diejenige sein, die dir sagen muss, dass es dein Bruder ist, der dich zu töten versucht ...«

»Dann sag's nicht!«

»Du hast Recht. Es ist wirklich kein bisschen witzig.«

»Warum sollten die Mörder Clive foltern, wenn sie doch nur sichergehen wollten, dass er keiner Menschenseele verrät, wo JC ist?«

Heidi überlegte einen Moment, dann sagte sie: »Vielleicht wollten die Mörder wissen, ob Taillor jemand anders verraten hatte, wo JC steckt. Aber umgekehrt wird eher ein Schuh draus – wenn sie herausfinden wollen, wo JC ist.«

Später rutschte es mir heraus, ohne dass ich auf meine Worte achtete: »Ich frag mich, ob Clive es ihm erzählt hat ...«

Heidi stand an der offenen Balkontür und sah hinaus in den Regen. Nun schaute sie über die Schulter zu mir.

»Was willst du damit sagen, Lee?« Auch sie war todernst geworden. »Ich dachte, JC sei tot.«

»Ich verliere noch den Verstand«, sagte ich.

»Ein kleiner Schnitt hier, eine Straffung da.«

»Was?«

»Ich hab das nicht nur so hingesagt über andere Kleidung und Figur und mehr oder weniger Haare. JC könnte heute ganz anders aussehen.«

»Klar, wahrscheinlich wie eine Witzfigur, die nur Walt Disney gefällt.«

»Es würde erklären, warum er so schwer zu finden ist, warum er seine Existenz so geheim hält.«

»Tod wäre auch eine Erklärung.«

Heidi hatte nur einen knappen Slip an. Sie saß im Bett, die langen Beine im Schneidersitz, das bloße Fleisch warm und feucht. Wir hatten uns eben wieder geliebt. Nun lackierte sie ihre Fingernägel. Sie war völlig konzentriert, ihre Hände zitterten kein bisschen. Ich lehnte mich an eines der verschwitzten Kissen.

»Deine Annie DeWinter ist unsere letzte Trumpfkarte. Bist du bereit für sie?«

»Sie ist nicht *meine* Annie DeWinter. Und was, um alles in der Welt, erwartest du von ihr?«

»Sieh mal, wir haben niemand anderen, den wir fragen können. Wir wissen nicht, wo Thumper Gordon lebt; Taillor ist tot; du bist zwar hier, und vielleicht stimmt es sogar, dass du nicht weißt, wo JC sich aufhält – nun ja, jedenfalls wart ihr vier als Letzte in Tanger zusammen ...«

»Aber als JC starb, war Annie längst abgereist.«

»Aber als du dein Buch über die Suche nach JC Tripper geschrieben hast, hast du sie nicht aufgesucht. Ich fand das ein wenig seltsam.«

»Warum sollte ich in alten Wunden herumstochern? Sie wusste nichts von seinem Tod, sie war vorher schon weg. Sie hatte die Ruhe gefunden, nach der sie sich immer gesehnt hatte. Wozu sollte ich alles noch einmal aufwühlen?«

»Das war dann wohl der Zeitpunkt, als ihr neuer Freund auf der Bildfläche auftauchte, nicht wahr?«

»Keine Ahnung. Ich weiß nichts von einem neuen Freund.«

»Also, ich kann mir kaum vorstellen, dass ein Paar wie Annie und JC einander so schnell vergessen.«

»Menschen sterben nun mal. Das Leben geht weiter, Heidi.«

»Wenn er noch lebt, muss er Verbindung mit ihr aufgenommen haben. Kein normaler Mann würde die Frau vergessen, die er über alles liebt.«

»JC schon. Er sagte immer, wenn der Zeitpunkt gekommen sei, würde er den Leuten die Tür vor der Nase zuschlagen, und das war's dann. Und wenn sie erst mal zu war, machte er nie wieder auf. Er nannte das JCs Gesetz.«

»Nett.«

»Wer auf der anderen Seite der Tür stand, war für immer ins Exil verbannt.«

»Ich schätze, ich hab's kapiert ...«

»Vielleicht war Annie ein Teil des Problems. Vielleicht musste er sich von ihr befreien, denn sie gehörte zu seinem alten Leben. Sie *war* sein altes Leben ...«

»Liebling, du weinst ja.« Sie setzte sich neben mich. Ich roch ihren Duft, spürte ihre Wärme.

»Sind nur die Erinnerungen. Und die ... Mein Gott, vor

vierundzwanzig Stunden hab ich einen Menschen getötet. Schieb es einfach auf den Schock.« Ich wischte mir mit dem Lakenzipfel die Tränen ab.

»Allmählich sprichst du so von ihm, als wäre er noch am Leben. Lebt er noch, Lee?«

»Er ist tot wie ein verdammter Skunk«, sagte ich mit Betonung. »Du hast eine hypothetische Frage gestellt. Nun lass das Thema ruhen!«

Später sagte sie: »Wir müssen nach London.«

»Na schön.« Wie sollte ich ihr widersprechen? Ich wusste, dass es sein musste.

»Es geht um Annie, Lee. Wir müssen alle Möglichkeiten ausschöpfen.«

»Annie.«

»Sie könnte in Gefahr sein.«

»Nicht wegen JC«, beharrte ich. »Niemals wegen JC. Wegen Fleury vielleicht, wenn er wirklich glaubt, dass JC noch am Leben ist und Annie wissen könnte, wo er ... aber dazu brauchst du mich doch nicht.«

»Aber sicher brauchen wir dich. Sie kennt dich, mit dir wird sie reden. Und ich habe das Gefühl, dass du dabei sein willst, Lee.«

»Sie hat keine Ahnung, wo JC ist, weil er ...«

»Ich bin überzeugt, dass sie es weiß.«

»Ach, um Gottes willen ...«

»Ich glaube, dass er bei ihr ist, Lee. Darum geht es.«

Heidi holte einen großen braunen Umschlag aus der Tasche und legte ihn sich auf den Schoß, tippte langsam mit einem langen, frisch lackierten Nagel darauf.

»Du hast versucht, sie zu finden, stimmt's?«

Ich zuckte die Achseln. »War nicht sehr ausdauernd.«

»Aber du hast's versucht?«

»Hab ihr 'nen Brief geschrieben, an die alte Adresse. Berkeley Square.«

»Und?«

»Ich bekam eine Antwort, die aus einem Satz bestand: *Lass mich bitte aus der Sache raus.* Das hab ich dann getan.«

»Kurz davor hatte sie die Geschichte mit dem neuen Freund angefangen. Weißt du, wer er ist?«

»Heidi, ich kümmere mich nicht so intensiv um Annies Privatleben.«

»Wie unehrlich! Natürlich bedeutet sie dir *überhaupt* nichts ...«

»Das sagst du so. Es ist zwanzig Jahre her, Heidi, zwanzig lange Jahre.«

»Und es hat auch nichts zu bedeuten, dass du im Schlaf ihren Namen rufst.«

»Heidi, du gehst mir allmählich auf die Nerven.«

»Und du leugnest ganz offensichtlich, dass sie einen Freund oder Liebhaber hat. Das ist schon komisch, Lee, und auch ziemlich nervig. Wir müssen Annie treffen und ihr ein paar Fragen stellen ... und ich will, dass du dich ans Programm hältst.«

Ich starrte sie nur an. »Ich hab dich nicht zum Chef gemacht, Heidi, deshalb werde ich deinen Tonfall ignorieren. Ich vergebe dir. Aber wenn du noch einmal so einen wichtigtuerischen Scheiß von dir gibst, nimmt dieser Junge hier seinen Schläger und seinen Ball und fährt nach Hause, und dann kannst du den Rest deines Lebens damit zubringen, meinen armen verlorenen Bruder zu suchen. Ich wünsch dir viel Glück dabei.«

»Aha. Trotz zählt also auch zu deinen mannigfaltigen Fehlern.« Sie lächelte. »Das gefällt mir an einem Mann. Wenn du mich jetzt genügend zurechtgestutzt hast, lass uns doch mal einen oder zwei Gedanken an Annie DeWinters Leben verschwenden. Ja, knirsch ruhig mit den Zähnen, Lee. Ist auch nicht schlimmer als 'ne Wurzelbehandlung ... Sein Name ist Alec Truman. Er ist ein sehr, sehr mächtiger Finanzier, über den kaum etwas bekannt ist.«

»Und woher weißt du so viel über ihn – die Annahme ist doch richtig?«

»Recherche und Computer sind nun mal meine Fachgebiete. Magna hat eine außergewöhnlich große Datenbank – es gibt eine eigene Tochterfirma, die nur Informationen sammelt. Sie heißt JQP und erscheint in keiner von Magnas Bilanzen. Aber ich habe Zugang zu dieser Datenbank, dank Whitney. Denn unsere Suche nach JC ...«

»Er muss dir ja mächtig vertrauen.«

»Er hat auch allen Grund.«

»Und Alec Truman ist in dieser Datenbank zu finden?«

»Jeder ist in dieser Datenbank zu finden.«

»JQP?«

»John Q. Public.«

»Süß.«

»Verschämt würde ich es nennen. Aber ich hab dem Ding ja nicht seinen Namen gegeben.«

»Was also ist die Story von diesem Alec Truman?«

»Ich gebe dir mal die grundlegenden Fakten. Keine Familie, ein Waisenkind, geboren und aufgewachsen in Johannesburg, kaum Daten über Kindheit, Jugend und die Zeit als junger Erwachsener. Ein sehr anonymer Mann. Als er vor ungefähr zehn Jahren in London auftauchte, lag seine Vergangenheit völlig im Dunkeln, aber er tätigte bereits Geschäfte mit Arabern, Japanern, Deutschen, Griechen ... da wurde es offenbar, dass er enorm reich sein musste und viele Hebel in Bewegung setzen konnte. Die Macht saß ihm sozusagen in den Fingerspitzen. Dann lernte er Annie DeWinter kennen, doch auch diese Beziehung wurde vor der Öffentlichkeit abgeschirmt. Er bezahlt gut, damit sein Privatleben privat bleibt. Kurz gesagt, er ist ein Mann mit einer leicht zu fälschenden Vergangenheit und einer extrem geheimen Gegenwart. Er zahlt pünktlich seine Steuern und achtet darauf, nicht aufzufallen. Annie DeWinter ist das einzige öffentliche Ereignis in seinem ansonsten übermäßig zurückgezogenen Privatleben. Es gibt fast keine Fotos von diesem Mann, aber ich habe meine Quellen: Dieses Bild ist heute per Kurier aus London gekommen. Du solltest es dir mal ansehen.«

Sie reichte mir den Umschlag. Immer noch trommelte der Regen auf den Balkon. Es war Nacht geworden, und Zürich sah hinter Nebel und Regen wie ein leuchtender, verschwommener Fleck aus. Ich nestelte am Verschluss herum und dachte an Morris Fleury: Wo der jetzt wohl steckte? Sollte er uns immer einen Schritt voraus sein? Ich dachte an Clive Taillor und fragte mich, wann er ermordet worden war. Ob er bereits bei meinem ersten Besuch tot in seinem Haus gesessen hatte, bevor ich auf der Straße in Fleury hineingerannt war?

In dem Umschlag war ein einzelnes Foto, eine körnige Vergrößerung im Format 20 X 25 nach einem Zeitungsfoto. Anscheinend war es auf einer Rennbahn aufgenommen worden. Der Mann trug ein Sportsakko, ein kariertes Hemd und eine dunkle Strickkrawatte. Der Kamera zugewandt stand er am Geländer und schaute auf die Rennstrecke. Um seinen Hals hing ein Fernglas am Lederriemen.

»Du machst ein Gesicht, als hättest du ein Gespenst gesehen.«

Meine Kehle war zugeschnürt, ich konnte nicht sprechen – allerdings hätten mir auch die Worte gefehlt.

Er hatte mehr Glatze bekommen und graue Schläfen. Unter dem Kinn war eine Falte mehr, und er trug eine Brille mit starken Gläsern. Doch da war das vertraute leichte Grinsen, das Zwinkern mit den Fältchen in den Augenwinkeln und andere Charakteristika.

Ich starrte auf das Bild und hatte das Gefühl, als löste sich der Boden unter meinen Füßen und ließ mich im leeren Raum pendeln.

Ein zwanzig Jahre älterer JC Tripper starrte mich an.

17.

Magna besaß eine ganze Reihe Wohnungen in London. Heidi und ich bezogen ein Apartment mit Küche in einem ehrwürdigen viktorianischen Backsteinhaus am Draycott Place, nur einen Block von der King's Road und der Draycott Avenue entfernt. Bis zu Annie DeWinters Domizil war es ein Fußmarsch von fünfzehn Minuten. Sie wohnte in einem teuren, eleganten Viertel zwischen Harrod's und der Sloane Street. Heidis Nachforschungen hatten ergeben, dass Annie ihre Bleibe am Berkeley Square bereits vor Jahren aufgegeben hatte und nun mit Alec Truman am Hans Place wohnte, in einem Stadthaus, für das sie locker zwei Millionen Pfund hingeblättert haben musste. Es war genau der Ort, wo sich ein Multimillionär, der seine Identität verbergen wollte, sicher und unerkannt fühlen konnte.

Obwohl kein Stück der ursprünglichen Bebauung übrig war, konnte Hans Place mit einer berühmten Geschichte aufwarten. Der Platz war nach Sir Hans Sloane benannt, dem Schwiegervater Lord Cadogans, dem einst alle Grundstücke in weitem Umkreis gehörten. Früher war es ein eher bescheidenes Quartier gewesen, das im Laufe der Jahre eine drastische Verschlechterung erfahren hatte. Um die Mitte des neunzehnten Jahrhunderts wäre es fast zu einer Art Slum geworden, doch da eröffnete ein gewisser Mr Harrod sein erstes Geschäft, und ein paar Jahrzehnte später war das Viertel vor dem Verfall gerettet. Doch zuvor, in seiner ersten Blüte, hatte Jane Austen mit ihrem Bruder in Nummer 23 gelebt; der Prinzregent hatte sie ins Carlton House eingeladen und ihr erlaubt, die erste Auflage von *Emma* ihm zu widmen.

All diese historischen Tatsachen schwirrten mir durch den Kopf, weil ich so nervös war und weil ich einst nur einen Steinwurf entfernt in einer sehr schicken Wohnung in der Pont Street gewohnt hatte – aber das war in meiner Jugend gewesen, in den Sechzigern. Damals hatte ich die Geschichte des Viertels studiert. Und nun, hinter dem Steuer eines gemieteten Rovers in der Nähe von Annies Haus zu untätigem Warten verurteilt, musste ich meinen Kopf beschäftigen. Also dachte ich an Sir Hans Sloane und an Jane Austen, um mich von meinen Erinnerungen abzulenken: von Annie und den Sechzigern und der Frage, was sie und JC einander bedeutet hatten. Und ich wollte nicht daran denken, wer sich hinter Alec Trumans Gesicht verbarg ...

Der Zürcher Regen war uns nach London gefolgt, nur leider war er auf der Reise warm geworden und machte, dass einem die Kleider am Leib klebten. Das Wetter erinnerte nur allzu sehr an die schwüle Hitze in New York, wo dieser Wahnsinn seinen Anfang genommen hatte. Durch den stetig strömenden Regen starrte ich auf das Haus, das seine Fassade wie ein Antlitz unerschütterlicher Korrektheit trug: ernst und alt und vom eigenen Wert überzeugt, mit einem oder zwei Bediensteten und einem Daimler und einem Bentley, diskret in der Garage untergebracht. Ich wartete auf Annie DeWinter, weil ich sie nicht anrufen und ihr noch einmal Gelegenheit geben wollte, mir zu sagen, ich solle sie aus der Geschichte rauslassen. Ich musste sie sehen und durfte mich nicht mit einem Nein abspeisen lassen. Ich musste sie überraschen. Und ich musste es allein tun. Folglich war

Heidi Dillinger nicht dabei, sondern ging ihre eigenen Wege. Und ich wartete, fragte mich, wer Alec Truman war, und versuchte nicht an Annie zu denken, meine Erinnerungen an Annie nicht hochkommen zu lassen ...

Heidi war die große Denkerin, und nun wälzte ich ihre Theorien wieder und wieder in meinem Kopf und überlegte, wie nahe sie der Wahrheit gekommen war. Heidi war überzeugt, dass ihre letzte Eingebung den Nagel auf den Kopf getroffen hatte: JC hatte die Welt ausgetrickst, indem er sich in Alec Truman verwandelte und zu der Liebe seines Lebens, zu Annie DeWinter zurückgekehrt war, um mit ihr den mehr oder weniger glücklichen Rest seiner Tage zu verbringen. Sein Pseudonym war die Grundlage seiner Existenz, und er würde alles tun, um sie zu verteidigen.

Sally Feinman, schloss Heidi, hatte irgendwie die Wahrheit über Alec Truman herausgefunden und ihn damit konfrontiert. JC, der Fleury aus früheren Zeiten kannte, hatte den abgehalfterten Detektiv engagiert, um seine Truman-Identität zu schützen, koste es, was es wolle. Folglich hatte Fleury Sally ermordet und zuvor versucht, sämtliche Informationen aus ihr herauszupressen, denn es bestand die Gefahr, dass sie es noch anderen erzählt hatte. Ebenso war Clive Taillor zu einer Bedrohung geworden und musste zum Schweigen gebracht werden, als Fleury herausbekam, wer Taillor in den ganzen Jahren Geld aufs Konto gezahlt hatte. Heidi war überzeugt, Alec Truman müsse dahinterstecken; vermutlich hatte er das Geld über eine seiner Firmen überweisen lassen. Der Mord an Shadow Flicker in Los Angeles passte freilich nicht besonders gut in ihre Theorie – aber das konnte mit Drogen zu tun haben; wie oder warum, wusste sie nicht. Vielleicht war dieser Mord eine Spur ins Nichts und hatte nicht das Geringste mit JC zu tun.

Jedenfalls killt Fleury jeden, der eine Gefahr darstellt, argumentierte Heidi, und mit jedem Mord wird die Spur zu Truman kälter. Aber eine Bedrohung existiere noch, und zwar sei dies meine werte Person. Heidi zog den Schluss, dass Fleury einen oder zwei Männer in Zürich zu meiner Ermordung angeheuert hatte; das erkläre dann auch, warum er so plötzlich am Schauplatz aufgetaucht war. Dort habe er jedoch nicht das erwünschte Ergebnis vorgefunden und dann, als er die Tat selber hätte begehen müssen, habe ihn der Mut verlassen.

Das war alles hanebüchener Quatsch, fand ich, aber Heidis Schlüsse übten nichtsdestotrotz einen ernüchternden Einfluss auf mich aus. Sie hatte mich auch darauf hingewiesen, wie schnell Fleury wieder verschwunden war. Was machte er? Überprüfte er Kontoauszüge? Aber warum? Wenn er im Auftrag von Truman arbeitete und Truman in Wahrheit JC war, dann wusste Fleury doch ganz genau, wer Taillor all die Jahre bezahlt hatte. Und warum hätte er Clive foltern sollen, wenn er ihn doch nur zu töten brauchte? Das waren zwei Schwachpunkte in Heidis Theorie, die ich ihr nicht verschwieg. Ihre Antwort lautete lediglich, dass sie nie behauptet hätte, ihre Theorie sei unangreifbar, sie sei jedoch ein verdammt guter Anfang, die Wahrheit ans Licht zu befördern. Fleury war der Bösewicht. Das, so gab sie mir ungeduldig zu verstehen, sei der Dreh- und Angelpunkt. Fleury war Gevatter Tod in einem zerknitterten alten Seersucker-Anzug.

Ich gab ihr zu verstehen, sie sei verrückt. JC war vor zwanzig Jahren gestorben.

Für einen Augenblick schien sie den Faden zu verlieren. JC ist nur der Hintergrund, sagte sie – wie ich nur so beschränkt sein könne, das nicht zu sehen? Ob tot oder lebendig, spielte keine Rolle. JC war der Grund, dessentwegen Menschen ermordet wurden. Darüber hinaus war er nicht wichtig.

Ich fragte sie, was denn aus der großartigen Erpressertheorie geworden sei.

Heidi starrte mich wütend an. Sie war unfähig zuzugeben, dass sie vergessen hatte, wie weit JC und die Erpressung miteinander verknüpft waren. Endlich verstummte sie, zumindest für eine Weile.

Zwanzig Jahre. Mir kam es vor, als wären es zwanzig Minuten.

Sie kam aus der Haustür und blieb auf der Stufe stehen, um den Regen zu betrachten, während sie den letzten Knopf an ihrem blassrosa Regenmantel schloss. Breitbeinig stand sie da, der lange Mantel wehte im Wind – es war die Haltung eines Revolverhelden in einem alten Spaghettiwestern von Sergio Leone. Dann zog sie ein pfiffiges rosa Regenhütchen aus der Tasche und drückte es auf ihr schwarzes Haar. Das lange, ovale Gesicht mit den hohen Wangenknochen schien mir unverändert, zumindest aus der Entfernung. Ich wusste nicht, ob ich mich darüber freuen sollte oder ob ich es unheimlich fand – dann aber sagte mir mein Verstand, dass sie sich nach zwanzig Jahren auf jeden Fall verändert haben müsse. Doch diese Frau in ihrem langen, wehenden Mantel und dem mädchenhaften, anbetungswürdigen Hütchen hätte immer noch für David Bailey oder Skrebneski oder Avedon posieren können; diese Fotografen hatten Annie damals mit ihren Hasselblads und Brownies unsterblich gemacht.

Zwanzig Jahre – und nun fiel mir auf, dass mir weniger Annie selbst, sondern hauptsächlich Fotos von ihr im Gedächtnis geblieben waren. An eines erinnerte ich mich besonders gut: Es war ein monumentales Bild, eine Aufnahme ihres Kopfes; Annie grinste so breit, dass um ihre Augen herum Fältchen erschienen; ihre schwarzen Zöpfe waren um den Kopf geschlungen, den rechten Arm hatte sie erhoben und den Unterarm über den Kopf gelegt. Es war ein witziger Schnappschuss von einer erschreckend schönen, blendenden Frau. Ich hatte Annie tausendmal in dieser Pose gesehen, doch nur diese Aufnahme stand mir noch deutlich vor Augen. Aber das war noch nicht alles: Ich hörte ihr Lachen, roch ihr Parfüm und ihr Shampoo. Sicherlich ist so eine Erinnerung ein Indiz dafür, wie die Zeit vergeht, wie sie bei uns allen ihre Spuren hinterlässt.

Annie schob ihre Hände in die Manteltaschen und trabte in ihren hohen schwarzen Gummistiefeln wie ein Schulmädchen durch den Regen. Diese langen Beine, die durch die Pfützen stoben. Zwanzig Jahre. Mein Gott, wie die Zeit vergeht …

Ich stieg aus dem Wagen und nahm die Verfolgung auf. Annie ging vom Hans Place zur Sloane Street, kreuzte die Pont Street und wanderte an den Cadogan Gardens entlang. Sie ging weder schnell noch langsam, es sah aus, als mache sie einen Spaziergang. Unvermittelt wechselte sie die Straßenseite und betrachtete die Auslagen in einigen Schaufenstern; dann ging sie in ein Geschäft und kam einige Zeit später mit einem Paket wieder heraus. Wie sollte ich sie bloß ansprechen? *Hi, Liebes … was hast du denn so getrieben in zwanzig Jahren? Gib mal 'n Küsschen und erzähl …*

Annie schlenderte den Sloane Square entlang, überquerte die Straße zur Platzmitte, ging dann hinüber auf die Seite der King's Road und in den Buchladen W. H. Smith. Ich stand an der Ecke Sloane Gardens, an der früher eine Freundin von mir gewohnt hatte, und wartete darauf, dass Annie wieder herauskam. Eine Viertelstunde verstrich; dann erschien sie wieder mit einer Tüte voller Bücher, Zeitungen und Zeitschriften. Sie kam auf mich zu … gleich musste sie mich sehen … aber nein, ich hatte mich geirrt. Sie ging an mir vorbei, überquerte hinter der U-Bahn-Station die Straße, betrachtete einen Moment ein Plakat des Royal Court Theater, bog dann um die Ecke und steuerte auf ein altes, ehrwürdiges Pub zu. In dem Augenblick, als ein Donnerschlag über dem Square ertönte, trat sie ein.

Damit lag die Wahl bei mir. Aber im Grunde hatte ich keine Wahl. Es war zu spät, um mir noch eine passende Begrüßung auszudenken, gar nicht zu reden von einem Plan, wie ich vorgehen sollte, wenn ich erst einmal den äußeren Verteidigungsring durchbrochen hatte.

Annie saß ganz allein in einer Nische unter einem Bleiglasfenster, auf dem ein großer schwarzer Rabe auf einem Baumstumpf dargestellt war. Das Pub – wie sollte es anders sein – trug den Namen »The Raven and Stump«. Im anderen Teil der Kneipe vergnügten sich die Gäste an lärmigen Videospielen, hier hingegen war es ruhig, bis auf den fernen Donner. Annie blätterte in einer französischen *Vogue*; auf dem Tisch standen eine Halbe und ein Teller mit dampfendem Hack- und Kartoffelauflauf. Ich ging zur Theke, bestellte mir eine Halbe Mut und schlürfte, während ich sie beobachtete.

Endlich war es so weit.

Sie schaute nicht auf, als ich an ihren Tisch trat. Offenbar war sie tief in Gedanken.

»Hallo, Annie«, sagte ich. Meine Hände zitterten. Meine Stimme hoffentlich nicht.

Sie schaute zwar nicht auf, aber sie erstarrte sichtlich, und ihre Hand, die eben eine Seite umblättern wollte, hielt mitten in der Bewegung inne. »Kenne ich diese Stimme nicht?« Sie schlug das Heft zu. *Zapp, zapp, summ, boinggg* … Das Videospiel war in seiner lauten Endphase. »Ja, ich kenne sie nur zu gut.«

»Ja, die kennst du.«

Sie seufzte. In ihrem glänzenden Haar, das so glatt war

wie Ebenholz, konnte ich mich fast spiegeln. »Bist du's wirklich?« Immer noch brachte sie es nicht über sich, aufzusehen. »Wie lange ist das her ...« Dann endlich schaute sie mich an. Ihre Augen wurden einen Moment schmal, dann glitten sie suchend über meine Züge. Ich wartete und fühlte mich wie ein Mann, über dessen Gesicht die Fingerspitzen einer blinden Frau gleiten: Mund, Nase, Wangenknochen. »Du hast dich verändert«, sagte sie mit leiser Stimme.

»Willst du mich zum Besten halten oder was? Darum geht es doch im Leben, oder etwa nicht? Wenn man sich nach zwanzig Jahren nicht wenigstens ein bisschen verändert hat, welchen Sinn hätte dann das Leben?«

»Oh, du bist es, zweifellos. Aber ich muss dir gestehen, dass ich diese abgedroschene Philosophie nicht im Geringsten vermisst habe.«

»Wenn es nicht abgedroschen wäre, meine Liebe, wär's keine Philosophie. Und als wir uns das letzte Mal sahen, fandest du's gar nicht so abgedroschen.«

»Tja, die Zeiten haben sich geändert, was? Setz dich, Trip.«

Ihre Augen waren riesig und glänzend und tiefschwarz, ihr Gesicht so schmal und fein gemeißelt wie früher; Ein Schriftsteller hatte mal gesagt, sie sei so schön, dass man mit einem Hammer draufschlagen wolle. So schön. Aber ich wollte diese Schönheit nicht zerstören. Ihr blasses Gesicht wies kaum Falten auf. Gute Gene. Sie trug ihr schwarzes Haar seitlich gescheitelt und zum Pagenkopf geschnitten, sodass es duftig um ihren Hinterkopf wehte. Der dunkelrot geschminkte Mund war ungefähr so breit wie die alte Turnbury Road, die Augenbrauen gerade und schwarz wie Kohle. Sie trug ein langes schwarzes T-Shirt und einen sehr kurzen rosa Rock. Das T-Shirt reichte gerade bis über den flachen Bauch, wo der Rockbund begann, aber hinter der

Tischkante konnte ich es nur erahnen. Das war meine Erinnerung an sie, wie sie durch den Regen ging, wie ihr Mantel im Wind wehte.

»Schließlich bist du doch wieder gekommen. Es ist komisch ... ich hab immer gewusst, dass du eines Tages auftauchen würdest.«

»Ich dachte, ich bereite dir mal 'ne kleine Überraschung.«

»Das schaffst du nicht. Mich hast du niemals überraschen können. Tatsächlich habe ich dich bereits erwartet ...«

»Was meinst du? Du hast *gewusst*, dass ich kommen würde?« Ich konnte es nicht fassen.

»Die Angst vor Verrat entlarvt den Verräter, Trip. Vielleicht hast du dich nur äußerlich verändert.«

»Vielleicht bin ich auch nicht der Mann, an den du dich angeblich so genau erinnerst ...«

»Doch, Amigo, das bist du. Derselbe alte Trip. Seit zwanzig Jahren liege ich fast jeden Tag auf der Lauer, erwarte halb und halb, dass du wieder auftauchst, ohne genau zu wissen, was eigentlich vorgeht. Du bist wie ein Zeitreisender. Seit zwanzig Jahren überfällig. Genau wie dein Bruder. Irgendwie war es immer unmöglich, dir zu entkommen, Trip. Ein Mistkerl, an dem kein Weg vorbeiführt. Du warst immer ein richtiger Idiot, nicht wahr?« Sie streckte die Hand aus und berührte meine Wange. »Und jetzt, wo du gekommen bist ... was sollen wir nur mit dir machen?«

Sie sah sehr ernst aus. Das war die Annie, wie sie in meiner Erinnerung lebte, nicht das Foto, sondern der wirkliche Mensch. Sie trug sie oft, diese feierliche Miene, als ob sie alles sehr, sehr ernst nähme. Langsam schüttelte sie den Kopf, und ihre Ohrringe schwangen mit. Ich erkannte die Dinger. Sie waren zwanzig Jahre alt. JC hatte sie ihr geschenkt, eines Nachts nach einer Plattenaufnahme, die bis vier Uhr morgens dauerte. Wir kamen aus diesem grandiosen alten Studio, das früher eine Kirche auf der Thirtieth Street gewesen war, quetschten uns in eine der großen Cadillac-Limousinen und fielen in irgendeinen Schuppen in Harlem ein. Ungefähr um sieben waren wir auf der Suche nach einem anständigen Frühstück, JC und die Traveling Executioner's Band, und es war saukalt, und der Wind fegte über die Straßen, und die Gegend war gottverlassen. Zeitungen und Müll lagen in der Gosse. Aber da war ein kleiner Zeitungsstand, der gerade aufmachte, und in einer Mülltonne brannte ein Feuer. Und neben dem Zeitungsstand war, ich schwöre bei Gott, ein Kaugummiautomat.

JC fing an, 25-Cent-Münzen in den Schlitz zu werfen, und gab eine Runde Kaugummi aus. Als Beigabe kamen dämliche kleine Kinkerlitzchen aus dem Automaten: kleine Plastikfigürchen, Ringe und Autos und Würfel und Äffchen … und diese beiden schwarzen Plastikpistölchen. Eine perfekt nachgebildete kleine Luger und eine perfekt nachgebildete kleine Smith & Wesson Kaliber 38, jede zwischen zwei und drei Zentimeter lang. Annie trug immer nur Schwarz und Weiß, sie pflegte zu sagen, sie sei kein Mensch für Technicolor. Sie stand auf diese kleine Pistolen, aber JC wollte sie ihr nicht geben. Später an diesem Tag ging er zu einem Goldschmied im Village, der 24-karätige Ohrstecker fertigte. Er bildete die Pistölchen in Gold nach. JC hatte immer gesagt, er würde unheimlich gern mal mit einer Frau schlafen, die eine Waffe trug. In jener Nacht gestand er Annie DeWinter zum ersten Mal seine Liebe.

Sie hatten länger gehalten, diese Ohrringe.

»Ich hätte dich fast nicht erkannt«, sagte Annie, und ihre großen Augen ruhten auf mir.

Ich nickte. Was sollte ich auch sagen?

»Bist du meinetwegen zurückgekommen, Trip?«

»Äh, Annie ... du kommst immer gleich zur Sache. Das ist so schrecklich sechzigerjahremäßig. Wir leben jetzt in einer neuen Zeit, in der Ära der Ausflüchte, der Lügen ...«

»Du vielleicht, Trip. Ich nicht.«

»Du hast bestimmt Recht, Annie.«

»Jetzt mal ehrlich. Bist du meinetwegen zurückgekommen?«

»Meine Güte, Annie. Sind wir denn *beide* Zeitreisende?«

»Du schon, das weiß ich. Bist du meinetwegen zurückgekommen?«

»Ich weiß nicht ... du bist doch nicht allein ...«

»Ist das ein Umstand, der dich neuerdings davon abhält, zu tun, was du willst?«

»Langsam, Cowboy. Du solltest lieber lächeln, wenn du so was sagst ... Bin gerade erst angekommen. Und du bist diejenige, die in einer festen Beziehung ...«

Annie streckte die Unterlippe vor, was ihr einen verwegenen, entschlossenen Ausdruck verlieh. Sie war fünfundvierzig. Ich verstand nicht ganz, wie es dazu hatte kommen können. »Das hat dich doch noch nie aufgehalten.« Dann gab sie die trotzige Pose auf und tätschelte mir besänftigend die Hand. »Was hast du auf dem Herzen? Ich versuche nur, es auf deine Art anzugehen. Du hast immer so gern getrickst, Illusionen aufrechterhalten. Ich hab das nie so gut gekonnt. Aber du warst nie geradeheraus. Und hast immer alles verkompliziert, einfach nur, weil es dir Spaß machte.« Sie trank einen Schluck Bier. »Was hast du auf dem Herzen, Trip?«

»Eine Menge Leute sind auf der Suche nach JC«, sagte ich.

»Ach.«

»Ich gehöre auch dazu.«

Da musste sie lachen. »Komm, lass uns spazieren gehen«,

schlug sie vor. Schaute mich forschend an. »Und du gehörst dazu. Das ist ja irre, Trip, wirklich irre.«

Von den Donnerschlägen erschreckte Tauben flogen in Schwärmen auf. Auf der Straße wimmelte es von Touristen, doch wir drängten uns durch die Massen und bogen auf die King's Road ab, passierten das Duke of Yorks, hielten uns dann links Richtung Chelsea Embankment. Stetig strömte der Regen herab, doch er war eher zu hören als zu spüren. Wir tigerten den Weg entlang, den wir in unserer Jugend gegangen waren. Nur hatten wir jetzt andere Sorgen. Ich zeichnete ihr ein grobes Bild der Lage, ließ jedoch die schlimmeren Teile aus. Ich wollte ihr keine Angst machen, ich wollte sie heraushalten. Um ihret- und meinetwillen hätte ich sie niemals anrühren dürfen. Jetzt zumindest konnte ich mich beherrschen. Aber über das Foto von Truman musste ich sprechen.

»Also lebt ihr jetzt in London, Truman und du, und das Leben ist prima.«

»Und mein Neffe, Chris. Er wohnt ab und zu bei mir. Eigentlich ist er nicht mein Neffe. Mein Cousin und seine Frau sind vor etlichen Jahren bei einem Autounfall ums Leben gekommen. Chris war ihr Sohn.«

»Aber Truman und du, ihr habt nie geheiratet?«

»Warum denn? So eine Art Beziehung ist es nicht.«

»Aber ihr seid zusammen.«

»Ich nehme an, wir brauchten beide einen Menschen, bei dem man Anker werfen konnte. Wir haben uns zum richtigen Zeitpunkt kennen gelernt. Es hat so gut gepasst ... wir sind gute Kameraden. Allerdings verbringt jeder sehr viel Zeit für sich. Ich bin gerne in London, und Alec lebt lieber auf dem Lande, außerdem reist er viel. Er ist ... zuverlässig.«

»Und das bedeutet?«

»Sieh mal, vor zwanzig Jahren habe ich eine Art Dauerschock erlitten. Nachdem ich aus Tanger zurückgekehrt war.« Unter dem rosa Hutrand schaute sie zu mir hoch.

»Ich weiß«, erwiderte ich. »Ich erinnere mich gut.«

»JC war verschwunden. Ich war nicht wirklich überrascht, er hatte sich schon seit geraumer Zeit von mir entfernt, war in seine eigene Welt abgedriftet. Und dann war er plötzlich von der Bildfläche verschwunden. Ich war nicht überrascht, wie gesagt, aber das machte es auch nicht leichter. Er hatte mich von einem kleinen Mädchen zu einer Frau gemacht, hatte mich aufgezogen, könnte man sagen. Klingt das bescheuert? Aber es stimmt. Ich war so ein behütetes Mädchen! Ich war zwar Model, lebte aber immer noch bei meiner Mutter, ein braves englisches Mädchen. JC war mein erster Mann und am Anfang sehr lieb zu mir. Dann aber liefen die Dinge aus dem Ruder, erinnerst du dich? Ich ging abends zu Bett und wusste nicht, wo er war, mit wem er zusammen war, ob er überhaupt zu mir zurückkommen würde … ich hatte solche Angst, dass irgendwer kommen und mir sagen würde, er sei tot …« Ihre Stimme zitterte, mit Mühe hielt sie die Tränen zurück. »Dann war er fort. Ich wollte mich nur noch verkriechen.«

»Kann ich gut verstehen.«

»Das glaub ich gern.«

Wir waren ein gutes Stück gelaufen, standen nun oberhalb des Cadogan Pier und schauten auf die Themse hinunter. Traurige schmutzige Schleppkähne und Boote zogen langsam unter den tief hängenden grauen Wolken dahin.

»Dann trat Alec Truman in mein Leben und wollte sich um mich kümmern, und ich sagte Ja. Er war … irgendwie erinnerte er mich an JC. Ohne die Überspanntheiten und die Exzesse, die ich später mit ihm durchmachen musste. Wer hat sich um dich gekümmert?«

»Niemand. Das Leben ist leichter, wenn man für sich bleibt. Und wenn man auf der Flucht ist, so wie ich damals.«

»Auf der Flucht«, wiederholte sie. »Wovor denn genau?«

»Ist schwer zu erklären, Annie. Glaub mir.«

Lange Zeit spazierten wir am Chelsea Embankment entlang, aber die Zeit schien keine Rolle mehr zu spielen. Annie war für mich die Inkarnation der glücklichsten und zugleich traurigsten Zeit meines Lebens, der Zeit, in der ich mich am lebendigsten gefühlt hatte. Ich wollte mich an ihr festhalten wie ein alter Krieger, der seinen Talisman an sich drückt und glaubt, dass er ihm seine Jugend zurückbringt, seine Kraft. Ein Talisman, der Wirklichkeit und Logik zu transzendieren scheint, tausendmal mächtiger ist als beide zusammen.

Ich wusste, dass Annie mich aus dem Augenwinkel beobachtete, wie Sasser es in Tanger getan hatte; irgendwie schien ich nicht der zu sein, den sie erwartet hatte. Ich wusste, was es war. Sie konnte nichts dagegen tun. Sie sah mich an, und sie sah JC und konnte es nicht glauben. Sie wusste, dass JC beschlossen hatte, ein Ende zu machen, nachdem sie aus Tanger abgereist war. Er hatte gewusst, dass sie nicht wiederkommen würde. Sie konnte das Leben mit ihm nicht mehr ertragen. Also musste er etwas tun. Das einzige Leben, das er je gekannt hatte, näherte sich seinem Ende. Annie hatte Recht: JC war ein Idiot gewesen. Aber sie wusste auch, dass er sie geliebt hatte. Es war ihr Fortgehen, das ihn über die Klippe getrieben hatte. Nicht er hatte ihr die Tür vor der Nase zugeschlagen, sondern sie ihm.

Wir waren am Royal Hospital vorbei und bogen nun links in die Chelsea Bridge Road ein. Langsam spazierten wir an den Ranelagh Gardens entlang. Der Regen prasselte auf das Laub, Autos fuhren spritzend durch Pfützen.

»Hör mal, das klingt jetzt vielleicht ein bisschen verrückt«, begann ich, »aber versuch mich zu verstehen. Einige meiner Geschäftspartner – sehr einflussreiche Leute – würden sich gern mal mit Alec Truman unterhalten. Und sie meinen, dass es am wirkungsvollsten sei, wenn die Kontaktaufnahme durch dich erfolgt …«

Annie blieb stehen und schaute auf den Park. »Deshalb bist du also nach London gekommen und hast mich gesucht?« Ihre Stimme war ganz leise und erstickt. »Du wolltest gar nicht mich sehen? Ich will nur sicher sein, dass ich dich recht verstehe – es geht gar nicht um *mich*?«

»Natürlich geht es um dich. Wie sollte es bei etwas, das mit dir zu tun hat, nicht um dich gehen? Was mich betrifft, ging es mir nie um etwas anderes. Das habe ich erst gemerkt, als ich dich an deiner Haustür stehen sah. Aber ich versichere dir, ich hätte es vorher wissen wollen. Ich hab dafür keine Entschuldigung. Keine, Annie. Ich hab zu lange gewartet, dich zu sehen …«

»Es reicht. Brauchst nicht weiter zu salbadern. Weshalb wollen deine Geschäftspartner mit Alec reden?«

»Sie glauben, dass er JC ist.«

Annie starrte mich mit offenem Mund an. In ihrer Miene spiegelte sich blankes Erstaunen.

Ich lachte ein wenig verlegen.

Sie nahm meinen Arm. »Du änderst dich auch nie, was? Wieder einer deiner kleinen Streiche, Trip! Aber der schlägt dem Fass wirklich den Boden aus …«

18.

Auf die Szene, die ich am Draycott Place vorfand, war ich nicht vorbereitet.

Heidi saß auf der Couch, hatte einen Arm auf die Rückenlehne gelegt und hielt etwas in der anderen Hand, das deutlich nach einem Martini aussah. Das Ganze sah aus wie ein Werbespot für teuren Gin und das schicke Leben, das du haben kannst, wenn du nur genug von dem Zeug kippst. Ihre Blicke folgten mir durch den Raum, aber sie schwieg beharrlich. Ich wusste, dass nun etwas Schlimmes kommen würde. Als sie endlich den Mund öffnete, kam etwas völlig Überraschendes heraus.

»Du hast sie gevögelt, stimmt's?«

Diese Bemerkung war außerordentlich fies, schlimmer als die eigentlichen fünf Worte. Schlimm, ungerechtfertigt, gemein und respektlos gegenüber Annie, mir und nicht zuletzt für Heidi selbst.

Sie hatte den gewaltigen Fehler gemacht, einen falschen Zeitpunkt zu wählen, und zwar in zweifacher Hinsicht. Erstens erwischte sie mich in einer Stimmung, in der ich von der Vergangenheit überwältigt war, in der die Begegnung mit Annie die alten Erinnerungen geweckt hatte; in gewisser Weise durchlitt ich eine moralische Krise und stellte mir die Frage, was ich mit meinem Leben angefangen hatte. Zweitens hätte sie warten sollen, bis ich in einem der Sessel versunken war. Da ich noch auf den Beinen war, konnte ich umso schneller zur Couch gelangen.

Mit zwei langen Schritten war ich bei der Couch und schlug zu, so hart ich konnte, mit der flachen Hand in ihr schönes Gesicht. Anders als in Kung-Fu-Filmen hörte man fast nichts. Heidis Kopf flog zurück, einer ihrer Schneidezähne ritzte die Oberlippe. Blut schoss aus ihrer Nase, sie fiel auf die Armlehne, und das Kristallglas mit dem perfekten Martini flog gegen die Wand. Der Umriss des Flecks erinnerte an Bolivien. Die Olive rollte hüpfend über den Boden davon, und Heidi glitt langsam von der Couch auf den Axminster-Teppich.

Ich starrte auf sie hinunter. Mein Ausbruch tat mir nicht Leid, im Gegenteil, ich überlegte sogar, ob ich ihr noch eine Ohrfeige verpassen sollte – ich, der nicht einmal im Traum daran gedacht hätte, eine Frau zu schlagen. Na ja, im Traum vielleicht schon. Aber ich hatte es nie fertig gebracht. Heidi schien meine Stimmung begriffen zu haben. Sie blickte auf und zuckte schon mal vorsorglich zusammen.

»Manchmal kotzt du mich wirklich an«, sagte ich. »Wisch dir das Gesicht ab.« Ich ging in die Küchennische und warf ihr ein Handtuch zu. »Und was mir wirklich Angst macht: Ich bedauere nicht mal, dich geschlagen zu haben. Es ist wichtig, dass du das weißt.«

Vorsichtig betupfte sie ihre blutige Nase. »Ich hab mir in die Lippe gebissen.«

»Wir können noch von Glück sagen, dass ich dir nicht das Genick gebrochen habe.«

»Damit wäre ich dann der zweite Mensch gewesen, den du innerhalb von drei Tagen totschlägst. Kannst stolz auf dich sein. Am besten trommelst du dir auf die Brust wie ein Neandertaler.«

»Heidi, Heidi ... treib's nicht zu weit!«

»Aber du hast es getan, oder etwa nicht? Du bist doch mit ihr ins Bett gehüpft, stimmt's?« Sie saß immer noch auf dem Fußboden und hielt das Handtuch an die Nase, tastete mit der Zungenspitze nach dem Riss in ihrer Lippe. »Könntest du mir vielleicht noch einen Martini mixen? Ohne das Glas nach mir zu schmeißen?«

»Nein, ich hab nicht mit ihr geschlafen.« Ich war bereits dabei, Bombay Sapphire in den Shaker zu gießen; dann schüttete ich Wermut darauf und gab Eis dazu. Heidi blieb auf dem Boden sitzen und behielt mich im Auge. Sie machte kein großes Drama aus der Sache. Ich zitterte wie Espenlaub und war völlig durcheinander, Heidi hingegen ertrug die Folgen ihres Verhaltens und blieb ruhig. Das musste man ihr lassen: Sie gab nichts, bettelte aber auch nicht. Meiner Erfahrung nach ein seltenes Verhalten bei Frauen. Sie war gewillt, ihre Medizin zu schlucken, den Preis zu zahlen.

»Zwei Oliven, bitte. Du belügst mich. Das liegt in deiner Natur, du kannst nichts dagegen machen. Vielleicht werde ich dir verzeihen.« Sie nahm das Glas, das ich ihr reichte. »Du könntest auch einen vertragen. Nicht einmal ich – und ich kenne dich inzwischen ziemlich gut, Lee –, nicht einmal ich glaube, dass du gewohnheitsmäßig Frauen prügelst. Oder dich daran aufgeilst.«

»Wie großzügig«, sagte ich.

»Aber geschlafen hast du mit ihr. Nein, gevögelt ...«

»Was ist bloß mit dir los? Was wäre, wenn ich's getan hätte? Ich hab's zwar nicht, ich hab sie zwanzig Jahre nicht gesehen, ich bin nicht mit ihr ins Bett gegangen – aber was, wenn ich's getan hätte?«

»Du hast daran gedacht, Lee. Endlich steht dir dein Bruder nicht mehr im Weg! Jetzt ist die Gelegenheit, du musst sie nur nutzen!« Ihre Stimme klang irgendwie seltsam. Sie versuchte etwas zu verbergen. Hysterie. Sie klang wie eine Frau, die betrogen, die verschmäht wurde. Eine ungerecht behandelte Ehefrau. In jener Nacht, als ich im Schlaf Annies Namen gerufen hatte, hatte sie selbst diesen Begriff gebraucht. Sie komme sich vor wie eine Ehefrau, hatte Heidi gesagt.

»Hör zu, Heidi, trink deinen Drink und denk ein bisschen besser nach, was du sagst ...«

»Hab schon nachgedacht.« Plötzlich hielt sie wie aus dem Nichts ein Buch in der Hand, ein altes Buch mit einem verblichenen, zerfetzten Schutzumschlag. »Ich hab über dich nachgedacht. Du bist nicht nur ein Lügner und Gauner und ein Scheißkerl ...«

»Vielen Dank!«

»... sondern auch ein hoffnungsloser Anachronismus. Seit den Sechzigern hast du auf Autopiloten geschaltet. Du bist nie über die Sechziger hinweggekommen, stimmt's? Irgendwas ist vor zwanzig Jahren mit dir geschehen. Dein Bruder ist gestorben, aber du hast auch etwas verloren, wahrscheinlich deinen Lebensmut. Du hast so eine Aura, Lee. Dir ist alles egal, ganz egal. Du hast aufgehört zu leben, als dein Bruder starb, als die Sechziger zu Ende gingen ... Es ist, als wärest du ein anderer Mensch geworden, isoliert, nur noch auf den Schutz deines Egos bedacht, viel unnahbarer als ich, wie ein erloschener Stern – du hast ja keine Ahnung, wie sehr mich das alles berührt, keine Ahnung. In deiner Seele bist du immer noch so ein Carnaby-Street-Typ, Peter Max, *The Yellow Submarine*, und deine arme müde Seele trägt immer noch geblümte Hemden und Schlaghosen. Deshalb glaube ich dir nicht, wenn du sagst, du hättest nicht mit Annie DeWinter geschlafen. Sie ist ein Relikt wie du, ihr seid zwei Fossilien aus einer längst vergangenen

Zeit. Die Sechziger könnte man als die Altsteinzeit bezeichnen und euch beide als Museumsstücke – diese Ära ist vergangen, und ihre Relikte warten nur noch ab, warten auf ihr eigenes Ende ...«

»Woher hast du das alles? Ich hab meine Schlaghosen seit einer Ewigkeit nicht mehr getragen ...«

»Und alles, was dir dazu einfällt, ist noch so ein scheißblöder Witz. Du bist so erbärmlich, ich weiß nicht, warum ich dich liebe!«

»Ich kapier's auch nicht. Nenn es doch einfach Perversität.« Meine Güte, jetzt hatte sie es eingestanden. *Liebe.*

»Hat sie ihre alten Courrèges-Stiefel angezogen? Den Mary-Quant-Mini? Sieht sie immer noch aus wie früher? Ich wette, es ist so. Es war ihre Zeit, sie wird immer die gleiche bleiben. Sie war ein Symbol, das haftet ihr ewig an ...«

»Tja, wenn du es unbedingt glauben willst, dann tu's, mehr kann ich dazu nicht sagen.« Ich hielt meine Wut im Zaum. »Sie sah besser aus als ich mit meinen Schlaghosen und den langen Haaren. Ich sah immer ein bisschen schmuddelig aus. Annie hingegen ...«

»Ja?«

»Annie war wunderschön. So schön wie Julie Christie oder Jean Shrimpton ...«

»Erspar mir das!«

»Hast Recht. Ist ja auch egal.«

Heidi schlug das Buch an einem Lesezeichen auf und begann vorzulesen.

»Valerie Kipp war *das* Mädchen der Zeit, und sie hatte etwas, das man nicht definieren konnte, ebenso wenig, wie man seine Gefühle definieren konnte, wenn man Joe Cocker oder Bob Dylan hörte. Valerie kam über einen wie eine

Naturgewalt. Wenn sie in deine Nähe kam, konntest du sie nicht übersehen. Max Beerbohm würde mich verstehen, Valerie war eine Schwester von Zuleika. Sie war allgegenwärtig, in jeder Zeitschrift und auf der Hälfte aller Reklametafeln in London. In Piccadilly, Hammersmith, im West End, auf dem Birdcage Walk und dem Sloane Square und in Golders Green. Du sahst sie beim Drachensteigenlassen auf der Hampstead Heath und völlig stoned in einem Boot auf dem Cam. Geh nur mal die Regent Street entlang oder betrachte die Menschenmassen am Oxford Circle oder guck dir die Mädchen auf der Left Bank oder in Greenwich Village an, auf dem Rodeo Drive oder in der Via Veneto – wo du auch hinschaust, du wirst Millionen Valeries sehen. Staksig, großäugig, ein staunend geöffneter Mund. Aber was diese Mädchen von Valerie wissen, von unserer Valerie Kipp, beschränkt sich nur auf das Aussehen. ›Kippy‹ nannten wir sie – und den ›Kip‹ machen war keine besonders nette Redensart. Valerie konnte keinen Mann kennen lernen, ohne ihn zu verführen, und mit Mädels machte unsere Kippy genau dasselbe. Aber es war kein Sex, wie ihn die anderen hatten. Wenn Valerie mit jemandem schlief, dann im Grunde mit sich selber, denn sie war wie Lilith. Verliebt in ihr eigenes Bild, das sie in den Augen und den hingerissenen Mienen der anderen gespiegelt sah; in deren Ejakulationen und Orgasmen fühlte sie ihre Macht, ihre Besessenheit. Wir alle glaubten, dass sie nicht älter als dreißig werden würde. Gierig verschlang sie sich selbst und andere, alle wurden Opfer ihres Narzissmus. Die Frage, die wir uns stellten, war ganz einfach: War sie es wert, dass man sich selbst zerstörte? Sie war unendlich begehrenswert: Jede ihrer Gesten, jedes Wort, jede sorgfältig artikulierte Silbe war so hingehaucht, als habe sie tatsächlich etwas zu sagen. Sie war die Art Frau, für die man alles aufgab, für die man alles zum Teufel gehen ließ, Zukunft und Hoffnung und was nicht alles, wenn man sie nur einmal spüren durfte, wenn man ihren Körper besitzen durfte, bevor der blendende Blitz und die finstere Leere kamen, die früher oder später jeden von uns einhüllten und zerstörten.«

Heidi klappte das Buch zu, legte es auf den Beistelltisch und nippte an ihrem Martini.

»Hast du zufällig die Nummer von dieser Valerie?«, fragte ich.

»Was bist du doch für ein Arschloch«, sagte sie. »Du bist vom Schicksal verdammt.«

»War doch nur ein Witz«, seufzte ich. »Na gut, ich hör auf. Was war das für ein Sermon?«

»Das war ein Roman von Austin Gilbert aus dem Jahr 1971. Er heißt *Verlorener Glanz*. Damals bist du wahrscheinlich nicht viel zum Lesen gekommen, aber es war einer der ersten Kultromane über diese Zeit. Ich weiß nicht, ob er überhaupt in den Staaten erschienen ist. Er war das, was man einen *roman à clef* nennt, alle Charaktere waren wirklichen Persönlichkeiten nachgebildet ...«

»Im Ernst? Ich hab mich immer schon gefragt, was das bedeuten sollte ... klingt mir ganz so, als hätte der gute Austin Gilbert besser mal zwei Aspirin nehmen und ein Nickerchen machen sollen.«

»Was ich dir gerade vorgelesen habe, war Gilberts Beschreibung von Annie DeWinter. Einige Zeitungen haben damals Hinweise ihrer Leser veröffentlicht, man wusste also, wer gemeint war. Annie war Valerie Kipp. Also, Lee, sag mir: Gibt sie dir auch das Gefühl, dass du wegen ihr alles zum Teufel gehen lassen willst?« Sie tupfte an den eingetrockneten Blutspuren unter ihrer Nase herum. »Tut sie das?«

»Willst du die Wahrheit hören?«

»Was für eine blöde Frage!«

»Um ehrlich zu sein, auf dem ganzen Rückweg hab ich nach einem Bus Ausschau gehalten. Ich wollte mich davorwerfen, aus verzweifelter Liebe zu ihr. Mann, ich hab sogar an diesen blendenden Blitz gedacht ...«

»Du bist ein eiskalter Saukerl, was?«

»Heidi, entspann dich.«

»Sag mal, hat dein Bruder sie so behandelt wie du mich?«

»Was ist denn das für eine blöde Frage?«

»Warum?«

»Weil JC sie *geliebt* hat. Wir beide kennen uns ja kaum. Ich merke übrigens gerade, dass ich dich überhaupt nicht kenne.«

Sie warf mir das Buch an den Kopf. Ich brach zusammen und blieb mit dem Gesicht nach unten auf dem Fußboden liegen.

Heidi und ich gaben schon ein tolles Paar ab. Wir waren beide verrückt.

Heidi hatte nicht lockergelassen, bis sie wusste, wo Alec Truman zurzeit zu finden war. Natürlich auf dem Lande, völlig abgeschieden von der Welt, genauer gesagt in den Cotswolds, in der Nähe eines Städtchens namens Gurney Slade. Heidi hatte den Ort auf einer dieser unglaublich exakten englischen Karten gefunden, die fast jeden verdammten Busch und Zweig zeigen. Amtliche topografische Karten heißen sie, glaube ich.

»Was hast du ihr erzählt?«

»Ich hab ihr erzählt, dass meine Geschäftspartner glauben, Alec Truman könne JC sein.«

»Und was hat sie geantwortet?«

»Als sie nach ihrem Lachanfall wieder Luft bekam, fand

sie es ›irre‹. Sie sagte, sie wüsste nicht, wo er steckt – im Ausland vielleicht. Sie schien nicht so schrecklich viel Anteil an seinem Leben zu nehmen.«

»Hat sich totgelacht, was? Tja, ich hab vor, ihren Humor einer Prüfung zu unterziehen.«

»Dieser Gilbert hat sie offensichtlich nie persönlich kennen gelernt, hat gar nichts über sie gewusst. Sie hat viel Sinn für Humor.«

»Darauf wette ich. Wir nehmen den Zug nach Bath«, fuhr Heidi fort, ohne sich auf eine Diskussion einzulassen, »dort wartet ein Wagen auf uns. Dann werden wir deinem lieben Bruder, dem Hahnrei, einen Überraschungsbesuch abstatten. Du schaust ihm in die Augen. Das wird ein Augenblick sein, an den man sich noch lange erinnert.«

»Du irrst dich gründlich. Alec Truman ist weder mein Bruder noch einer, dem man Hörner aufgesetzt hat ...«

»Ich halte mich lieber an Austin Gilberts Version, danke sehr. Er ist auf jeden Fall ein Hahnrei. Sei doch mal ehrlich, Lee. Vor zwanzig Jahren hast du etwas mit ihr gehabt, stimmt's? Als sie seine Liebste war ...«

»Deine Würde, die mich einst so beeindruckt hat, ist nur noch eine blasse Erinnerung, mein liebes Mädchen.« Es machte Heidi verrückt, wenn ich sie lange angriente. Ich nehme an, sie zog mich in zorniger Stimmung vor, wenn ich ihr eine schmieren wollte.

»Ich muss Allans Agenten treffen. Du kannst dich jetzt aufmachen und die Freundin deines Bruders vögeln.«

»Hab ich ein Glück«, sagte ich.

»Aber erzähl ihr nichts von unserem Vorhaben. Das verstehst du doch? Alec Truman darf nicht gewarnt werden. Einverstanden?«

»Natürlich.« Sie stand an der Wohnungstür. Wir waren erst seit gestern in London. Ich hatte Annie aufgesucht, und wir hatten deswegen gestritten, und nun sah Heidi so müde aus, als hätte sie kein Auge zugetan. »Warum weinst du?«

»Weil ich im Augenblick am liebsten meine Mutter für einen Schachcomputer verkaufen würde!« Sie seufzte, dann sah sie auf. »Das nennst du Weinen?«

Sie warf die Tür hinter sich zu, dass der Rahmen wackelte.

Vierundzwanzig Stunden, nachdem ich Annie in ihrem langen rosa Regenmantel aus der Haustür hatte treten sehen, war ich wieder auf dem Hans Place, doch jetzt goss die Sonne ihr goldenes Licht über die nassen Dächer, zauberte Glanz aufs Straßenpflaster. Die Luft war frisch und sauber, und ich überlegte, was ich ihr sagen sollte, wenn ich schon wieder bei ihr auftauchte. Vielleicht wollte ich auch nur ihr Gesicht sehen und ihre Stimme hören, damit ich sicher sein konnte, das Wiedersehen nicht bloß geträumt zu haben. Aber ich wollte ihr auch sagen, dass Heidi einen Überraschungsbesuch bei Alec Truman plante. Dann konnte Annie entscheiden, wie sie sich verhalten wollte. Wenn sie ihn warnen wollte, konnte ich es verstehen. Wenn sie meinte, er könne selber auf sich aufpassen, war das auch in Ordnung. Ich wollte Annie sehen, wollte, dass sie mir vertraute wie früher. Alles andere kümmerte mich im Moment nicht. Zum Teufel mit allem.

In der Stille des Hans Place stand ich vor ihrer Tür und läutete und wartete. Ich kam mir vor wie ein Schuljunge bei seiner ersten Verabredung. Es war grotesk. Ich dachte an diesen Roman, *Verlorener Glanz*. War Annie jemals so gewesen? Ich fand nicht, aber was wusste ich schon? In jener Zeit war ich selber ziemlich abgedreht gewesen, völlig mit mir selber beschäftigt. Ein Irrer unter Irren.

Eine große grauhaarige Frau mit langer Nase und einer Brille an der Kette machte mir die Tür auf. Sie sah mich an, ohne eine Miene zu verziehen. »Ja?«

Ich stellte mich vor. »Könnten Sie Miss DeWinter ausrichten, dass Trip sie sprechen möchte?«

»Tut mir Leid. Miss DeWinter ist zurzeit nicht in London.«

»Aber ich habe sie gestern noch gesehen.«

»Ja, aber heute ist sie weggefahren.«

»Ach, vielleicht nach Gurney Slade?«

»Nein, ganz sicher nicht.«

»Hören Sie, es ist wichtig, Miss …«

»Nennen Sie mich Willis, Mr Tripper.«

»Also, Willis, wissen Sie, wo ich sie erreichen kann?«

»Ich fürchte, das ist nicht möglich. Sie ist in den Norden gereist, um Mr Christopher zu besuchen …«

»Mr Christopher?«

»Ihren Neffen. Mr Christopher DeWinter. Er wohnt im Norden.«

»Und Sie wissen nicht zufällig, wo?«

»Ich kann es wirklich nicht mit Bestimmtheit sagen, Sir. Er lebt in Schottland, wissen Sie. Und Schottland ist für mich so eine Art Niemandsland, ich kenne mich da überhaupt nicht aus.« Sie lächelte verlegen. »Es könnte ebenso gut Tasmanien sein. Aber wenn sie anruft – das tut sie manchmal –, werde ich ihr sagen, dass Sie hier waren.«

»Wann kommt sie zurück?«

»Das hat sie nicht gesagt. Morgen – oder in einem Monat.«

Da stand ich allein auf der Straße. Sie war so leer, dass es eine Szene in einem Film hätte sein können. Ich stellte mir vor, da wären Augen, die mich beobachteten, Augen hinter den Fenstern, die in der Sonne golden glänzten.

Ich war niemals in Schottland gewesen, obwohl ich früher mit einem Schotten befreundet gewesen war. Ein Schotte namens MacDonald Gordon, besser bekannt als Thumper.

19.

Die Landstraße war typisch britisch-schmalspurmäßig, gerade breit genug für anderthalb Wagen. Sie war zu beiden Seiten begrenzt von einem grasbewachsenen Graben und einer dichten Wallhecke von der Höhe eines Sattelschleppers. Geradeaus ging es immer nur zwanzig Meter, dann folgte mit schöner Regelmäßigkeit eine Kurve von ungefähr fünfundzwanzig Metern, die jeglichen Gegenverkehr zum Abenteuer werden ließ. Wenn ein PKW oder ein Lastwagen entgegenkam, stand man kurz vor dem Herzanfall. Dies waren meine Überlegungen, während wir einen Hügel hinaufkrochen, auf dessen höchstem Punkt die Sonne wie eine glühende Kugel auf der Wallhecke ruhte. Ein dunkelgrüner Laster – der natürlich mitten auf der Straße fuhr – schoss auf uns zu, schwankte und überschlug sich fast in der Kurve. Das alles spielte sich ungefähr einen halben Meter vor unserer Kühlerhaube ab. Ich hatte gerade noch Zeit, die Augen zu schließen und Gott zu versichern, dass ich niemandem hatte wehtun wollen, zumindest nicht oft.

Heidi Dillinger schaltete in aller Ruhe einen Gang runter und hielt den Ford in der Spur, während die Räder auf meiner Seite Bekanntschaft mit dem Graben schlossen. Durch das offene Fenster streiften Heckenzweige mein Gesicht, dann war der Laster vorbei und raste auf das Dorf zu, während wir, von der Sonne geblendet, weiter hügelan fuhren. Es war Hochsommer, neun Uhr abends. Die Sonne würde noch ein wenig Wärme spenden, bevor sie unterging. Wir aber hatten nur noch zehn Minuten bis zu Alec Trumans Landhaus.

Eine Stunde lang hatten wir in einem Landgasthaus gesessen und Bier getrunken und Würstchen in Pastete gegessen und unseren Plan besprochen, wobei wir unseren zweifelhaften Waffenstillstand aufrechterhielten. Ich wusste nicht mehr genau, wer Heidi eigentlich war, ich glaubte eine Fremde neben mir zu haben. Sie sah ein wenig mitgenommen aus, und ihre Augen waren trüb, weil sie geweint hatte. Ich nahm nicht an, dass sie um meinetwillen Tränen vergossen hatte, sondern dass ihr Ego verletzt war, weil es ihr nicht gelungen war, mich bei Fuß gehen zu lassen. Es tat mir Leid, dass ich sie geschlagen hatte. Gott sei Dank hatte ich ihr weder Nase noch Kiefer gebrochen, gar nicht zu reden vom Genick. Ihre Lippe war nicht mehr geschwollen, und sie schien mir den Schlag nicht mehr übel zu nehmen. Heidi war keine Heulsuse. Sie war ein ganz besonderer Mensch, ein Spieler, der um hohe Einsätze spielte. Um alles oder nichts.

Nachdem sie sich den Ausrutscher mit der Eifersucht erlaubt hatte, schaltete sie wieder auf ihren Auftrag um. Ihr erster und wichtigster Job war es, JC zu finden, falls er noch am Leben war. Deshalb hatten wir uns zusammengetan. Magnas Probleme mit einem Erpresser hatten damit zunächst nichts zu tun, *es sei denn*, JC hätte auch in dieses Schlammloch getreten: Dann gehörte alles zum JC-Problem.

Das JC-Problem …

Heidi machte sich große Sorgen. Angst hatte sie wohl nicht. Aber sie machte sich Sorgen wegen Morris Fleury. Immer wieder brachte sie die Rede auf den abgehalfterten

Detektiv. Wo steckte er? Konnte es sein, dass er uns beobachtete? Was hatte er über Clive Taillors Wohltäter herausgefunden? War das nicht der Schlüssel zu allem – wer Taillor zwanzig Jahre lang Geld überwiesen hatte?

Es gab so viele Möglichkeiten. Geradezu eine Herausforderung, alle voneinander getrennt zu halten. Überdies ritt Heidi immer wieder auf einem weiteren Problem herum: Sie hielt mich für einen Lügner. Sie glaubte, dass ich Informationen zurückhielt. Sie glaubte, dass ich über JC genau Bescheid wusste. Und ich sagte ihr immer wieder, dass sie Recht habe, dass sie mich durchschaut habe – denn ich wusste, dass er tot war.

Ich hatte ihr auf der Fahrt nach Bath zugehört, und ich hörte ihr in dem Pub zu. Ich hörte zu, wie sie über JC und Fleury sprach, über Annie und Bechtol und Magna und Whitney, wie sie zur Computerrecherche gekommen war und gelernt hatte, Informationen abzufragen und Datensammlungen anzulegen, wie sie sich zu der lukrativen Geschäftsbeziehung mit Bechtol, Ledbetter und den anderen hohen Tieren hochgearbeitet hatte. Ich hörte mehr oder weniger aufmerksam zu, schaffte es auch, an den entscheidenden Stellen zu nicken, war aber mit meinen Gedanken woanders: bei dem, was Heidi mir über die Sechziger gesagt hatte.

Es stimmte alles.

Die Vergangenheit zerrte so stark an mir, dass ich fast davon überwältigt wurde. Ein Zeitsprung war im Begriff, mich zu verschlingen, und mir war aufgefallen, dass ich aktiv mittat und gewillt war, mich verschlingen zu lassen. Ich wollte zurück in die Sechziger. Zwanzig Jahre lang hatte ich diese Sehnsucht geleugnet, doch nun gab ich meinen Widerstand auf. Ich wusste, ich hätte meine Seele für alle Ewigkeit verkauft, für die immerwährende Fortdauer und das ganze Universum; ich hätte es ohne Bedenken getan, wenn ich nur zurückgehen und für alle Zeiten in den Sechzigern leben könnte. *Those were the days, my friend, we thought they'd never end* … Aber wir hatten uns geirrt, wir hatten alles verbockt, wir waren älter geworden, und die Welt war uns entglitten … Meine Güte, wie die Zeit vergangen ist. Die Sechziger waren das Beste, was mir jemals passiert war, und meine Seele wäre nur ein geringer Preis für die Rückkehr gewesen. Aber diesmal hätte ich einige Dinge besser gemacht. Damals hatte ich mich so lebendig gefühlt wie nie mehr in meinem Leben, aber alles war schief gegangen, so entsetzlich schief gegangen … Wenn ich wie durch ein Wunder noch einmal eine Chance bekäme, wenn man die Uhr zurückdrehen könnte, würde ich zurückkehren, um alles geradezubiegen … Alles, was ich wollte, war eine zweite Chance.

Ich habe nie behauptet, ein großer Denker zu sein. Wahrscheinlich bin ich sogar ziemlich oberflächlich. Aber ich besitze das eine oder andere Gran Weisheit. Der Weise kennt seinen Platz in der Zeit und der Welt. Ich wusste, wohin ich gehörte.

Die volle Erkenntnis – man konnte es fast eine Offenbarung nennen – traf mich so stark, wie mich seit zwanzig Jahren nichts mehr getroffen hatte, seit der Zeit, als alles zum Teufel gegangen war.

Ich hatte meine Ära überdauert. Wenn ich Glück hatte, mehr Glück, als mir zustand, gab es vielleicht noch einen Weg zurück. Wenn nicht, würde ich für immer ein Fremder sein, ein Bote aus einer verlorenen Welt.

Wir ließen den Wagen auf einem Feldweg stehen, vor einem Gatter, das anscheinend selten benutzt wurde. Ein paar Minuten Fußweg trennten uns noch von der Zufahrt zu dem Bauernhaus, in dem Alec Truman sich zurzeit angeblich aufhielt, auch wenn er uns nicht erwartete. Wir hielten uns dicht an der mit Weinranken bewachsenen Steinmauer, die Feld und Straße abgrenzte. In der Ferne warfen Bäume lange Schatten auf ein feuchtes, frisch gepflügtes Feld, auf dem ein Bauer mit dem Traktor noch bei der Arbeit war. Die Stille war bedrückend, das Gezirp der Insekten verstärkte sich, bis es fast ohrenbetäubend wurde. Menschliche Laute waren nicht zu hören, alles andere klang wie verstärkt. Selbst die am Himmel kreisenden Falken schienen einen Höllenlärm zu machen. Und doch war es still.

Vor der Einmündung der steinigen Zufahrt blieb Heidi stehen und schlug vor, wir sollten versuchen, uns ein Bild von der Lage zu machen. Ein kluger Gedanke! Aber was meinte sie damit? Heidi meinte, es wäre gut, wenn ich Truman sehen und seine Erscheinung mustern könnte, bevor ich ihm persönlich gegenübertrat.

»Du meinst, ich soll durchs Fenster spinxen? Mein Gott, Heidi!«

»Wenn sich die Gelegenheit ergibt«, sie hob die Schultern, »warum nicht? Er scheint nicht so auf Alarmanlagen zu stehen.« Sie schaute hinauf in die Bäume, suchte nach versteckten Überwachungskameras. Der Vorplatz des Hauses wurde nur von primitiven Kutscherlaternen erleuchtet. Das Haus, früher wahrscheinlich ein gewöhnlicher Bauernhof, war im Laufe des zwanzigsten Jahrhunderts zu einer Art Herrenhaus umgebaut worden, mit Giebeldach, starken Balken und zwei oder drei großen Kaminen, die aus dem gräulich-gelben Cotswold-Stein ragten. »Aber warten wir ab, bis es richtig dunkel ist.«

Die Mauer neben der Zufahrt war dicht mit Wein bewachsen. Ich glitt an ihr hinab und lehnte mich an, spürte die Feuchtigkeit am Hosenboden. Heidi reckte den Hals, um die Zufahrt und die Wiese dahinter zu erkennen, sich im

Kopf eine Karte des Grundstücks anzulegen. Außer dem Haupthaus gab es zwei Scheunen. Die Zufahrt mochte fast hundert Meter lang sein. Mein Rücken tat weh. Ich ignorierte den Schmerz. Dann berührte etwas meinen Nacken. Ein Blatt. Ich schüttelte den Kopf, aber das Blatt begriff die Aufforderung nicht. Schließlich griff ich entnervt nach hinten. Da war etwas, aber es war ganz bestimmt kein Blatt. Ich stieß einen Schrei aus und sprang auf, fasste mir in den Nacken. Drei oder vier kriechende Schneckenviecher hatten es auf mich abgesehen, eins war mir bereits in den Kragen gekrochen. Heidi fand es ungemein erheiternd. Sie pflückte mir die Schnecken vom Hemd und setzte sie behutsam auf die Mauer zurück. Dann schob sie die Weinranken beiseite. Die Mauer lebte, sie wimmelte nur so vor Schnecken. Zehntausende dieser Viecher krochen durch die Ranken und hatten die gesamte Mauer mit einer glänzenden Schleimschicht bedeckt. Sie taten keinem etwas zu Leide, und Gott weiß, dass sie sich um nichts kümmerten außer um sich selbst. Trotzdem muss man diese Viecher nicht in seinem Hemd haben. Mutter Natur, diese alte hinterlistige Vettel.

Auf dem Vorplatz erwarteten uns zwei Schränke im Anzug.

»Da hast du deine Alarmanlage«, sagte ich zu Heidi. Die beiden Männer sahen uns entgegen. Sie hatten die Arme vor der Brust verschränkt, und ihre unbeweglichen Mienen sagten deutlich: *Wir sind bewaffnet.*

»Auf die altmodische Art«, sagte ich. »Er lässt sein Haus bewachen.«

»Wohl kaum auf dem neuesten Stand der Technik«, meinte Heidi naserümpfend.

»Können wir Ihnen irgendwie helfen?« Die Worte kamen aus einem kleinen runden Loch im Gesicht des dickeren Mannes.

»Müssen unbedingt Alec sprechen«, sagte ich hastig.

»Und erwartet er Sie auch, Meister?«

»Wollen mal so sagen: Wenn sie ihn nicht sprechen darf, wird sie mit den Füßen stampfen und weinen. Mir isses völlig egal. Ich würde genauso gern wieder runter an die Mauer gehen und mit den Schnecken spielen.«

»Wär ja 'n nettes Schauspiel«, sagte der kleinere Mann zu seinem Kollegen. Er grinste.

»Sie sollten mal die Schneckenrennen sehen«, sagte der Große. Nun grinste auch sein kleiner runder Mund. »Das is ein Spaß, Meister. Was meinste, Brian? Soll 'n wir sie reinlassen oder rauswerfen?«

»Werfen wir mal 'ne Münze, wa?«

»Wie unprofessionell«, brummte Heidi.

Ich durfte die Seite bestimmen und gewann.

»Sie sind nicht JC Tripper!«

»Wie bitte?«

»Sie haben Miss Dillinger enttäuscht«, erklärte ich. »Obacht, gleich schmollt sie vielleicht!«

»O Lee, halt die Klappe.« Heidi war sehr unzufrieden und machte keine Anstalten, es zu verbergen.

»Ich hab dir gesagt, dass er nicht JC ist. Ich hab dir tausendmal gesagt, dass JC tot ist.«

»Und ich hab dir tausendmal gesagt, dass es nicht wahr sein muss, bloß weil du es behauptest!«

»Ich finde Ihr Gespräch äußerst anregend, doch es wäre nett, wenn Sie mich einweihen würden.« Alec Truman hatte zwar die richtige Größe, aber seine Nase war zu lang, seine Ohren standen ab, und er hatte kaum noch Haare. Die Haare waren das deutlichste Merkmal. Über seinen Ohren befand sich noch grauer, spärlicher Bewuchs, doch darüber glich sein Kopf einer polierten Billardkugel. Der Kopf hatte auch nicht die richtige Form, er war eher länglich. Ebenso wie seine Zähne, richtige Pferdezähne. So viel zu Fotografien, die angeblich niemals lügen. »Sie, Mr Tripper«, sagte er und zählte dabei an seinen Fingern ab, »sind also der Bruder des verstorbenen Mr Tripper. Mithin ein alter Freund von Annie. Die liebe Annie. So weit richtig?« Ich nickte. Wir saßen in seinem Arbeitszimmer, das mit Bücherregalen voll gestellt war. Vor den hohen Fenstern tauchte die untergehende Sonne einen schmalen Streifen Wiese in ein lebhaftes Dunkelrot, das beim Hinschauen allmählich schwächer wurde. Alec Truman trug einen Morgenrock von Turnbull & Asser. Seine bloßen Füße steckten in Pantoffeln mit aufgesticktem Monogramm.

»Was sind das für Biester?« Ich zeigte auf den Boden.

»Ach, *die*. Diese Plage kommt jedes Mal im Sommer über uns.« Auf dem Teppich krabbelten viele dicke schwarze Punkte. »Es sind Mistkäfer. Einer der vielen Gründe, warum Annies Besuche in unserem Landhäuschen nur von kurzer Dauer sind. Ich hingegen stehe über diesen Dingen.« Truman war sehr schlank, sehr fit und sah aus wie ein Minister. »Aber ich muss mich doch sehr wundern, wie um alles in der Welt Sie auf die Idee verfallen konnten, ich sei dieser verstorbene … ähm, Rockstar. Diese Annahme scheint ohnehin auf falschen Fakten zu beruhen. Warum suchen Sie eigentlich nach ihm? Die ganze Welt weiß doch, dass er nicht mehr unter uns weilt. Falls mein Gedächtnis mich nicht trügt, hat Annie mir mal ein Buch von Ihnen, Mr Tripper, gezeigt, in dem dieses Faktum schlüssig und zweifellos bewiesen wird. Mithin verstehe ich Ihr Ansinnen nicht. Könnten Sie, Miss Dillinger, mich freundlicherweise aufklären?«

Henry hatte uns in einem großen irdenen Krug Limonade serviert. Daran fehlte vor allen Dingen Zucker. Vermutlich war dies die Vorstellung unseres Gastgebers von einem Schlummertrunk.

Heidi verteidigte unsere Flanke und stürzte sich in eine Beschreibung der Geschäfte von Magna, die unsere Bemühungen dagegen wie ein Muster von Unschuld und alltäglicher Geschäfte erscheinen ließen. »Es gibt«, erklärte sie Truman geduldig, »einige Leute, die glauben, dass JC noch am Leben sein könnte. Und das müssen wir herausbekommen, nicht wahr? Und wer passt besser für die Rolle als sein Bruder, um die letzte Expedition zu leiten und die Akte ein für alle Mal zu schließen? Verstehen Sie, es gibt verschiedene Film-, Buch- und Plattenprojekte, die in Angriff genommen werden sollen, und alle warten auf einen abschließenden Bericht zu JCs derzeitiger Situation ...«

»Es muss Gründe geben«, sagte Truman, »um zu glauben, dass JC noch lebt. Annie wird dies gewiss sehr fesselnd finden – sie war eine leicht zu beeindruckende junge Frau, als sie mit Ihrem Bruder zusammen war, ebenso, wie Sie ein leicht zu beeindruckender junger Mann waren. Das alles ist lange her. Aber ich kenne sie sehr gut und glaube, dass JC ihr für alle Zeiten seinen Stempel aufgeprägt hat. Ich will nicht sagen, dass das schlecht war ... nur, dass sie ihn nie wirklich überwunden hat. Oder es vielleicht auch nicht wollte. Das kann man ihr kaum zum Vorwurf machen, nicht wahr? Ich habe oft daran gedacht, wie er ihr Leben überragt haben muss.« Er seufzte und starrte zu Boden, vielleicht auf das Teppichmuster, vielleicht auf die Mistkäfer. »Aber wenn er noch am Leben wäre, hätte er sich bestimmt bei Annie gemeldet ...«

»Vielleicht ist das bereits geschehen«, gab Heidi zu bedenken.

»Ach.« Truman runzelte die Stirn. »Dieser Gedanke ist mir nie gekommen. Aber Sie haben natürlich Recht. Vielleicht hat sie es mir verschwiegen.«

»Tja«, schaltete ich mich ein, »jedenfalls müssen wir die Geschichte endlich aufklären.«

»Ja, das kann ich gut verstehen. Sie sind beteiligt.« Er lächelte versonnen und fuhr sich mit der Hand über den glatten, glänzenden Schädel. »Ich ja auch. Wenn sie JC Tripper jetzt wieder treffen würde …«, sann er laut vor sich hin, »wer könnte die Folgen voraussehen?«

»Ich bin überzeugt, dass mein Bruder seit zwanzig Jahren tot ist.«

»Ja«, sagte er und riss sich abrupt aus seinen Vermutungen. Er legte einen anderen Gang ein, versuchte Gedanken und Ängste wegen Annie zu verdrängen. »Ja, das scheint mir auch die beste Schlussfolgerung zu sein. Nun, es klingt alles ein bisschen unsinnig, finden Sie nicht? Wie eine komische Oper. Aber Sie und Ihre Bosse müssen ja wissen, was Sie tun.«

»Nicht unbedingt«, gab ich zu. »Es ist nichts als eine Riesenvermutung.«

»Dann erlauben Sie mir auch eine Vermutung – wenn ich richtig verstehe, ist dieser Mr Fleury mit im Bunde, stimmt's?«

Heidi vergaß ihre forsche Art und ihre doppelzüngigen Aussagen und schwieg verblüfft. Sie blickte von Truman zu mir, als hätte ich einen Hinweis aufgefangen, der ihr irgendwie entgangen war.

»Kein Scheiß? Der olle Morris ist auch wieder mit von der Partie?« Fast hätte ich mir vor Erheiterung über diesen ulkigen Zufall vor die Stirn geschlagen. »Da haben wir's wieder! Magna ist so ein Riesenkonzern geworden, dass die Linke nicht mehr weiß, was die Rechte tut. Fleury hat Sie also auch schon aufgesucht?« Ich schüttelte meinen Kopf, allmählich übertrieb ich. Bald würde ich mir Stroh aus den Haaren zupfen. »Was für eine Type! Das ist ja wirklich mal 'ne Bombe!« Ich kam mir vor wie ein Absolvent der Monty-Python-Akademie für Dorftrottel, der mit Auszeichnung bestanden hatte.

»Ja, der Mann hat es faustdick hinter den Ohren – eine Type, wie Sie ganz richtig sagen. Aber auch interessant, das muss man ihm lassen. Und als er in Fahrt kam, hat er sehr vernünftig gesprochen.«

»Vielleicht könnten Sie uns darüber aufklären, was er Vernünftiges gesagt hat?« Hatte Fleury die Ermittlungen bei den Zürcher Bankiers abgeschlossen? Wusste er jetzt, wer Clive Taillor all die Jahre bezahlt hatte? »Wann war Fleury bei Ihnen?«

Truman rieb seine lange Nase. »Vor einer Woche. Der Mann war sehr gut informiert. Er wusste, wo ich wohne, rief aus Gurney Slade an, sagte, er komme geradewegs aus Los Angeles – kurz, er war echt, das stand außer Zweifel. Und lassen Sie mich ganz offen sein – ich interessiere mich stets für kleinere Investitionen. Da ist die Steuer, da sind Gewinne und Verluste, es gibt Barbestände und Erlöse aus Aktienverkäufen, die kurzfristig eingesetzt werden können – aber das hat wenig mit unserem Gespräch zu tun und dürfte Sie kaum interessieren. Kurz, Mr Fleury kam, um mir ein interessantes Angebot zu unterbreiten.«

»Das macht er oft«, sagte ich.

»Es ging um den Film, den Sie erwähnten, Miss Dillinger. Den Film über JC. Fleury bot mir eine Teilhaberschaft an – er wusste von meiner Filmproduktionsgesellschaft in England.« Dieses kleine Juwel erwähnte er in der lässigen Art des Plutokraten, der kaum Schritt zu halten vermag mit seinen vielen Einnahmen. »Der Film sollte in England gedreht werden. Fleury versicherte mir, dass die Teilhaberschaft an Handmade Films gehen würde, wenn ich nicht interessiert sei. Handmade sahnt meiner Meinung nach jedoch schon zu viele gute Filme ab, daher beschloss ich, dass ich nun an der Reihe war. Magna konnte weltweiten Verleih garantieren, mein Anteil würde an die fünfzehn Millionen betragen, und ich konnte eine meiner anderen Firmen mit der Vollendungsgarantie beauftragen. Ehrlich gesagt, es reizte mich sehr. Ich versicherte ihm, dass ich interessiert sei, und wir besprachen ein paar Details. Er wollte veranlassen, dass man mir das Drehbuch schickte – schon seltsam, dass sie immer glauben, die Geldgeber wollten in den kreativen Prozess mit einbezogen sein.« Er lachte kurz. »Was habe ich mit Drehbüchern zu schaffen? Wenn sie furchtbar sind, ist der Erfolg umso größer, habe ich gehört, aber ich kann mich auch irren. Der letzte Film, der mir wirklich gefiel, war *Der Mann, der König sein wollte*.«

»Was für Details waren das denn?«

Truman zuckte die Achseln. »Fleury erwähnte, Annie könne eine Rolle übernehmen, wenn sie Interesse daran hätte. Ich sagte, das fände ich großartig, aber es würde ihm vielleicht schwer fallen, sie zu überzeugen. Und … ach ja, Mr Gordon, der Schlagzeuger. Thumper Gordon. Fleury wollte ihn unbedingt ausfindig machen – er sagte, er habe schon furchtbar viel Zeit mit der Suche vertan. Als ob der Mann vom Erdboden verschwunden sei. Er sagte, Mr Gordon sei der beste technische Berater, den man sich wünschen könne. Die übrigen Bandmitglieder seien über den Erdboden verstreut und verkauften Häuser oder schnorrten Drinks im Austausch für Geschichten über die alten Zeiten … oder sie seien tot, Drogenüberdosis und ähnliche Malaisen. Nein, Thumper Gordon sei der beste Mann für diesen Job, der Einzige, der ins Konzept passte. Er hatte angenommen, dass Annie oder ich seinen Aufenthaltsort kannten …« Truman fing Heidis Blick auf und lächelte über ihre eifrige Miene.

»Und?« Mit einem Nicken bedeutete sie ihm fortzufahren.

»Nun ja, alles war natürlich peinlich korrekt. Und ich bin *wirklich* an dem Projekt interessiert. Es kommt mir in vieler Hinsicht gelegen. Ich habe also zu Fleury gesagt, dass ich Thumper Gordon kaum kenne. Er gehört zu Annies anderem Leben, ihrem alten Leben. Annie und ich haben ihn ja einmal auf seiner Insel besucht.« Er lächelte, dann gähnte er. Es wurde allmählich spät.

»Jetzt sagen Sie nicht, dass er immer noch dieses Haus auf den Kanalinseln hat – wo war das noch mal? Isle of Wight?« Vergebens kramte ich in meinem Hirn. Thumper hatte mir gegenüber nie eine Insel erwähnt.

»Ach, das muss in Ihrer Jugend gewesen sein«, sagte Truman, »in längst vergangenen Zeiten. Die Insel, die ich meine, liegt auf halbem Weg zur Hölle in den Äußeren Hebriden. Mein Gott, was für ein einsamer, verdammter, gottverlassener Ort!«

20.

»Das ist absolut skandalös. Es erschüttert meine wohl bekannte Maske der Freundlichkeit!« Die Stimme Hugo Ledbetters dröhnte, dass die bleiverglasten Flügelfenster klirrten. Wir hatten uns in Magnas Firmensitz in London versammelt, in einem Penthouse auf der Greek Street mit Blick auf den Soho Square und die wimmelnden Menschenmassen der Oxford Street. Wie es seiner Gewohnheit entsprach, stand Ledbetter am Fenster und kehrte uns den Rücken zu, auf dem wir mehrere Quadratmeilen marineblauen Nadelstreifenstoff bewundern durften. Es herrschte eitel Sonnenschein, ein Wetter, das die Londoner als Hitzewelle bezeichnen. »Dies ist eine wahrhaft scheußliche Situation, Cotter. Der Mann läuft Amok. Er ist zu einem verflixten Abtrünnigen geworden. Ein furchtbarer Mensch.« Ledbetter hustete leise in seine riesige Faust; dann fuhr er mit den Fingern durch seinen Bart, als suche er lustlos nach Überlebenden. Oder kehre den Müll vor St. Andrews. Bei Ledbetter musste man sich schon anstrengen, um einen passenden Vergleich zu finden. »Vergebt mir, ich weiß, dass ich jetzt sehr englisch werde und Wörter wie ›elend‹ oder ›hervorragend‹ oder ›genau‹ von mir gebe. Aber achtet auf meine Worte ... Ich will verflucht sein, wenn ich meinen Verlag Leuten überlasse, die einen Schwachkopf wie Morris Fleury nicht an der Kandare halten können.«

»Nun hören Sie schon auf«, sagte Sam Innis, »entspannen Sie sich. Machen Sie nicht einen Deal kaputt, der günstig ist ›für allemann‹, wie mein altes farbiges Kindermädchen zu sagen pflegte.«

»Sie haben niemals«, grollte Ledbetter, »ein Kindermädchen gehabt, gleich welcher Farbe. Die bloße Vorstellung ist absurd.«

Innis lümmelte in einem weichen Sessel und hatte die Füße auf den Couchtisch gelegt. Er trug Wüstenstiefel und einen Anzug, der aussah wie eine verblichene Khakiuniform aus dem Nordafrikafeldzug. Er rauchte eine dicke Zigarre. Heidi Dillinger, schmuck in Gabardinehose, Seidenbluse und einem Strohhütchen, hatte die Arme vor der Brust verschränkt und lehnte sich an ein Bücherregal mit gläserner Front. Cotter Whitney saß hinter seinem Schreibtisch. Sein Engelsgesicht wirkte ein wenig niedergeschlagen – wie ein Mädchen, das man nicht ins Cheerleaderteam gewählt hatte. Er trug einen untadeligen weißen Anzug, ein Kambrikhemd und eine cremefarbene Krawatte. Wir waren alle neugierig und sollten noch viel neugieriger werden. Unsere Versammlung erinnerte mich an die vom Pech verfolgten Gauner aus *Schach dem Teufel*.

»Nun«, begann Cotter Whitney und drehte an seinem Ring von der Minnesota-Universität, »ich muss gestehen, dass ich nicht weiterweiß. Ich habe keine Ahnung, wie es dazu kommen konnte.« Er sah aus, als würde er im nächsten Moment am Daumen nuckeln.

»Genau da liegt ja das Problem, nicht wahr?« Ledbetter hatte sich neben dem Schreibtisch aufgebaut und musste auf Whitney wie ein missmutiger Zeuge Jehovas wirken, der sein Geld wiederhaben will. »Da ist dieser Angestellte, diese *Wanze*, der wie eine Furie durch die englische Landschaft tobt und einen Mann von der Bedeutung Alec Trumans belästigt, ja *belügt* ... und wenn wir dem Bericht von Miss Dillinger und Mr Tripper Glauben schenken wollen, hat er sich auch noch ein paar Morde genehmigt. Beim bloßen Gedanken daran dreht sich mir der Magen um, und mir fehlen die Worte.« Er wandte sich an Innis. »Wir haben hier ein überaus großes Problem. Die Irren haben die Anstalt übernommen.«

»Warum setzen Sie die Last nicht mal einen Augenblick ab, Hugo? Sie vergessen die größeren Dimensionen unseres Projekts. Ich will ein Buch schreiben, das auf JCs Leben basiert ... und Magna *ist* JC, gewissermaßen. Außerdem steht Lee auf unserer Seite, er sahnt ja auch ganz nett ab ...«

»Das ist das perfekte Beispiel für euer Problem«, unterbrach Ledbetter. »Sie versuchen zu denken. Schriftsteller sollen schreiben, nicht denken. Ich habe Ihnen gesagt, dass Sie nicht als Ihr eigener Agent auftreten sollten, Sie sparen am falschen Ende. Es ist nicht klug. Aber Sie bestehen darauf. Na schön. Doch wenn Sie einen Agenten hätten, würde er oder sie Ihnen sagen, dass Ihr Buch – nein, Sie *selbst* – für ein Dutzend Verleger ebenso wertvoll wäre wie für Magna, und dann müssten wir uns nicht mit diesem bezaubernden Konzern Whitneys abgeben, der mir zugleich Zoo und Leichenschauhaus zu sein scheint.«

»Aber ich mag ihn, Hugo. Er ist ein Lakai, sicher, aber ich mag ihn. Ich mag Magna. Die Verbindung mit Magna ist der schöne Teil des Projekts. Vielleicht erinnern Sie sich, dass ich für meine Recherchen berühmt bin ...«

»Sie sind berühmt«, schaltete Heidi sich kühl ein, »wegen meinen Recherchen.«

»Keine Haarspalterei!«, herrschte Innis sie an. »Heidi hat bei Magna den Fuß in der Tür. Es funktioniert. Nur darum geht es.« Whitney hatte jetzt Ledbetters Platz am Fenster eingenommen. Ich stellte mich neben ihn. Ich ertappte mich dabei, wie ich durch ein Oberlicht auf eine große Frau in weißem T-Shirt und Sweathose hinunterschaute, die eine andere Frau auf einem Tisch durchwalkte. Whitney wandte sich an mich, als habe er überhaupt nichts mitbekommen, und fragte: »Er hat versucht, Geld von Truman zu erhalten? Hat Truman Ihnen das bestätigt?«

»Warum sollte er so was erfinden?«

»Tja, das frage ich mich auch. Aber ... Fleury in seinem schäbigen Anzug?« Unglauben spiegelte sich in seiner Miene.

»Truman hat eigentlich keinen Kommentar zu Fleurys Kleidung abgegeben.«

Heidi Dillinger wurde ungeduldig. »Kommen wir doch zur Sache! Ist Magna tatsächlich daran interessiert, Alec Truman als einen der Geldgeber zu gewinnen?«

»Meine Güte, natürlich nicht! Der bloße Gedanke ist absurd.«

»Nun, aber Truman war sehr wohl interessiert«, sagte sie. »Fleury hat ihm natürlich das Blaue vom Himmel versprochen.«

»Ich habe ihn jedenfalls nicht zu Alec Truman geschickt – Punkt. Magna hat kein Interesse an Truman. Das wäre ja so, als ob man Kirk Kerkorian oder Boone Pickens oder Marvin Davis als Sponsoren gewinnen wollte. Eines schönen Tages wacht man auf und entdeckt, dass man zum Frühstück verspeist wurde. Nein, Fleury ist auf einem Egotrip. Vielleicht hat er den Verstand verloren.« Whitney steckte die Hände in die Hosentaschen, und seine runden Schultern sackten nach vorn.

»Hat er denn rausgefunden, wer Taillor Geld überwies? Er meinte, Sie würden ein bisschen persönlichen Druck auf einige hohe Tiere Ihrer Schweizer Bank ausüben müssen.«

»Ich habe nicht die leiseste Ahnung, was Sie meinen. Verstehen Sie nicht – der Mann zieht jetzt sein eigenes Ding durch. Hugo hat vollkommen Recht. So etwas kann in jeder größeren Firma vorkommen. Oder auch in einer kleinen.« Er wandte sich an den bärtigen Riesen. »Das müssen Sie begreifen, Hugo. Es hat keinen Sinn, vorschnelle Urteile zu fällen. Es sind Probleme, die sich lösen lassen wie jedes andere Problem ...«

»Probleme«, grollte Ledbetter. »Der Mann ist ein Meister der Untertreibung. Mord ist ein ziemlich großes Problem, würde ich sagen. Ich hoffe, wir verstehen uns!« Er vergrub seine Hände in den Anzugtaschen, bis die Knöpfe abzuspringen drohten. »Erpressung, Rockmusik, Drogen ...«

»Also bitte, Hugo!«

»Ach, reden Sie doch nicht um den heißen Brei herum. Es ist ein einziger dampfender Scheißhaufen!«

»Also ehrlich, Leute«, sagte ich, »können wir denn nicht mehr aus der Sache heraus? Lassen wir doch das Vergangene ruhen und schlagen eine neue Seite auf ...«

»Tja«, sagte Whitney traurig, »dazu ist es wirklich zu spät. Sollte er noch leben, werden wir Ihren Bruder finden. Und ich weiß verdammt genau, dass er noch lebt.«

»Warum«, fragte Ledbetter dröhnend, »glauben wir denn, dass JC Tripper noch am Leben sein muss? Das ist mir wirklich zu hoch.«

»Weil Menschen, die er sehr gut kannte, ermordet worden sind«, erklärte Heidi. »Shadow Flicker, Sally Feinman, Clive Taillor. Alle kannten den Gesuchten gut genug, um vielleicht zu wissen, dass er noch am Leben ist. Sally kannte ihn zwar nicht persönlich, aber sie hatte sich ausreichend mit JC beschäftigt ... Nur unser Lee, der ihn so gut kannte, wie nur ein Bruder seinen Bruder kennen kann, ist nicht verletzt, gefoltert oder getötet worden. Er musste nicht mal Fragen zu JCs derzeitigem Aufenthaltsort über sich ergehen lassen.

Und vielleicht ist der schlichte Grund der, dass JC in seinem Versteck, in seinem neuen Leben, nicht wünscht, dass Lee etwas geschieht.«

»Nun mal halblang«, sagte ich. »Ich weiß genau, dass mein Bruder tot ist, aber ich frage mich immer noch, wer mir diese Killer in Zürich auf den Hals geschickt hat.«

Whitneys Kopf fuhr herum. »Was für Killer in Zürich?«

»Einen hab ich erledigt.«

Sein Mund klappte auf. »Sie haben *was*?«

»Ich habe einen Mann getötet, der versucht hat, mich mit einem Klavierdraht zu erwürgen. Ich habe ihn gegen ein Geländer gedrängt und ihm das Rückgrat gebrochen.«

»Wann? Wen? Miss Dillinger … Heidi … wissen Sie etwas darüber? Was soll denn noch alles passieren?«

»Es war abends. Auf der Straße. In Zürich. Und es war ein Unbekannter.«

»Mein Gott!«

Dieser Umstand musste zunächst geklärt werden. Dann konnte Heidi Ledbetter erklären, warum wir – sie, besser gesagt – glaubten, dass JC noch am Leben sei. »Da ist dieser Song, der angeblich von Thumper Gordon geschickt wurde. Es könnte der alte Song sein. Vielleicht ist er aber auch neu, und JC versucht auf diese Weise, wieder ins Spiel einzusteigen. Und da sind die monatlichen Zahlungen an Taillor seit JCs Tod. Taillor wäre in der Position gewesen, uns JCs derzeitigen Aufenthaltsort zu verraten, falls JC ihm diese Zahlungen überwies, weil Taillor ihm geholfen hatte, seinen Tod vorzutäuschen und ein neues Leben zu beginnen … Alles kommt zusammen«, schloss sie, »aber wir wissen noch nicht genau, welches Ergebnis dabei …«

»Sag mal«, unterbrach ich, der unermüdliche Sucher nach der Wahrheit, ihren Redefluss, »suchen wir jetzt einen Mörder oder einen Erpresser?«

Sam Innis ergriff das Wort. »Wir suchen JC Tripper.« Er streckte sich, als mache er sich für das große Abenteuer bereit. »Es gibt eine Spur zu verfolgen, wie in meinen Büchern. Und so schwer ist das nicht, meine geschätzten Mit-Dummköpfe. Thumper Gordon auf seiner Insel. Ist doch sonnenklar. Der einzige Grund, warum Fleury Alec Truman so viel dummes Zeug versprochen hat ... Er wollte rauskriegen, wo Gordon steckt. Und jetzt weiß er's.« Innis stand auf, und seine Miene zeigte den entschlossenen »Durch-die-Hölle-und-alle-Wasser-der-Erde«-Ausdruck. In diesem Zustand würde er glatt auf die Suche nach Stanley und Livingstone gehen. »Während wir hier reden, könnte Gordon längst tot auf seiner Hebrideninsel liegen, und je nachdem, wer Fleurys Auftraggeber ist, könnte JC inzwischen an einem Ort sein, wo wir ihn nicht mehr finden, und sich zusammen mit Fleury totlachen ... oder Fleury ist JCs Strafgericht und hat die Wahrheit aus Gordon rausgefoltert, sodass er jetzt weiß, wo JC steckt ...«

»Es gibt auch noch andere Möglichkeiten«, warf ich ein.

»Keine, die wirklich zählen«, sagte Heidi schroff.

»Wer sagt denn, dass JC nicht draußen bei Thumper auf der Insel ist«, fuhr Sam Innis fort. »Tatsache ist doch, dass man Thumper jahrelang nicht mehr gesehen hat – vielleicht ist JC Thumper *geworden*! Wir müssen sofort losreiten. Niemand soll Sam Innis nachsagen können, dass er bei der Jagd gefehlt hat!«

21.

Die Überfahrt war eine Tortur. Das Fischerboot mühte sich durch den Sturm, tanzte auf haushohen Wellen, die uns den Blick auf die Sonne versperrt hätten, wenn da überhaupt eine Sonne gewesen wäre. Ich war in einen mottenzerfressenen Südwester gehüllt, und der eisige, windgepeitschte Regen strömte in meine Augen – es schien, als habe der Nordatlantik etwas gegen Schottland und insbesondere gegen die Schotten als Volk. Irgendwo vor uns erhaschten wir unter Nebelschwaden den Blick auf einen winzigen Felsen, der zu klein war, um jemals die Ehre eines Namens erhalten zu haben. Ungefähr hundertfünfzig Meter wildes Meer lagen zwischen der Isle of Lewis und dem felsigen Eiland, wo Thumper Gordon sein einsames Lager aufgeschlagen hatte. Ich meine, dort draußen musste es wirklich einsam sein. Die Äußeren Hebriden, der letzte Zwischenstopp vor Nordamerika – und dazwischen lag noch verdammt viel Wasser.

Ich spürte es wieder hochkommen und konnte mich gerade noch rechtzeitig über den Bootsrand lehnen. Ich fühlte mich wahrlich nicht in meinem Element. Heidi Dillinger saß im hinteren Teil des Bootes – achtern? Kiel? Heck? Was spielte das für eine Rolle? Jedenfalls saß sie in der Nähe des höllisch lauten Motors. Sie umklammerte ihre riesige Schultertasche wie ein neugeborenes Baby. Sie trug einen Hut aus

Ölzeug, der zum zerrissenen Südwester passte; ihr blondes Haar klebte strähnig auf der Stirn. Neben mir kauerte Cotter Whitney und vermied den Blick auf das, was ich von mir gab. Ich versuchte ihn zu trösten und sagte, falls er zufällig etwas abbekäme, würden Regen und Meerwasser es sofort wieder abwaschen. Vielleicht war er zu sehr mit Schöpfen beschäftigt, um mir Beachtung zu schenken. Er sah selbst grün um die Nase aus.

Ledbetter schien wasserundurchlässig und wenig wetterfühlig zu sein. Er saß ruhig und unbeweglich da, die Arme vor der Brust verschränkt. Mit dieser stoischen Geisteshaltung haben unsere Ahnen wahrscheinlich auch diese großen Brocken in die Ebene von Salisbury geschafft, um Stonehenge zu errichten. Sam Innis, Schriftsteller und selbst ernannter Kapitän, saß am Ruder, steuerte unser glückloses Schiff und gab zumindest mir ein Gefühl beschränkten Vertrauens.

Der Regen schien von überall her zu kommen, aus jeder Richtung, wie Maschinengewehrfeuer. Lewis hinter uns und der Gesteinsbrocken vor uns versanken gleichermaßen in dickem, schleimigem Nebel. Es war grässlich. Abwechselnd ging es nach oben, dann in rasender Fahrt abwärts, dann erhielten wir einen Stoß von der Seite, schossen in wilder Fahrt wieder hoch und wären fast ersoffen. Und es ging weiter und weiter. Wir waren in einem Niemandsland, trudelten in den letzten Minuten der alten Welt, die ich mir vor zwanzig Jahren geschaffen hatte ... Ich wartete nur darauf, dass sie in die Luft flog. Wenn wir erst einmal Thumper Gordons Insel erreicht hätten, würde nichts mehr so sein, wie es einmal war ...

Wir waren von London nach Inverness geflogen. Als die Maschine zum Landeanflug ansetzte, kam Nebel auf und verschluckte die wässerige Sonne. Während wir in der Abflughalle warteten, wurde der Nebel dichter. Schließlich ergatterten wir Plätze im letzten Flieger nach Stornoway, der Stadt auf der Hebrideninsel Lewis. Es war ein zweimotoriges, altehrwürdiges Flugzeug, das tapfer gegen den Wind ankämpfte, der uns nach Inverness zurückzutreiben versuchte. Wir hingen in den Gurten, und der Geruch nach dem Erbrochenen in den kleinen braunen Tüten wurde in der engen Kabine immer stärker. Es war feucht und kalt, alles fühlte sich klamm an. Wir starrten hinaus in den Nebel, versuchten etwas zu erkennen. Es war, wie jemand bemerkte, ein typischer Sommertag für den Norden. Mein Sitznachbar sagte: »Man weiß nicht, was Kälte ist, bevor man nicht einen schönen Julitag am Loch Ness verbracht hat.«

Wie ein Sack Kohlen gingen wir in Stornoway nieder – angeblich eine Stadt, unter den grauen Wolken aber kaum als solche zu erkennen. In einer Werkstatt mieteten wir einen alten viertürigen Dodge, Baujahr 1955, und ein derart betagtes Motorboot, dass es eine Unverschämtheit gewesen wäre, nach dem Baujahr zu fragen. Innis und ich fragten den Werkstattbesitzer nach der genauen Lage von Thumpers Insel und wurden mit einer Unzahl Richtungshinweisen, Landmarken und Entfernungsangaben überhäuft. Er sagte uns, wo das Boot vertäut lag und von wo aus wir starten konnten.

Ich fuhr, und Innis achtete auf den Weg. Derweil erzählte er munter, wie wir drei – JC, er selbst und Ihr ergebener Erzähler – einst durch Regen und Nebel zum Kap nach Provincetown gefahren seien, und ich nickte folgsam, obwohl ich mich an eine solche Fahrt nicht erinnern konnte. Die Straße schlängelte sich zwischen Torfmooren dahin; an manchen Stellen war das Zeug bis zu einer Tiefe von anderthalb bis zwei Meter abgestochen. Man kam sich vor wie auf einem riesigen Schokoladenkuchen mit Minzeguss, aus dem ein Riese Stücke herausgeschnitten hatte. Die meisten Bewohner von Lewis benutzen den Torf zum Heizen, und das roch man auch – ein würziger Geruch wie ein Single Malt. Ein Schlückchen davon könnte jetzt nicht schaden ...

Wir fanden das Boot an der angegebenen Stelle und schleppten es einen felsigen Abhang hinunter zum schmalen Kiesstrand. Der Wind brüllte über die raue See, und der Regen peitschte uns ins Gesicht. Ich schlug vor, unseren Verstand zu benutzen und zu warten, bis der Sturm nachließ. Sam Innis sah mich vorwurfsvoll an und meinte, dass wir schließlich nicht den Sturm jagten, sondern Morris Fleury.

»Es ist *dein* Bruder«, sagte er tadelnd.

»Mein Bruder«, sagte ich so langsam und deutlich wie möglich, »ist tot.«

Die winzige Insel nahm allmählich Gestalt an. Sie war braun und grün und grau und nass. Viel Zeit hatten wir nicht mehr. Bald war es geschafft. Ich überlegte, was nun auf uns zukam. Was würde geschehen, wenn Fleury sich auf der Insel befand? Ob er wirklich der Mörder war? Nun, da ich in letzter Sekunde darüber nachdachte, kam es mir seltsam vor. Morris Fleury, der vor tausend Jahren friedlich schlafend auf meiner Terrasse in New York gesessen hatte, kam mir nicht wie ein Mörder vor ... Dennoch, er hatte eine Waffe. Er hatte über den Mord an Sally Feinman Bescheid gewusst, er war in ihrem Loft gewesen. Plötzlich wünschte ich mir, auch eine Pistole zu besitzen. Wollten wir etwa unbewaffnet in die Schlacht ziehen?

Unvermittelt schleuderte uns die kabbelige See an den felsigen Strand, der eigentlich nur eine Art Sims war, voller Kies und Steine. Der Wind schnitt wie ein eisiges Messer, und unser kleines Boot schien nun völlig außer Kontrolle geraten zu sein; es wurde wild hin und her geschleudert und rückte den Felsen immer näher, wo es alsbald in tausend

Stücke zerschellen würde. Doch im allerletzten Augenblick glitten wir zwischen Felsausläufer, die wie Buchrücken aus dem Wasser ragten und uns Schutz vor dem Wind gaben. Gischt sprühte auf, als wir mit einem lauten Stoß, bei dem sämtliche Knochen klapperten, auf den steinigen Strand fuhren. Wider Erwarten hielt das Holz dem Anprall stand. Sam Innis sackte über dem Motor zusammen und versuchte sich das Meerwasser aus den Augen zu wischen. Er sah völlig erschöpft aus. »Jesus und das Pferd, auf dem er ans Ziel kam«, sagte er, aber ich hörte es kaum. Die Wellen donnerten wie Artilleriefeuer an den Strand; die Insel stand regelrecht unter Beschuss.

Als Nächstes mussten wir einen Steilhang bewältigen; ein schlüpfriger, dunkler und nasser Weg, auf dem unablässig Wasser auf uns herabströmte. Der Nebel versperrte uns die Sicht auf die Insel, doch wir hörten Hunde bellen, die uns willkommen hießen. Wir stiegen die Stufen hoch, die vor vielen Jahren aus dem Felsen gehauen worden waren. Ich half Heidi, die mit ihrer schweren Tasche kämpfte. Ledbetter war der Nächste, dann folgten Whitney und Innis.

Als wir oben angekommen waren, sahen wir die beiden Hunde, die kläffend hin und her rannten. Ich war außer Atem und völlig verschwitzt. Der Regen strömte über die öde Insel, doch hinter Nebel und Regen ließ sich ein schöner Abendhimmel erahnen. Oder ich gab mich nur einem Wunschtraum hin. Wann hatte ich es zuletzt warm und trocken und behaglich gehabt? Es wollte mir nicht mehr einfallen. Am Tag, als ich Heidi kennen lernte, war es heiß und schwül gewesen, und seitdem war es ständig bergab gegangen. Mein Kopf tat weh von der Tortur, die ich ihm in Tanger zugefügt hatte. Zeigen Sie mir nur eine Faust, und ich werde sie jederzeit mit meiner Nase angreifen.

Auf der Insel standen ein paar Ruinen – uralte Hütten

aus grobem Stein, die noch aus den Zeiten der Kleinpächter stammten. Die Hunde waren lehmbraun und über unsere Ankunft offenbar hocherfreut. Vor uns lag ein brauner lehmiger Pfad, der ein Stück weiter oben im Nebel verschwand. Aber einen anderen Weg gab es nicht.

Ledbetter stand vorgebeugt da, die Hände auf den Knien, während er versuchte, wieder zu Atem zu kommen. Whitney tätschelte einen der Hunde. Innis sagte etwas zu Heidi. Wind und Wellen waren ohrenbetäubend. Whitney sah zu Innis und Heidi hinüber, während er den Hund streichelte. Schließlich machte ich den Anfang und schlug den Weg ein, weil wir nicht mehr zurückkonnten. Ich hörte, wie sie mir folgten.

Diese verdammte Sache konnte kein gutes Ende nehmen.

Nach einiger Zeit schälte sich vor mir eine Gestalt aus dem Nebel.

Es war ein Mann, doch ich sah nur seinen Umriss. Er trug einen schlappen, weichen Filzhut und einen Trenchcoat mit hochgeklapptem Kragen. Unbarmherzig strömte der Regen aus tief hängenden grauen Wolken. Es schmerzte wie Nadelstiche. Der Mann trug ein Gewehr in der Armbeuge. Er hatte ungefähr die richtige Größe.

»Thumper!«, rief ich in den Wind. Der Mann hob die Hand und winkte.

»Thumper!«, rief ich wieder. Es gab etwas, das ich ihn fragen wollte, bevor die anderen kamen.

Da hob er sein Gesicht aus dem schützenden Kragen.

»Tut mir Leid, Sie zu enttäuschen, Tripper. Thumper wartet im Haus auf euch.«

Ich spürte, wie mir ein langer Seufzer entwich. Es hatte ja so kommen müssen.

Wieder mal dieser verdammte Morris Fleury.

22.

Rauch stieg aus dem Kamin des Bauernhauses. Beim Näherkommen rochen wir das Torffeuer. Es gab ein paar Nebengebäude, einen Generator, der seinem Aussehen nach einen stattlichen Strombedarf decken musste, und einen altersschwachen Lieferwagen, der nur noch dazu dienen konnte, Vorräte von einem Boot zum Haus zu schaffen. Es war beileibe nicht so, dass Morris Fleury uns mit seinem Gewehr bedrohte. So klar waren die Rollen nicht verteilt. Er ging neben Cotter Whitney, und sie hielten beim Reden die Köpfe vom Wind abgewandt. Der Arbeitgeber und sein Angestellter. Aber was, fragte ich mich, wurde hier wirklich gespielt?

Als wir das Haus erreichten, ging die wettergegerbte Tür auf, und Thumper Gordon erschien auf der Schwelle und schaute mich an. Zwanzig Jahre hatten wir uns nicht gesehen, aber während er mich durch seine dicken Brillengläser musterte, fiel der Groschen. Sein Mund hinter dem angegrauten Bart verzog sich zu einem breiten Grinsen. Thumper trug einen dicken blauen Pullover und ausgeblichene, an manchen Stellen fadenscheinige Jeans. Er breitete die Arme aus, und ich rannte die letzten Schritte, umarmte ihn mit aller Kraft. Meine Tränen vermischten sich mit den Regentropfen. Ich konnte nicht dagegen an. Mein Gott, wie die Zeit vergeht.

Dann hielten wir uns auf Armeslänge und schauten uns an, zählten die Jahre, bemerkten die Veränderungen. Träge blinzelte er mir zu. »Mich laust der Affe«, meinte er. »Hätte nicht gedacht, dass ich dich wiedersehe.«

»Ach, verdammt, das musste doch irgendwann passieren.«

»Tja, und die Lage ist ernst, wie es scheint.« Er schaute in unsere triefnassen Gesichter und schüttelte den Kopf. »Der Mann mit der Knarre hat das Sagen. Kommt in meine bescheidene Hütte, Leute.«

Wir hatten uns um den Küchentisch versammelt. Das Erdgeschoss des zweistöckigen Hauses bestand aus einem einzigen großen Raum. Ich sah tausende Bücher und Platten – es musste eine Heidenarbeit gewesen sein, sie auf die Insel zu schaffen –, bequeme Sofas und Sessel, ein qualmendes Torffeuer im Kamin, ein paar Öllampen und schwere Webteppiche. An dem runden, schweren Küchentisch war Platz für ein Dutzend Personen. Nachdem wir erschöpft auf die Stühle geplumpst waren, bot Thumper heißen Kaffee mit einem Schuss Brandy oder Single Malt an.

Als alle einander vorgestellt waren, kochte Sam Innis' Zorn über: Er hieb mit der Faust auf den Tisch und ließ seiner Wut freien Lauf. Seine dünne Stimme bebte vor Empörung und Erschöpfung.

»Wir sind so weit gegangen, wie wir konnten. Drei Menschen sind ermordet worden – nein, das stimmt nicht, vier, denn in Zürich wollte irgend so ein Arschloch Lee ans Leder, und ich darf mit außerordentlicher Freude berichten«, er atmete schwer, und die Adern an seinem Hals traten hervor, »dass Lee ihm das Licht ausgeblasen hat ... Ich habe ein Wahnsinnsgeld ausgegeben, wir haben Leute ausgeschickt, die die halbe Hölle durchquerten, wir haben Leute am Hals, die Magna erpressen ... zum Beispiel Sie, Mr Gordon.«

»Wer immer Sie sein mögen«, sagte Thumper mit seiner leisen, rauen Stimme, »ich würde vorschlagen, dass Sie sich ganz schnell vom Acker machen und sich Ihre Vorwürfe in den Arsch schieben. Ich kenne Sie ja nicht mal, Mann, und Sie gehen mir ganz schön auf den Sack.« Er ließ sein Koboldgrinsen aufblitzen.

Morris Fleury hatte sich nicht hingesetzt, sondern lehnte an einem Verschlag mit Tellern, Tassen, Schüsseln und Gläsern. Er hatte seinen Trenchcoat abgelegt und enthüllte darunter triefnasse Cordhosen und einen zerschlissenen Cardigan. Aber die doppelläufige Flinte hielt er immer noch auf uns gerichtet.

Sam Innis fuhr fort, als habe er Thumpers Bemerkung nicht gehört. »Und jetzt will ich eine Antwort auf die Frage, mit der diese ganze verdammte Geschichte angefangen hat: Ist Joseph Christian Tripper noch am Leben? Befindet er sich im Augenblick auf diesem gottverlassenen Scheißhaufen von einer Insel?« Er zitterte und sah Thumper Gordon an.

Thumper grinste. »JC? Sie suchen nach JC? Na klar ist der hier. Keine Frage! Sie wollen doch nicht sagen, dass Sie den ganzen Weg auf sich genommen hätten, wenn Sie nicht sicher wären? Was für eine Bande furchtloser Typen! Und eine furchtlose Lady. Hab seit Ewigkeiten nicht mehr so viele Leute zu Besuch gehabt. Denn ich bin hierher gekommen, um ... vor meinen Mitmenschen zu fliehen.«

»Was sagen Sie da?«, rief Innis mit seiner lächerlichen, näselnden Stimme. »JC Tripper ist noch am Leben? Treiben Sie keine Spielchen mit uns, mein Freund. Wir sind mit unserer Geduld am Ende. Wir sind nicht so weit gereist, um Spielchen zu spielen ...«

»Spielchen?« Thumper schaute ihn verächtlich an. »Ich

spiele keine Spielchen. *Natürlich* ist er noch am Leben. Haben Sie geglaubt, er stünde hier ausgestopft in meinem Wohnzimmer, um der alten Zeiten willen? JC lebt, du Schwachkopf!«

Ich glaube, dieser Schlagabtausch kam so unerwartet, dass wir alle wie betäubt waren. Mir zumindest fiel nichts ein, um die Wogen zu glätten. Alle starrten Thumper an. Draußen tobte der Wind und blies in den Kamin. Torfrauch wehte in den Raum und wurde wieder hochgesaugt.

Ich schaute auf und sah, dass Fleury mich scharf beobachtete. Ihm schienen Thumpers Worte ziemlich gleichgültig zu sein, Vielleicht, weil er die Wahrheit schon kannte.

Da brach ich das schreckliche Schweigen. »Sagen Sie, Fleury, haben Sie nun rausgefunden, wer Clive Taillor all die Jahre bezahlt hat?«

»Ja, Mr Tripper.«

»Und wissen Sie auch, wo JC steckt?«

»Ja, das auch.« Sein Blick war völlig gelassen.

»Und wissen Sie vielleicht, was hier gespielt wird?«

Er warf mir einen seiner kranken Blicke zu. Sein Haar klebte wie stets an dem zementfarbenen Schädel, seine Hängebacken zitterten leicht. Aber er wirkte keineswegs mehr komisch oder erbärmlich. »Ja, das weiß ich. Und deshalb bin ich auch der Mann mit der Knarre. Ich hab nämlich die Absicht, lebend aus diesem Haus rauszukommen.«

»Und sagen Sie's uns, Kumpel?« Ich hatte das Gefühl, dass jeder im Zimmer den Atem anhielt.

»Genau das habe ich vor, Mr Tripper.«

Er stopfte seine Maiskolbenpfeife und zündete sie an, reicherte die verqualmte Luft im Haus noch mit dem fürchterlichen Gestank süßer Kirschen an. Während der ganzen Prozedur legte er das Gewehr nicht aus der Hand. Fleury sah nicht gefährlich aus, sondern müde und deprimiert, aber er wollte die Sache durchziehen. Andererseits schien er zu bedauern, dass er überhaupt damit angefangen hatte. Immer wieder leckte er sich seine zementfarbenen Lippen mit einer Zunge von gleicher Farbe. Er setzte an – dann räusperte er sich, als wäre er immer noch im Zweifel, wo er beginnen sollte. Vermutlich war er es nicht gewöhnt, dass eine Zuhörerschar ihm derart ergriffen lauschte.

»Also, Leute, ... nett, dass ihr alle hergekommen seid.« Es folgte ein Lachen oder ein Husten, was genau, war nicht zu ermitteln. »Ich weiß, was hier gespielt wird. Es war nicht ganz einfach rauszukriegen, aber schließlich verdien ich damit ja meinen Lebensunterhalt. Hab noch nie so 'ne Nuss zu knacken gehabt, aber ... aber ...« Offenbar fiel ihm kein passender Vergleich ein. »Jedenfalls, tut mir Leid mit der Donnerbüchse hier, aber meine Mama hat keine Idioten großgezogen. Wenn hier jemand stirbt – und ich behaupte ja nich, dass es so weit kommt –, will ich verdammt sichergehen, dass ich es nicht bin. Also denkt dran, ich hab das Gewehr, es is geladen und kann euch in kleinen Stücken bis nach Inverness pusten ...«

»Hören Sie«, fiel ich ihm ins Wort, »ich will diese beeindruckende Rede ja nicht unterbrechen, aber die Spannung bringt mich noch um, ehrlich gesagt.«

»Ist ja gut, ich mach ja weiter. Sie haben Recht, aber«, *paff, paff*, »wo soll ich beginnen?« Er blickte uns der Reihe nach in die Augen. »Alles fing mit Cotter Whitney an.« Er grinste verschlagen. »Ich bin Sicherheitschef bei Magna, wie Sie alle wissen ... tja, und man könnte sagen, dass Mr Whitney mein Boss ist, einer meiner Bosse. Freddie Rosen ist mein anderer Boss. Meine Bosse machen sich manchmal über mich lustig, aber das ist mir verdammt egal. Ich bin halt der Typ dafür. Die Leute machen sich über mich lustig, das haben sie schon immer gemacht. Kann ich mit leben. Ich nutz das. Wenn man mich unterschätzt, nutz ich das aus. Ich mag ja irgendwie albern aussehen, und mein Klamottenstil ist nicht gerade Ralph Lauren, aber ich bin ein verdammt zäher alter Hurensohn.« Wieder paffte er an seiner Pfeife; dann fuhr er fort: »Whitney weiß jedenfalls, wann es Zeit ist, mit dem Witzemachen aufzuhören und die Probleme anzugehen. Er weiß, wann es Zeit ist, dass Fleury das Problem beackert ... Tja, und vor 'n paar Monaten ruft Cotter mich nach Minneapolis, wir gehen um seine tolle Bude herum spazieren, und ich krieg mit, dass er völlig aus 'm Häuschen ist. Und ich hab ihm gesagt, er soll sich hinsetzen. Ich hab mir seine Story angehört und hab sofort gesagt: ›Cotter, passen Sie auf, dass Ihr Haar nicht in diese Suppe gerät ...‹«

»Das stimmt«, murmelte Whitney. »Lass dein Haar nicht in die Suppe geraten.« Er verschränkte die Finger, löste sie, verschränkte sie erneut.

»Cotter hatte dicke Probleme. Irgendjemand fing an, ihn mächtig aufzumischen, und Cotter, Rosen und ein paar der anderen Bosse fingen an zu schreien, als ob sie etwas beißen tät. Irgendjemand, vielleicht sogar ein Magna-Mitarbeiter, betätigte sich als freiberuflicher Informant ... Er stellte Dossiers zusammen, in denen die Verbindung zu dem schwunghaften Drogenhandel hergestellt wurde, in den Magna früher mal verwickelt war ... Mann, das ging zurück bis in die Fünfziger und frühen Sechziger, als der Rock und die Drogen aufkamen, das ging ja beides zusammen wie Butter und Brötchen. Wissen Sie, was so ein Typ ist, der Informationen verkauft? Er ist ein Erpresser, ein Spion ... ein sehr gefährlicher Mensch. Und in so einem großen Deal auch ein sehr kluger Mensch – jemand, der was Großes anfängt, will es sich doch nicht vermasseln und aus der Hand nehmen lassen. Was also braucht dieser Jemand dazu? Geld, Macht, die ganze Chose.«

»Was wollte der Erpresser?«, fragte Ledbetter.

»Das hat er nicht verraten. Ließ uns nur immer wieder wissen, wie viel er wusste. Kleckerweise sehr, sehr vertrauliche Informationen. Was wollte er *wirklich*? Jedenfalls hielt er uns in Hochspannung ... Die Top-Männer bei Magna, die ganz tief in dieser Scheiße drinsteckten ... Roarke, Bernstein, D'Allessandro, Levitsky, die sind alle längst tot. Bloß D'Allessandro nicht, aber der hat Alzheimer. Er glaubt, sein Pimmel wäre sein alter Schnauzer Otto, er tätschelt ihn und steckt ihn in einen Hundenapf – schon traurig, so was –, D'Ally steckte jedenfalls tief drin, klar? Aber wer tot ist, ist nicht zwangsläufig vergessen. Was die Kerle verbrochen haben, kann Magna heute noch schaden. Wenn Magna ins Scheinwerferlicht geriete, könnten noch 'ne ganze Menge Pickel zum Vorschein kommen ... zum Beispiel die Geschichte mit Cotters Töchterchen und diesem Strahlemann, dem jungen Stryker: Die sind mit Dope zugange. Ist nicht viel, aber es genügt, um sie in den Knast zu bringen, falls jemand sich mal ernsthaft damit befasst ...«

»Es reicht!«, sagte Whitney. »Lassen Sie die beiden aus dem Spiel.«

»Genau. Es reicht. Die Stimme meines Herrn. Aber der Erpresser war mit seinem Latein noch lange nicht am Ende. Nun spielte er die Mörderkarte aus. Er deutete an, dass er was über einen Mord wusste, für den Magna verantwortlich war, ein Mord an einem *sehr* berühmten Menschen ...« Er nickte selbstgefällig.

»Und wie hat er das mitgeteilt?«

»Tja, Miss Dillinger, da hatte er wirklich den Insider-Tratsch zur Verfügung! Er musste nur ein Wort an Magna schicken. Bellerophon. Ist was aus der griechischen Sagenwelt. In diesem Fall war es ein Codename, was unser Erpresser wusste. Das Wort trudelte bei Magna ein, Cotter rief mich an, fragte, ob ich irgendwas darüber wüsste. Er wusste genau, worum es ging, wusste es seit Jahren, und ich hatte auch schon mal von der Geschichte gehört ... was uns zu dem Mann bringt, der diesen Codenamen gefunden hat und dafür sorgte, dass der Plan funktionierte. Ein Kerl namens Martin Bjorklund, ein unheimlich netter Bursche. 'tschuldigt, Leute, aber ich werde immer ein bisschen sentimental, wenn ich an Marty Bjorklund denke ... er ist vor sechs Wochen gestorben. Marty, dieser alte Hundsfott, hat mich vor fünfundzwanzig, dreißig Jahren für Magna angeheuert, hat mir alle Kniffe beigebracht ...

Jedenfalls, als wir diese Nachricht kriegten, dass jemand von der Bellerophon-Sache wusste, hab ich mich auf die Suche nach Marty gemacht. Ich wollte ihn sowieso überprüfen, allein schon wegen der Erpressungssache, aber ich hab ihn aus den Augen verloren, als er in Rente ging. Endlich hab ich ihn dann in der Nähe von Seattle aufgestöbert, in einem Sterbeheim, wo seine Tochter in der Nähe lebte. Vier Schachteln Luckys am Tag, und das fünfzig Jahre lang ... na ja, ich kann nur hoffen, dass er sie auch genossen hat, denn als ich ihn besuchte, konnte ich sehen, was für einen verdammten Preis er für sein Vergnügen zahlen musste. Lungenemphysem, Krebs, aber er war immer noch ganz kregel. Ich erzähle ihm also die ganze Geschichte. Und wie ich zu Bellerophon komme, wird der alte Marty plötzlich ganz wach. Spuckt aus, was er weiß. Erst keucht und hustet er, dass ich schon denke, gleich gibt er den Löffel ab, dann aber beruhigt er sich und erzählt mir die ganze Geschichte ... und es ist 'ne Mordsgeschichte, eine Wucht. Aber dazu komme ich gleich. Was mich mehr interessierte ... wie war der Erpresser auf den Namen Bellerophon gestoßen? Der stand ja nicht gerade dick in den Firmenannalen, wie Sie sich denken können. Woher konnte der Erpresser also davon wissen? Ich nahm an, dass dies der Schlüssel zu seiner Identität sein müsste. Denn wie viele Leute konnten überhaupt Bescheid wissen? Marty sagte das auch, aber dann meinte er, es stünde zwar nicht deutlich in den Firmenannalen, andererseits wäre es aber *doch* drin ... Marty verstand sein Handwerk. Er machte, was ihm gesagt wurde, und deckte ein paar sehr haarige Aktionen der Firma, aber dafür hielt er seinen Kopf hin, stand immer mit dem Rücken zur Wand. Marty wollte sich absichern, falls einer der großen Bosse ihn eines Tages verraten würde und ihn für irgendeinen geplatzten Deal in den Knast wandern ließ ... verstehen Sie, der gute alte Marty machte in Alkohol, schmuggelte den Stoff von Catalina nach San Pedro durch ganz Mexiko – hat mir oft von den fliegenden Fischen erzählt –, und in den Dreißigern, als er noch ein ganz junger Kerl war, besorgte er Dope für eins von den großen Studios. Einmal musste er einen Filmstar um die Ecke bringen, der nicht zur Zusammenarbeit bereit war, und in den Sechzigern kümmerte er sich in Magnas Auftrag darum, dass die Stars immer schön mit Drogen versorgt waren.« Fleury schaute mich an und blinzelte heftig mit seinen Froschaugen. Listig spielte seine Zungenspitze zwischen den Lippen. »Wobei mir einfällt – Sie müssen Marty Bjorklund ja richtig gut gekannt haben.«

»Das stimmt«, erwiderte ich. »Ich kannte Marty ziemlich gut.« Ich hatte ein fürchterlich flaues Gefühl in der Magengrube.

»Da fällt mir ein ... hat der gute Marty nicht mal erwähnt, dass er kurz in Tanger vorbeischaute, als ihr Typen euer letztes Konzert gegeben habt?«

»Ich glaub schon. Ich war aber damals ziemlich weggetreten. Hätte glatt jemand anders in 'ner anderen Stadt sein können.« Ich zuckte die Achseln. »Meine Erinnerungen an Tanger sind ziemlich verschwommen.«

»Alles ist dunstig in Tanger, stimmt's, Mr Tripper?«

»Ich hätte es selber nicht besser ausdrücken können.«

»Kommt schon, hört auf, ihr zwei!« Innis klang verärgert. »Worauf soll das hinaus?«

»Ach, warum halten Sie nicht Ihre verdammte Klappe? Ich komm ja noch dazu, keine Angst. Als Cotter erst mal wusste, wie tief der Erpresser in die Geschichte eingedrungen war ...«

»Einen Moment«, sagte ich. »Noch mal zurück zu Marty, und wie er sich wegen dieser Bellerophon-Geschichte ... diesem Mord ... abgesichert hat. Wie hat er das angestellt?«

»Na, er hat so einiges gemacht. Zunächst mal hielt er den Schlüsselbeweis zu dem Mordkomplott Bellerophon in der Hand, nämlich, dass der Mörder auf ewig an Magnas Angel hängen würde, sie konnten ihn jederzeit auffliegen lassen ... und bevor Marty vor fünf Jahren in Rente ging, gab er die Fakten über Bellerophon in Magnas Computersystem ein. Nicht nur an einer Stelle, sondern gleich an vier oder fünf ... erst wenn man alle fand, hatte man die ganze Story. Was für ein ausgekochter Hund! Nur Marty kannte die Zugangscodes für die Einträge. Falls nun jemand Marty unter Druck setzen sollte, würde Marty seinerseits Druck machen, und so hat er sich abgesichert, kapiert?«

Ich nickte. »Kapiert.«

»Als Cotter und seine Mitbosse merkten, dass irgendjemand innerhalb der Firma Computerdateien anzapfte und den ganzen alten Müll sammelte, als sie merkten, wie dick die Akten des Erpressers wurden, als sie wussten, dass er hinter der Bellerophon-Geschichte her war – na, denen ihre Angst können Sie sich ja vorstellen. Es war eine ganz verteufelte Geschichte, die auf keinen Fall an die Öffentlichkeit kommen durfte. Ich meine, vor zwanzig Jahren wäre sie ja fast aufgeflogen. Die Burschen haben vor Angst

Backsteine geschissen, wenn ihr mir den Ausdruck verzeihen könnt.«

Ledbetter schüttelte seinen riesigen Kopf und fuhr sich mit den Fingern durch den Pelz, der sein Bart war. »Da komme ich anscheinend nicht ganz mit, guter Mann. Verbessern Sie mich, wenn ich mich irre, aber wollten wir nicht nach JC Tripper suchen? Ist das nicht der Sinn der ganzen Unternehmung? Sie reden hier über Erpresser und Mörder und ehemalige Alkoholschmuggler, aber ich höre kein Wort über Mr JC Tripper ...«

»... der sich ja angeblich lebend auf dieser verdammten Insel aufhalten soll!«, rief Innis.

»Was, wenn ich fragen darf«, fuhr Ledbetter unbeirrt fort, »haben denn all diese zugegebenermaßen höchst interessanten Informationen mit JC Tripper zu tun oder mit dem neuen Roman von Allan Bechtol, auf den die Welt voll Spannung wartet?«

Morris Fleury stopfte den Tabak in seiner Pfeife fester. »Tja, lassen Sie es mich in ... einen Zusammenhang stellen, wie es so schön heißt. JC Tripper ist ganz eng mit dieser Geschichte verbunden. Sehen Sie, Mr Ledbetter, vor zwanzig Jahren hatte JC Tripper die Nase voll von diesem Rockstar-Leben: die Drogen, die Prasserei, die Schmeicheleien und den endlosen Rummel ... ach ja, und die Drogen, hab ich das schon gesagt? Die Drogen. JC besaß Macht, aber so mächtig, wie er glaubte, war er vielleicht doch nicht. Das Ego von diesen Rockstars war ja eine leichte Beute für die Drogen. JC überschätzte sich, und zwar schlimm. Er drohte Magna zu verpfeifen – wegen der Drogengeschäfte, wegen der Plattenprozente, wegen der Bestechungsgelder und wer weiß was noch alles. Er und sein Bruder waren tablettenabhängig und hingen an der Nadel, das stimmt, aber JC wollte an die Öffentlichkeit oder zur Polizei von Los Angeles gehen ... Sie standen vor der Entscheidung, ihn entweder im Magna-Team zu behalten oder ihm das Maul zu stopfen, den einen oder anderen Hebel anzusetzen ...

Bei der Besprechung zum endgültigen Plan war auch Marty Bjorklund dabei. Konnte man JC möglicherweise was anhängen – Kindesmissbrauch, Notzucht oder was Ähnliches, damit sie ihn in der Hand hatten? Was sollten sie tun? Dann stand Henry Bernstein auf und redete ihnen gründlich zu, und dann wurde Bellerophon geboren ...«

Aufgeregt fiel Ledbetter ihm ins Wort. »Bellerophon! Jetzt hab ich's – sie wollten JC einen Mord anhängen und ihn damit in Schach halten! Meine Güte, was für ein teuflischer Plan!«

»Teuflisch? Ja. Aber sie wollten ihm nichts anhängen.«

»Sondern?«, fragte Innis.

»JC Tripper selber sollte kaltgemacht werden ... Bellerophon war der Plan, um JC Tripper zu ermorden ...«

23.

Fleury zwinkerte seinen Zuhörern zu. Offensichtlich gefiel er sich in seiner Rolle, wagte aber nicht, es zu deutlich zu zeigen. Ich schrak vor der ganzen Geschichte zurück. Er kam der Wahrheit sehr nahe, gefährlich nahe. Heidi Dillinger saß steif und angespannt auf ihrem Stuhl und ließ Fleury nicht aus den Augen. Sie hatte die Arme um die Ledertasche auf ihrem Schoß geschlungen und starrte den Detektiv so durchdringend an, dass man fast glauben konnte, sie verfüge über einen Röntgenblick, der seine Worte auf Wahrheit oder Lüge durchleuchtete. Dann drehte sie sich zu mir um und hob fragend die Augenbrauen. *Bellerophon war der Plan, um JC zu ermorden ... wie viel hast du davon gewusst?* Ich wich ihrem bohrenden Blick aus.

Sam Innis war zornrot, sein kleiner Mund angespannt. »Das ist ja alles gut und schön, Kumpel, aber der hier«, er nickte zu Thumper Gordon hinüber, »behauptet, dass JC lebt, dass er sich hier auf der Insel befindet. Also muss irgendjemand das falsche Ende der Leine erwischt haben.«

Morris Fleury hatte die Flinte auf den Kaminsims gelegt und klopfte seine Pfeife an der geschwärzten Backsteinummantelung aus. Dann tauchte er den Pfeifenkopf in seinen Tabaksbeutel und stopfte sich eine neue Pfeife. »Sie hören nicht richtig zu«, stellte er klar. »Ich hab doch gesagt, es war ein Plan.« Er riss ein Streichholz an der Wand an und brannte die Pfeife an. »Hab nicht behauptet, dass er auch funktionierte.« Er grinste Innis an. »Oder man könnte sagen, dass der Plan nur auf bestimmte Weise funktionierte ...«

Sam zuckte zusammen, schüttelte den Kopf. »Jetzt hören Sie aber auf! Was soll das nun wieder bedeuten? Wer sollte JC töten?« Er ruckte den Kopf zu mir herum. »Warum so ruhig, Lee? Wo, zum Teufel, bist du damals denn gewesen? Immer wieder sagst du uns, dein Bruder sei tot, wo ist denn deine Story? Du warst doch dabei – hast alles miterlebt, stimmt's? Lee, wir stecken bis zum Hals in der Scheiße. Ich finde, du könntest anfangen, uns hier rauszuschaufeln ...«

»Du gehst mir gewaltig auf die Nerven, Sam, weißt du das?«, entgegnete ich.

Fleury nahm das Gewehr wieder vom Sims und schwenkte es in die Runde, sodass jeder einmal in die Mündung blicken durfte. »Vielleicht lasst ihr mich mal weitermachen ... Ihr könnt mir ruhig vertrauen, dann werdet ihr schon sehen, dass jedes Teil seinen Platz findet. Oder fast jedes. Kommen wir zurück zu Cotter und mir, zu der Aufgabe, die ich für die Mannschaft lösen sollte. Es war der Erpresser, der ihm am meisten zu schaffen machte ... der Erpresser, der die ganze Geschichte herausgefunden hatte, der irgendwie das Geheimnis um Bellerophon entdeckt hatte, das Marty Bjorklund im Computer versteckte. Der Erpresser ließ Magna in der Luft zappeln ... und sie überlegten und überlegten, wer es wohl sein könnte ... und außerdem hatte ja keiner von Magna JC Tripper tatsächlich *tot* gesehen.«

»Was war denn mit dem Killer, den sie ausgeschickt hatten?« Thumper Gordon, nun auch von dem Rätsel animiert, schaltete sich ein.

»Sagen wir mal so: Der Killer, den sie ausgeschickt hatten, um JC allezumachen, war nicht besonders vertrauenswürdig«, erklärte Fleury. »Also begannen Cotter und Rosen und ein paar andere sich zu fragen, ob JC vielleicht noch am Leben war. Vielleicht hatte der Killer ihn nicht erwischen können. Aber nein, das konnten sie nicht glauben! Es war lachhaft. Denken Sie mal darüber nach, während ich weitererzähle … also, was sollte ich wohl für die guten Leute von Magna tun? Ist gar nicht so schwer rauszukriegen, wenn man bedenkt, was auf dem Spiel stand. Natürlich sollte ich den Erpresser finden und kaltmachen. Also trat ich in Marty Bjorklunds Fußstapfen, ich war Cotter Whitneys Marty Bjorklund …

Aber bevor sie mich zum Morden losschickten, mussten sie wissen, ob JC tot war oder ob er noch lebte. Falls sie den Erpresser ermorden ließen und JC doch noch am Leben war, dann hatten sie immer noch Scheiße an den Händen – ich meine, seien wir doch mal ehrlich: JC hatte Magna vor zwanzig Jahren hochgehen lassen wollen, und wenn er noch lebte, clean war und beschlossen hatte, dass es nun an der Zeit sei, sich für seine Leiden zu rächen, stellte er eine Gefahr dar. Es war eine von diesen schrecklichen ›Was-wäre-wenn‹-Geschichten. Was wenn dies, was wenn das. Leute, die was zu verbergen oder zu fürchten haben, sagen immer: ›Was ist, wenn jemand dahinterkommt? Dann bin ich im Arsch.‹ Und das ist dann der Punkt, wo Kerle wie ich ins Spiel kommen.

Falls JC Tripper noch lebte, war er eine Zeitbombe. Er konnte Magna in 'ne Million knuspriger Happen sprengen. Er konnte über Drogen auspacken, über Mord und Verbindungen zur Mafia, und damit die Gegenwart zerstören, sie mithilfe der Vergangenheit zu Tode prügeln. Er saß auf einem Skandal, der Magna und Cotter vernichten konnte. Also hatte ich zwei Aufgaben: Ich sollte den Informanten und JC finden, falls der noch lebte, und beide töten. War JC der Erpresser, musste ich wahrscheinlich bloß einen kaltmachen.« Er grinste so breit, dass man sämtliche schlechten, grauen Zähne mit den Lücken dazwischen sah. »Stimmt's nicht, Cotter? Das war doch meine Aufgabe?«

Cotter Whitney schwieg. Er schien Fleury gar nicht gehört zu haben.

Geräuschvoll schlürfte Fleury seinen dampfenden Kaffee. Thumper gab noch einen Schuss Single Malt dazu. Solcherart gestärkt nahm Fleury den Faden wieder auf. »Zu dem Zeitpunkt kamen Allan Bechtol – oder Sam Innis, wie Sie ihn nennen, Mr Tripper – und Ledbetter zu Magna. Sie hatten diese verrückte Idee für ein Buch, für einen Roman über die JC-Tripper-Story. Also entstand dieses ganze Hin und Her mit Magna und Purvis und Ledbetter. Magna wollte sich unbedingt einen Verlag kaufen – das ist allerdings nicht mein Ding, verstehen Sie? Mich ging nur an, was Cotter und ich uns sofort dachten – konnte das nur ein Zufall sein? Oder ist JC noch am Leben und steckt hinter der Sache? Und wenn es nur Zufall ist, bedeutet es, dass Bechtol etwas über JC weiß? Nämlich, dass er noch lebt? Heilige Scheiße, haben wir uns gedacht, Bechtol könnte tatsächlich Hand in Hand mit JC arbeiten … oder mit dem Erpresser. Das hat mir echt gefallen: Innis/Bechtol macht gemeinsame Sache mit dem Erpresser. Jedenfalls fanden wir, er wäre eine gute Quelle, die wir benutzen konnten, denn er war ja mit JC zusammen in Harvard gewesen. Und dann sagt Bechtol, er kann auch noch JCs Bruder Lee ins Boot bringen, ein weiterer Trumpf. Also haben wir uns gedacht: Warum spielen wir nicht mit? Machte doch Sinn. Konnte nicht schaden. Und was hätten wir denn sonst tun sollen? Wir hatten es versucht und versucht und nicht viel rausgebracht … und allmählich wurde die Sache heiß.«

Nun schaltete Heidi Dillinger sich ein und unterbrach

Fleurys Redefluss. Sie hatte nachgedacht. »Ich möchte noch mal zurück zu dieser Verschwörung, dem geplanten Mord an JC Tripper. Wollen Sie behaupten, Sie *wissen*, dass er überlebt hat? Oder war das nur eine Vermutung?«

»Ach du meine Güte, nur eine Vermutung, Miss Dillinger. Ich spiel doch nur die Karten aus, die man uns gegeben hat. *Was wenn.* So heißt unser Spiel. Natürlich, wie unser Mr Gordon sagt …«

»Ich weiß, was unser Mr Gordon sagt!«, fuhr sie ihn an. »Mr Gordons Hirn ist 1969 wahrscheinlich gebraten worden … Ich glaube nur, was ich sehe, und ich bin wirklich gespannt, ob ich JC Tripper auf dieser Insel noch zu Gesicht bekommen werde. Was ich wissen will – warum wurde Lee nicht auch getötet? Ich meine, warum hat man Lee laufen lassen? Er hätte doch erzählen können, was seinem Bruder zugestoßen ist …«

»Mir ging es damals saumäßig«, gab ich zu bedenken.

»Ja, das haben wir schon gehört. Aber dann hast du dich ziemlich verarschen lassen, Lee, findest du nicht?«

»Es gibt 'nen guten Grund, warum Lee nicht sterben sollte«, sagte Fleury. »Nicht wahr, Lee?« Er schaute mich an. Ich kam mir vor wie ein Ausbrecher, der ins Licht der Suchscheinwerfer geraten ist.

»Sie sind der Mann mit den Antworten«, erwiderte ich. »Fahren Sie fort.«

»Tja, die Sache wurde allmählich heiß, wie ich schon sagte. Irgendjemand hatte den DJ Shadow Flicker kaltgemacht, und der war ein ganz enger Freund von JC. Ein Drogenbeschaffer, ein Verteiler, einer, der von Magna geschmiert wurde. Dadurch wurde er reich. Später hat es dann nachgelassen. Ich hab nicht sofort kapiert, warum er sterben musste, aber als der Erpresser ihn erst mal in der Mangel gehabt hatte – und nicht erfahren hatte, ob JC noch lebte oder tot war –, da musste er sterben, um die Identität des Erpressers zu schützen. So einfach war das.«

»Verzeihen Sie, wenn ich wieder mal nicht begreife«, dröhnte Hugo Ledbetter, »aber warum war denn Ihr Erpresser so scharf darauf, JC zu finden? Was hatte JC mit dieser Erpressung zu tun?«

»Der Erpresser wollte den Einsatz erhöhen. JC konnte jedes Detail des Mordplans verraten und den ganzen übrigen Dreck. Sie waren doch naturgegebene Verbündete, meinen Sie nicht? Beide wollten Magna was am Zeug flicken. Bedenken Sie: Zwanzig Jahre nach seinem angeblichen Tod taucht JC wieder auf und hat eine Mordsstory zu erzählen – denken Sie mal an die Folgen!« Fleury grinste wieder breit und fies, ein Grinsen, das nur seiner eigenen Belustigung zu dienen schien. »Und wenn JC nicht mitspielen wollte, konnte unser Erpresser ihn ohne die geringsten Gewissensbisse killen. Darum, Mr Ledbetter.« Er seufzte und nahm den Faden wieder auf. »Shadow Flicker war also bloß eine abgeworfene Karte. Wahrscheinlich wusste er nicht das Geringste. Und wie ich dann zu Sally Feinman komme – war gerade dabei, ihr Vertrauen zu gewinnen; sie wollte mir ihre eigenen Theorien über die Gebrüder Tripper mitteilen –, wird auch sie gekillt. Und nicht nur ermordet, sondern vorher gefoltert. Irgendjemand wollte unbedingt *irgendetwas* rauskriegen, und je mehr ich darüber nachdachte, desto mehr sah es so aus, als ob dieses Irgendetwas der Aufenthaltsort von JC Tripper sein musste. Die Theorie passte auch später auf Clive Taillor, aber bei dem fand ich noch heraus, dass er zwanzig Jahre lang bezahlt worden war. Für sein Schweigen, nehme ich an. Logisch, nicht?

Ich hatte viel Zeit zum Nachdenken, und meine Gedanken gehen manchmal wirklich krumme Wege. Ich grübelte über diese ganze Bellerophon-Scheiße – wie sie JC abnibbeln lassen wollten, um ihren Hintern zu retten, und wie sie Lee Tripper davon abhalten wollten, einen Riesenaufstand zu machen, ohne ihn auch töten zu müssen –, und da begriff ich allmählich, wie Bellerophon funktionieren sollte, und mir fiel etwas ein, was Marty Bjorklund an dem Tag gesagt hatte, bevor seine Lichter ausgingen. Er sagte immer, ich sollte Lee aufsuchen. Ich hab gedacht, er wäre in 'ner Art Todeskampf und fantasiert ... ich dachte, er redet von Leo Roarke, der damals mit D'Allessandro und Bernstein und all den Typen im Vorstand von Magna war. Ich dachte, er glaubt, Leo ist noch am Leben. Er sagte jedenfalls, Lee wisse Bescheid, und dann lachte er. Es war kein besonders schöner Anblick, das kann ich Ihnen versichern ...

Und dann fiel es mir wie Schuppen von den Augen. Er meinte Lee Tripper, nicht den alten Leo Roarke. Er sagte, Lee wisse über alles Bescheid ... aber was sollte das nun wieder bedeuten? Können Sie mir wohl verraten, was er gemeint hat, Mr Tripper?«

Eine Ewigkeit verstrich. »Antworten Sie dem Mann«, befahl Whitney.

»Ja«, gab ich zu. »Ich weiß genau, was Marty Bjorklund gemeint hat.« Meine Stimme hörte sich an, als wäre sie Lichtjahre entfernt.

»Wird die Erinnerung wieder besser?« Fleury grinste fies und leckte sich die Lippen.

»Ich höre immer noch zu«, sagte ich. »Erzählen Sie's schon.« Ich war fieberhaft damit beschäftigt, meine Möglichkeiten abzuwägen. Wie sollte ich die Karten verwenden, die mir vor so langer Zeit zugeteilt worden waren?

»Ich wusste, dass Lee tief drinsteckt«, sagte Fleury und weidete sich an seinen Anspielungen, »aber ich wusste nicht, wie. Aber in Zürich kriegte ich raus, dass Clive Taillor diese regelmäßigen Überweisungen bekommen hatte, und zwar zwanzig Jahre lang. *Schweigegeld*.« Er genoss dieses Wort wie ein Schauspieler, der auf seine Lieblingsstelle in den letzten Minuten eines Thrillers wartet. »Die Bankiers in Zürich wollten mir nix sagen, aber dann ... dann wurde mir klar, dass ich die Sache auch von der anderen Seite angehen konnte. Wer würde Clive Taillor Schweigegeld zahlen? Ich hab mir eine Liste gemacht, und ganz oben stand der *Bruder*. Lee, alter Junge, ich muss Ihnen sagen, Sie gehören in den Knast, ehrlich.«

»Bin ich froh, das zu hören«, sagte ich. Rund um den Tisch ging eine Veränderung vor sich. Alle drehten sich zu mir um – alle bis auf Thumper, der ruhig seinen Scotch schlürfte und zuschaute.

»Ich bin schon verdammt lange Sicherheitsmann. Hab verdammt gute Verbindungen. Man ist höflich zueinander in unserer Branche. Ein Bekannter in New York hat Ihre Bankauszüge durchgeguckt, Lee, ich musste gar nicht sagen, er soll zwanzig Jahre zurückgehen, das war gar nicht nötig.« Er blies die Backen auf und entließ einen langen Seufzer. »Lee, Sie sind der Mann, der Clive Taillor bezahlt hat. Sie sind ein böser Junge gewesen, Lee, wissen Sie das?«

»Böse?« Ich zuckte die Achseln. »Ich habe Clive Taillor bezahlt. Hatte gehofft, Sie finden es nie heraus.«

»Um Gottes willen!« Innis starrte mich entsetzt an. Keiner wusste so recht, was er von Fleurys Eröffnung oder von mir halten sollte.

»Jetzt werden Sie natürlich nicht mehr aufhören«, vermutete ich, »wo Sie einmal so in Fahrt sind.«

Fleury grinste. »Soll ich Ihnen erklären, wie Bellerophon funktionierte?«

»So gut Sie können«, sagte ich.

»Ich hab ›Bellerophon‹ im Lexikon nachgeschlagen.« Fleury grinste immer noch über seine Schlauheit. »Mythologie war halt nie meine starke Seite. Aber wissen Sie, wer der alte Bellerophon war? Ich verrat's Ihnen. Er war der Typ, der immer auf diesem fliegenden Pferd Pegasus geritten ist – wissen Sie noch, die alten Tankstellen, das fliegende rote Pferd? Tja, Bellerophon war der Bursche, der das furchtbare Ungeheuer namens Chimäre erschlug. Bellerophon erschlug Chimäre ... Man braucht kein Wissenschaftler zu sein, um zu wissen, wer hier die Chimäre spielt. JC Tripper war Magnas Chimäre, das Ungeheuer, das erschlagen werden musste.« Er wartete, und die Blicke aus seinen wässrigen Äuglein flitzten vom einen zum anderen. Wahrscheinlich war er nie im Leben glücklicher gewesen. »Tja, und wer war nun am besten geeignet, JC Tripper zu erschlagen? Wer konnte Bellerophon spielen?« Er wartete. Heidi Dillinger hatte schon begriffen. Aber sie wusste nicht, was sie davon halten sollte. Dank mir war sie in einer seltsamen Lage. Das galt für jeden von uns – und alles sollte noch viel seltsamer werden. Das Ganze war außer Kontrolle geraten. Fleury sprach nun ganz leise: »Wer könnte das sein? Was meinen Sie, Lee?«

»Ach, Morris, was sind Sie doch für ein Kerl.«

»Danke schön, Lee. Ein Lob aus Ihrem Mund ...«

»Marty Bjorklund«, begann ich, »tauchte plötzlich in Tanger auf, aus heiterem Himmel. Er war eigentlich sehr nett. Ein Familienmensch. Hatte eine nette kleine Frau. Wir beide hatten Marty immer gemocht. Aber damals stand er mit dem Rücken zur Wand. JC machte Magna gewaltigen Ärger, genau wie Fleury gesagt hat.« Ich erinnerte mich, als wäre es gestern gewesen. »JC musste abtreten. Er würde unser Leben ruinieren; er war durchgedreht und musste sterben. Marty wollte uns nicht beide töten ... ach, zum Teufel, Marty wollte eigentlich niemanden töten. Aber JC musste weg, daran gab's keinen Zweifel. Wenn Marty ihn erledigte, würde Lee Mitwisser sein ... und dann musste auch Lee dran glauben. Verstehen Sie, wie er dachte? Es war sinnlos. Warum sollten wir beide sterben? Aber wenn einer von uns den anderen tötete und Marty den Beweis für die Identität des Mörders hütete, waren wir alle in Sicherheit, und JC konnte zum Rockstar-Himmel auffahren ... Hört sich wirklich verrückt an, was?« Mein Mund war trocken. Was für ein Chaos. Mein Gott, wie die Zeit vergeht ...

Fleury konnte nicht warten.

»Sie, Lee Tripper, Sie waren Bellerophon. Sie, Lee Tripper, haben Ihren Bruder ermordet!«

»Tja, Sie komischer kleiner Mann«, sagte ich, »nun haben Sie's endlich rausgekriegt.«

24.

Heidi Dillinger starrte mich an. Sie hatte die Augen so fest zusammengekniffen, dass sie zu Schlitzen wurden. Am Ende war ich genau das, was sie mir immer vorgehalten hatte: ein Lügner und ein Gauner – nur leider noch schlimmer. Ich fragte mich, was sie wirklich von mir hielt. Erinnerte sie sich, dass sie auf Annie eifersüchtig gewesen war? Machte es ihr überhaupt noch etwas aus? Ihre Miene war undurchdringlich. Sam Innis' Reaktion auf meine schändliche Tat war weniger kompliziert.

»Du mieses Stück Scheiße!« Er wollte sich erheben, sank aber auf den Stuhl zurück, als Fleury die Flinte auf ihn richtete. »JC war zehnmal so viel wert wie du, Arschloch! Und du hast ihn ermordet ... hast deinen eigenen Bruder ermordet! Mein Gott! Die ganze Zeit hast du genau gewusst, dass er tot ist ...«

»Und ich hab's dir immer wieder gesagt, Sam. Ich hab's allen gesagt. Aber keiner wollte mir glauben. Ist das etwa meine Schuld? Es war Martys Plan. Bellerophon. Der gute Lee sollte JC kaltmachen ... genau das war der Plan. Ich war Bellerophon.«

»Meine Güte«, knurrte Ledbetter. »Das hätte ich nicht erwartet. Das hätte ich nicht von Ihnen gedacht, Mr Tripper.«

Fleury räusperte sich vernehmlich. »Könnt ihr eure Entrüstung und moralische Empörung für später aufsparen? Fein, dann können wir ja weitermachen. Ich arbeite immer noch für Magna, und die Uhr tickt ...«

»Aber der Mörder von Sally Feinman und Mr Flicker und Clive Taillor, wann kommt der denn nun ins Spiel?« Diese Frage kam von Cotter Whitney, den die Neuigkeit, dass ich Bellerophon gewesen war, nicht übermäßig zu beunruhigen schien. Allerdings hatte er noch nicht die ganze Geschichte gehört. Keiner kannte die ganze Geschichte.

»Dazu komm ich noch. Als ich rauskriegte, dass Lee ein Mörder war, dass er seinen eigenen Bruder ermordet hatte, hielt ich ihn bloß für ein Monster. Ist nicht persönlich gemeint, Lee.«

»Natürlich nicht, Morris«, sagte ich.

»Aber damit war mein Problem nicht gelöst. Ich wusste jetzt mit Sicherheit, dass JC tot war ... aber wer war der Erpresser? Wer hatte all diese Leute umgebracht? Tja, verdammt ... und dann dachte ich darüber nach, wie ich's anstellen sollte, den guten Lee zu überwachen. Ich wusste ja, dass ich irgendwann mit ihm reden musste, also wollte ich ihn in seiner natürlichen Umgebung aufsuchen, wie es so schön heißt. Ich hatte einen Termin ... nun ja, nicht wirklich einen Termin, aber ich wollte Sally Feinman aufsuchen. Zuerst aber wollte ich mir diesen Lee Tripper näher anschauen. Ich war dabei, als Heidi Dillinger ihn auf der Fifth Avenue aufgabelte. Da waren also Lee Tripper, dieser Bechtol-Innis-Typ mit den zwei Namen ... seine geheime Identität, dieser ganze Scheiß, als ob er so verdammt wichtig wäre ... und seine rechte Hand, Heidi Dillinger. Ganz schön viel Zündstoff, diese drei, fand ich. Ich hatte sie ja schon vorher überprüft, verstehen Sie? Und diese Heidi Dillinger, die war bei weitem die Klügste von den dreien. Fiel einem direkt ins Auge, wie es heißt ...«

»Springt ins Auge«, verbesserte Heidi.

»Was?«

»Egal.«

»Tja, sie war jedenfalls das Gehirn. Innis war ein exzentrischer Egomane, der anscheinend glaubte, die Welt existiere nur als Background für seine Bücher ... mit anderen Worten, Innis war ein Spinner, ein Fall für den Psychiater ...«

»Du mieses Schwein!« Wieder Sam. Wenn er sich einmal aufregte, kam er so schnell nicht wieder runter. »Du unerträglicher Mistkerl! Wer bist du, dass du mich einen Spinner nennen darfst?«

»Außerdem sind Sie ein mieser Schriftsteller«, fuhr Fleury gelassen fort. »Aber das ist ja nicht strafbar. Sie haben nur einfach nicht genug Grips, um mal was Interessantes zu schreiben – sieht man an Ihren Büchern.«

»Jeder Schwachkopf hält sich für einen Kritiker«, murrte Innis.

»Heidi«, fuhr Fleury fort, »die ist der Schlauberger. Vielleicht stammt die Idee, ein Buch über die Suche nach JC Tripper zu schreiben, ja gar nicht von Innis. Vielleicht war es gar nicht Innis' Einfall, Lee Tripper ins Spiel zu bringen. Vielleicht war die ganze Geschichte ja auf Heidi Dillingers Mist gewachsen. Und so herum wurde ein Schuh draus! In meinem Beruf gewöhnt man sich an so ein Doppeldenken ... man geht einfach davon aus, dass jeder jeden irgendwie benutzt. Sobald man die Dinge genauer betrachtet, kann man verdammt sicher sein, dass nichts so ist, wie es auf den ersten Blick aussieht. Also hab ich 'n paar Szenarien durchgespielt und mich auf Heidi konzentriert, auf unsere hübsche Heidi. Hab ein bisschen tiefer gegraben ...«

»Das gefällt mir jetzt nicht«, sagte Heidi leise und rückte die schwere Ledertasche auf ihrem Schoß zurecht.

»Tja, tut mir mächtig Leid, aber die Geschichte ist interessant. Sie wird Ihnen allen gefallen, das verspreche ich. Gedulden Sie sich, Heidi ... Raten Sie mal, was ich über Heidi herausgefunden habe. Sie begann bei Magna als Recherchespezialistin und Computerprogrammiererin in der Abteilung ›Magnamation‹, der Datenerfassung und Kreditvergabe. Das ist die Abteilung, wo wir alles über jeden wissen.« Er kicherte in sich hinein. »Man muss natürlich wissen, wie man an die Information herankommt. Und unsere Heidi ist rumgekommen, sie hat viel rausgekriegt. Zuerst arbeitete sie in London, dann in unserem Computerzentrum in San Diego. Vor dieser Geschichte hatte unsere Heidi sich länger mit Verlagen beschäftigt, weil Magna plante, sich in renommierte Häuser einzukaufen. Und da stachen Purvis and Ledbetter so ziemlich heraus, und Heidi meinte, Magna sollte doch an sie herantreten – bis hierher richtig, meine Liebe? Warum aber dieses Faible für diesen bestimmten Verlag? Was machte P and L so wertvoll? Es war Allan Bechtol, oder, wie sie bereits wusste, Sam Innis. Er war der Köder. Heidi kündigte bei Magna und stellte sich bei Innis vor – und er ist auch nur ein Mensch; er konnte nicht widerstehen. Sie gehörte *ihm*. Sie machte sich unentbehrlich, tat alles, worum er bat, und noch viel, viel mehr. Sie war ... *kreativ*! Sie war ihr Gewicht in Gold wert!«

Nun begann Sam Innis, der vor Zorn rot angelaufen war, wieder zu brüllen. »Wozu erzählt er das alles? Bringt uns das irgendwie weiter?«

»Und dann, Gott sei mit uns, wette ich um alles, was mir heilig ist, dass die Idee zu dem JC-Tripper-Buch von Heidi kam. War es nicht so, Mr Innis?«

»Tja ... Vielleicht hatte ich's mal kurz angedacht, und sie hat sofort gemerkt, dass man was draus machen kann. Aber ja, ich glaube, die Idee stammte sogar ursprünglich von ihr.« Sam Innis' Stimme wurde leiser, als er sich Heidi zuwandte.

»Es war doch Ihre Idee, nicht wahr, Mädchen? Sie sind zu mir gekommen ...«

»Sie hatte diesen Plan schon lange im Kopf«, erklärte Fleury. »Hat ihn ausgebrütet, als sie noch bei Magnamation war ... als sie entdeckte, dass Allan Bechtol in Wirklichkeit Sam Innis heißt und Innis ein Studienfreund von JC und Lee Tripper war.« Er schüttelte den Kopf und grinste Heidi Dillinger an. »Das müssen Sie unserer Heidi lassen – sie ist wirklich ein Schlauberger, wie man früher gesagt hat. Ich schätze, das Ganze war ihr Plan, aber worum ging es? Nur um Geld? Nicht bei unserer hübschen Heidi. Ihr ging es darum, bei Magna an die Schaltstellen der Macht zu kommen, und dazu wollte sie die JC-Tripper-Story, das Bellerophon-Komplott und die Akten über Magnas Drogengeschäfte benutzen ... Meine Güte, was für ein Plan! Sie konnte sogar all die verdammten Computer bei Magnamation gegen die Muttergesellschaft einsetzen.

Und JC Tripper finden, falls er noch lebte – irgendwie war sie auf den Trichter gekommen, dass der Bellerophon-Plan gescheitert sein musste. Das würde der Zuckerguss auf dem Kuchen sein! JC wäre ein perfekter Verbündeter! Aber zuerst musste sie ihn aufstöbern ... und sie wusste nicht, ob Lee wusste, wo er steckt, zumal Lee ihr und allen anderen immer wieder sagte, dass JC tot sei. Da blieb unserer lieben Heidi nichts anderes übrig, als Menschen umzubringen.« Seine wässrigen Augen hefteten sich auf Heidi. Ich wusste nicht, ob er Beifall oder hartnäckiges Leugnen erwartete.

Sam Innis schüttelte den Kopf. »Ich kann das einfach nicht glauben, Fleury. Sie versuchen, die Schuld von sich abzuwälzen. Das ist der älteste Trick der Welt.«

»Sie sollten mir lieber glauben.« Fleury starrte finster drein. Hatten ihn Zweifel befallen? »Oh, sie hat diese Leute nicht ermordet, geschweige denn gefoltert. Doch nicht unsere Heidi! Sie war bei ihnen, hat die Fragen gestellt – nicht wahr, Heidi? Aber sie hatte kräftige Unterstützung für die Drecksarbeit, wie wir früher gesagt haben. Erinnern Sie sich an den Kerl, Lee, dem Sie in Zürich das Licht ausgeblasen haben? Das war einer von Heidis netten Helfern, vermutlich derselbe, der Clive Taillor den Garaus machte. O nein, Heidi wollte Sie nicht *töten*, Lee. Sie wollte Ihnen Angst einjagen. Sie sollten glauben, dass JC – falls er noch lebte und Sie davon wussten – gegen Sie losschlug, dass er Menschen ermordete, um sein Versteck geheim zu halten, ja, dass er sogar Sie auspusten würde, wenn es nötig war. Aber Sie haben den Killer kaltgemacht, der auf Sie angesetzt war. Saubere Arbeit. Sie sind schon ein harter Brocken, Lee ...« Er hielt inne und wandte sich wieder an Heidi. »Also, junge Dame, Sie sind der Erpresser ... und Sie sind auch der Mörder. Was sagen Sie dazu, meine Schöne?«

»Wahnsinn«, murmelte Ledbetter.

»Das können Sie laut sagen«, meinte Innis. »Und du, Lee, bist der Oberhurensohn, du verdammter Killer, Saukerl, Brudermörder ...« Er stand auf und warf dabei seinen Stuhl um. Anscheinend wollte er mir an den Kragen, aber das sollten wir nie erfahren.

»Ich bin manches, Sam«, sagte ich, »aber eines ganz gewiss nicht. Ich bin nicht Lee Tripper.«

25.

Ich hatte lange auf das Unvermeidliche gewartet. Nun war es heraus.
Ich bin nicht Lee Tripper ...
Dann geschah alles sehr schnell, zu schnell, um genau zu verstehen, was geschah. Doch in der Rückschau kann man es langsamer, immer langsamer ablaufen lassen; dann sieht man den Schock, den meine Eröffnung auslöste.

Keiner wusste so richtig, was es bedeutete, als ich sagte, dass ich nicht Lee Tripper sei. Thumper stieß sein typisches schrilles Lachen aus und trommelte aus Gewohnheit mit beiden Händen auf den Tisch. Ledbetter wandte sich halb auf dem Stuhl um und polterte: »Wie war das bitte?« Cotter Whitney starrte mich an, als könne er nur mit beträchtlicher Anstrengung die Wahrheit erfassen; man sah förmlich, wie bei ihm der Groschen fiel.

Fleury leckte seine dicke, zitternde Unterlippe und schaute mich an wie ein verschrecktes Tier. »Sie sind's nicht? Sie sind nicht Lee Tripper?« Dann wurde sein graues Gesicht blass, und er stammelte: »O Gott, ich hätte nie geglaubt ...«

Heidi Dillinger sagte nichts. Ich werde nie erfahren, was sie in jenem Moment dachte, was sie bereits wusste und was ihr immer noch ein Rätsel war. Sie kämpfte um ihr Leben, und ich bin sicher, dass es ihr abscheulich war, von einem Widerling wie Morris Fleury durchschaut worden zu sein. Es musste sie maßlos ärgern. Sie war so ein kluges Mädchen, so begabt, so entschlossen. Warum nur hatte sie in Mord den einzigen Ausweg gesehen? Hatte sie geglaubt, auf diese Weise schneller zum Ziel zu kommen? Hatte sie geglaubt, alles berechnen zu können – und dann waren die Pläne fürchterlich schief gegangen? Oder liebte sie das Spiel an sich? Gefiel es ihr, einen Kurs festzulegen und dann dabei zu bleiben, koste es, was es wolle? Vielleicht kam das der Wahrheit am nächsten. Ich möchte gern glauben, dass sie ursprünglich niemandem wehtun wollte, geschweige denn einen Menschen töten … dann aber war das Spiel außer Kontrolle geraten und hatte sie mitgerissen. Hatte sie vernichtet.

So plötzlich, dass ich es gar nicht mitbekam, hielt sie eine Pistole in der Hand. Deshalb also hatte sie ihre Tasche so krampfhaft festgehalten. War es ein Fehler, dass sie sich nun auf ihre Waffe verließ? Verdammt, ich weiß es nicht. Ob sie noch vorhatte, zu fliehen, nachdem sie das Ding benutzt hatte? Ich nehme an, sie hatte einfach genug. Fleury hatte ihre Missetaten rekonstruiert; sie war sowieso erledigt. Da konnte sie ebenso gut ein paar Leute mitnehmen. Was hätte sie sonst tun sollen? Dasitzen und alles schlucken? Alle ihre Träume zerschellt, und sie selbst ein übrig gebliebenes Häuflein Elend?

Heidi hatte die Pistole aus der Tasche gezogen und richtete sie auf Fleury, aber Pistolen waren wohl nicht ihr Ding.

Als ich sie mit der Waffe in der Hand sah, dachte ich wieder an die Zeit, die wir zusammen verbracht hatten. Ich sah Heidi, wie sie Mellow Yellow auf der Fifth Avenue zurechtstutzte. Ich sah ihren Kopf auf dem Kissen, als wir uns zum ersten Mal liebten. Ich sah sie glücklich und zornig und …

Fleury zuckte nicht mal mit der Wimper. Man hatte

das Gefühl, dass er endlich auf seinem ureigenen Terrain agierte.

Im Bruchteil von Sekunden feuerte er beide Läufe auf Heidi ab, und ich sah dieses schöne Gesicht in einer Flut aus Blut, Knochen, Haut und Haar verschwinden.

Der Feuerstoß schleuderte sie nach hinten. Sie überschlug sich und prallte schwer auf den Boden. Ihr Körper zuckte noch eine Zeit lang. Der Schuss hallte ohrenbetäubend nach, und es stank abscheulich.

Cotter Whitney schrie auf. Wenigstens glaube ich, dass es ein Schrei war, und dass er von Whitney stammte. Tumult brach los. Cotter stand halb auf, stolperte und fiel rückwärts über seinen Stuhl auf den Boden. Ich dachte, er wolle fliehen. Alles ging so schnell.

Innis und Ledbetter schrien einander an. Ich wandte rasch den Blick von Heidi Dillinger ab, während Fleury alle anbrüllte, sie sollten sich beruhigen.

Cotter Whitney versuchte gar nicht zu fliehen.

Er versuchte an Heidis Pistole zu kommen.

Fleury passte wohl nicht recht auf. Außerdem hätte er erst nachladen müssen.

Aus dem Augenwinkel sah ich, wie Whitney sich auf die Pistole warf. Dann zielte er.

Fleury sah ihn auch. Er drehte sich um und feuerte aus leeren Kammern. Dann lächelte er wehmütig – der Pessimist, dessen Sicht der Welt bestätigt worden ist. Er hat Recht behalten, aber er wünschte, es wäre nicht so. Es war schon witzig, wie viel Klasse dieser Mann am Ende zeigte.

Cotter Whitney schoss dreimal. Einmal dafür, dass Fleury ein übereifriger Angestellter gewesen war, zweitens, weil er zu viel ausgeplappert hatte, und drittens als Strafe für die Erschießung einer Dame. Alle drei Kugeln trafen Fleury in die Brust und machten aus seinen Herzgefäßen eine ziemliche Sauerei. Eine Kugel ging direkt in die Pumpe, wie man so sagt. Fleury wurde neben dem Kamin an die Wand geschleudert, ließ die Flinte fallen, und sackte an der Wand zusammen. Als er auf dem Boden saß, war er bereits tot. Mit offenen Augen glitt er in die Ewigkeit davon. Vielleicht hatte er gerade Heidi Dillinger getroffen – auch sie eine Meisterin der Flucht. Zusammen konnten sie nun die Reise ihres Lebens antreten.

Cotter Whitney war kein Dummkopf.

Was immer Heidi Dillinger an Informationen aus den Magna-Computern und anderen Quellen herausgezogen hatte – nun war alles gelöscht. Fleury hatte sie ausradiert, hatte ihren scharfen Verstand ausgelöscht, sämtliche Daten, die sie jemals gesammelt hatte. Ausradiert.

Und Cotter Whitney war kein Dummkopf.

Morris Fleury war die einzige andere Wunde, aus der Magna blutete und an Lebenskraft verlor. Und Cotter Whitney hatte diese Blutung gestoppt.

Völlig erstarrt stand er da und starrte auf Heidis Leiche hinunter.

Vielleicht irrte ich mich auch.

Vielleicht hatte er es einfach nur satt gehabt. Vielleicht wollte er nur höflich sein und eine Dame rächen.

Aber das glaube ich nicht. Ich glaube, er wusste ganz genau, was er tat.

Endlich brach Thumper das Schweigen. »Okay, Leute. Die Show ist vorbei, die Klatschgeschichten sind zu Ende.« Er nahm Whitney die Pistole ab. »Hier ist gar nichts passiert, klar? Ich bringe die Überreste der beiden mit dem Boot raus, beschwere sie mit Steinen und geb sie den verdammten Fischen zu fressen. Sind halt verloren gegangen, als euer Winzlingsboot bei der Überfahrt von Lewis kenterte. Ende der Geschichte. Verschollen auf See. Keiner wird Fragen stellen.« Er sah zuerst Whitney an, danach Innis und Ledbetter. »Da ich keinen Einspruch höre, wird der Antrag angenommen.«

Dann kam Thumper zu mir. Lange sahen wir uns an. »Mein Gott, dein Anblick tut diesen müden Augen gut. Ist zwanzig Jahre her. Hätte nicht gedacht, dass ich dich noch mal wieder sehe, JC.« Er umarmte mich. Ich hatte das Gefühl, heimgekehrt zu sein.

Innis verstand immer weniger. »*Wer* bist du?«

»Ach Sam, um Himmels willen, benutz mal deinen Verstand. Ich bin's, JC.«

Er starrte mich an, Augen und Mund weit aufgesperrt.

»Thumper hat mich erkannt«, sagte ich.

»Na ja, zuerst war ich nicht sicher«, bekannte Thumper. »Du bist zwanzig Jahre älter, fünfzig Pfund schwerer ... ach was, du hast schlappe siebzig Pfund mehr drauf als damals, wo es zu Ende ging. Da warst du wohl auf hundertfünfzig runter. Hast jetzt auch viel weniger Haare. Außerdem hast du da was machen lassen, um die Augen rum und um die Nase.« Er grinste. »Ich wüsste nicht, ob ich dich erkannt hätte. Ohne Hilfe, meine ich.«

»Was meinst du damit – ohne Hilfe?«

»Man hat mir erzählt, dass du lebst, dass du mich besuchen wirst.«

»Wer hat dir ...«

»Annie hat's mir gesagt ...«

»Ach ja ...«

»Sie hat dich gleich erkannt. Du hast dich mit ihr in einem Pub am Sloane Square getroffen – und sie hat dich erkannt, bevor sie überhaupt dein Gesicht sah. Es lag an deiner Stimme.«

»Ja. Das war zu erwarten.«

»Sie ist auch hier.«

»Was meinst du damit?«

»Sie ist im Aufnahmestudio. Ich hab eine der Scheunen ausgebaut. De-luxe-Ausführung. Annie kommt immer, um Chris zu besuchen. Er lernt bei mir Komposition. Ein begabter Junge. Hat 'ne Zukunft. Sie sind da hinten.« Er deutete durchs Fenster auf eine weiß gekalkte Scheune. »Ist schalldicht. Hat keine Fenster.« Er sah sich im Raum um. »Warum gehst du nicht raus, Annie begrüßen ... diese drei katatonischen Typen können mir ja helfen, die Unordnung zu beseitigen.«

»Nein, nein, ich helfe ...«

»Trip, hör zu. Du klingst, als wolltest du beim Abwasch helfen. Hör zu. Ich war doch immer der Kopf unserer Bande, stimmt's? Du warst das Talent. Ich war der Kopf. Denk immer daran. Du betrittst jetzt eine völlig neue Welt ... wird 'ne Weile dauern, bis du dich dran gewöhnst, aber der erste Schritt, den du machen musst, ist der nach draußen zum Studio. Hör auf den alten Thumper. Überlass das Aufräumen mir.«

»Eins noch, Thump«, sagte ich.

»Aber sicher.«

»Bellerophon. Sie hatten Lee beauftragt, mich zu töten ...«

»Das hab ich schon kapiert, als ich diesem Detektiv zuhörte.«

»Aber du weißt ja, wie Lee drauf war. Er war ein Spinner, völlig kaputt von den Drogen, dank Magna mit seinen ganzen Dr. Feelgoods. Er kam nicht davon los. In der Nacht, als er mich töten sollte, brachte er es nicht über sich. Er konnte den alten JC einfach nicht umbringen ... Aber er steckte zu tief drin, er wusste, dass sie uns beide töten würden, wenn er es nicht schaffte. Er wusste, dass er so oder so nicht mehr lange leben würde. Also kam er mit einem Plan: Ich sollte ihn umbringen und dann die Rollen tauschen ... JC wäre tot, und ich würde Lee, dann konnte ich abhauen. Er war nicht mehr ganz bei Verstand, er war voll bis obenhin mit dem Zeug. Ich lehnte ab, sagte, wir würden uns was anderes überlegen. Ich wollte nicht glauben, dass es ihm tatsächlich so schlecht ging, dass er nie mehr ganz der Alte sein würde ... Ich wollte einfach nicht mitmachen. Da hat mein Bruder Lee sich eine Pistole an die Schläfe gesetzt und es selber getan, und ich hab seinen Plan befolgt. Hab bei schlechter Beleuchtung ein Foto von der Leiche mit dem zerschossenen Kopf gemacht und die Pistole mit Lees Fingerabdrücken an Marty Bjorklund geschickt. Ich befolgte sämtliche Anweisungen, die Marty Lee gegeben hatte, um die Tat zu beweisen ... und ich wurde Lee Tripper. Verstehst du, ich musste Annie da raushalten! Magna wiegte sich in Sicherheit. Sie hatten sämtliche Beweise, dass ich, Lee, JC umgebracht hatte, und selbst wenn ich an die Öffentlichkeit gegangen wäre wie JC, hätten sie behauptet, ich sei verrückt, ich hätte meinen Bruder ermordet ... oder sie hätten einen Killer bestellt, um mir den Rest zu geben. Und wenn ich Annie mit reingezogen hätte, wäre sie auch ein Risikofaktor gewesen. Also blieb mir nichts anderes übrig, als zu verschwinden.«

Thumper hatte die Haustür geöffnet. »Nun geh schon, Trip. Wie es aussieht, schuldest du Annie eine Riesenerklärung.« Er grinste hinter seinem zottigen Bart. »Komm, jetzt bist du schon so weit gegangen. Tu nun auch den letzten Schritt.«

»Einverstanden«, sagte ich.

»Du wirst sehen, dass Annie dir auch einiges verheimlicht hat.«

Und damit hatte Thump Recht.

Annie lauschte meiner Leidensgeschichte, hielt meine Hand und küsste mich, als ich alles gebeichtet hatte.

Und dann stellte sie mir Chris vor.

Meinen Sohn.

Anmerkungen zu EXITUS
von Barbara Först

Nelson Riddle (1921–1985) war Arrangeur und Orchesterleiter. Sein Instrument war die Posaune, doch wichtiger ist seine spätere Tätigkeit als Arrangeur, z. B. für Nat King Cole und später für Frank Sinatra. Auch für Musikfilme schuf Riddle Arrangements. Seine besondere Behandlung einer Melodie durch ein großes Orchester wurde in der Branche als der »Riddle touch« bezeichnet.

JC Trippers »Traveling Executioner's Band« könnte man mit »Der fahrende Henkersmann« übersetzen, die »Death's Head Rangers« als die »Polizisten des Todes«.

Die **Türme von Ilium** (towers of Ilium) stammen aus einem Gedicht **Christopher Marlowes** über Helena von Troja:

*Was this the face that launch'd a thousand ships,
And burnt the topless towers of Ilium?*

JCs Plattenalben würden auf Deutsch »Gebratene Psychopathen« und »Kaputte Verkabelung« heißen.

Heidis Namensvetter **John Dillinger** war der populärste Verbrecher der USA, eine Art Volksheld. Einerseits verstand er es gut, sich als modernen Robin Hood zu vermarkten, der nur das Geld der Bank nahm, die Einlagen der Sparer jedoch unangetastet ließ, andererseits fiel seine elfmonatige Verbrecherkarriere in die schlimmste Zeit der Depression, in der amerikanische Farmer rücksichtslos wegen ihrer Kreditverpflichtungen von den Banken ausgeblutet wurden. John Dillinger wurde von seiner Freundin verraten und 1934 im Alter von dreißig Jahren erschossen.

Richard J. Daley wurde 1955 in Chicago zum Bürgermeister gewählt und bestimmte über zwei Jahrzehnte die Politik der Stadt. In den Neunzigern wurde sein Sohn ebenfalls zum Bürgermeister gewählt; er unterschied sich kaum von seinem konservativen Vater.

Dwight »Doc« Gooden (geb. 1964) und **Kirk Gibson** (geb. 1957) sind Baseballspieler. Gooden spielte Anfang der Neunziger bei den New York Mets, Gibson bei den Los Angeles Dodgers.

Der Schauspieler **William Powell** (1892–1984) wurde vor allem durch seine Rolle als Privatdetektiv Nick Charles in der Filmreihe »Der dünne Mann« bekannt; diese Filme sind Höhepunkte der Screwball-Komödien der Dreißiger- und Vierzigerjahre.

Jasper Johns (geb. 1930) ist amerikanischer Künstler, dessen Arbeiten als neodadaistisch bezeichnet, oft aber auch der Pop-Art zugerechnet werden. Sein bekanntestes Gemälde heißt *Flag*.

Mary Lou Williams (1910–1981) war amerikanische Jazzpianistin, Komponistin und Arrangeurin. Sie spielte unter anderem mit Thelonious Monk, Bud Powell und Duke Ellington. Ihre Kompositionen umfassen über 350 Stücke.

Don Byas (1912–1972) spielte Tenorsaxophon, unter anderem in der Count Basie Band.

Frank Lorenzo, **Carl Icahn** und **Ivan Boesky** sind so genannte »Raiders« – Firmenjäger, die Unternehmen kaufen und in ihre Einzelteile zerlegen, um sie anschließend mit Millionengewinn veräußern zu können.

Vernon Louis »Lefty« Gomez (1908–1989) spielte bei den New York Yankees und war Rekordhalter von sechs hintereinander gewonnenen Spielen. **Joel Skinner** wurde 1961 geboren und spielte für die Yankees, später für die Cleveland Indians.

William Tecumseh Sherman (1820–1891) war General der Nordstaatenarmee im Amerikanischen Bürgerkrieg. Nachdem er Columbia in South Carolina niederbrennen ließ, haftete ihm der Ruf eines Zerstörers an.

Howard Browne (eigtl. **John Evans**) lebte von 1907 bis 1999 und war Kriminalroman- und Drehbuchautor.

Entertainment Tonight ist eine Klatsch-&-Tratsch-Show über Showbiz-Größen, die auch zu Interviews gebeten werden.

Grinling Gibbons (1648–1720) war englischer Barockbildhauer, der in detailgenauem Realismus dekorative Holzschnitzereien für Kaminsimse und Täfelungen anfertigte.

Sara Lee ist ein internationales Konsumgüterunternehmen mit neun Tochterfirmen in Deutschland. Produkte sind z. B. Ambi-Pur, Badedas und Natreen.

Claude Rains (1889–1967) war britisch-amerikanischer Schauspieler, der unter anderem den Polizeichef Louis Renault in »Casablanca« spielte.

Grace Slick (geb. 1939) war Sängerin von Jefferson Airplane, später Jefferson Starship, die in der zweiten Hälfte der Sechziger als Top-Gruppe des psychedelischen Acid-Rock galt.

Bulfinchs Mythologie: Der Amerikaner **Thomas Bulfinch** (1796–1867) verfasste ein umfangreiches Werk über Sagen und Fabeln des klassischen Altertums, der östlichen und der nordischen Mythologie.

Die **Mary Tyler More Show** mit der gleichnamigen Schauspielerin lief von 1970 bis 1977 im US-Fernsehen. Es ging darin um eine Single-Frau, die möglichst schnell wieder an einen Mann kommen will.

Die **Twin Cities** sind Minneapolis und Saint Paul.

Der Schriftsteller **Tom Heggen** wurde 1919 geboren und beging 1949 Selbstmord. Er schrieb nur ein einziges Buch: »Mister Roberts«. **Max Shulman** (1919–1988) war Satiriker und Dramatiker. Zwei seiner Romane sind auch auf Deutsch erschienen: »Ich war ein Teenage-Casanova« und »Männer, Mädchen und Raketen«. Er schrieb das Lied »The Many Loves of Dobie Gillis« für die Dobie-Gillis-Show, die in den späten Fünfzigern im US-Fernsehen gesendet wurde. **Tom**

Gifford ist der Autor selbst. **Judith Guest** wurde 1936 geboren; ihr Roman heißt auf Deutsch »Eine ganz normale Familie«. Bekannter ist vermutlich der Film. **Rebecca Hill** wurde 1944 in den Südstaaten geboren, wuchs jedoch in Minnesota auf. **Jon Hassler** (geb. 1933) ist Schriftsteller und Universitätsprofessor, **Garrison Keillor** (1942) Autor und Rundfunkredakteur.

Mad Dogs and Englishmen nannte Joe Cocker seine Tournee mit vierzig anderen Musikern und Sängern, die ihn 1971 durch die Staaten führte. Der Name der Tournee geht auf ein satirisches Gedicht aus der Kolonialzeit zurück. Im Refrain heißt es, dass die Eingeborenen heißer tropischer Länder tunlichst jede Anstrengung zur Mittagszeit meiden, verrückte Hunde und Engländer jedoch nicht.

Heaven's Gate (dt.: »Das Tor zum Himmel«). Ein 1980 von Michael Cimino gedrehter Spätwestern mit Starbesetzung, der aufgrund seiner kritischen Haltung zum Wilden Westen vom amerikanischen Publikum nicht gut aufgenommen wurde. Er floppte an den Kinokassen und ruinierte die United Artist Studios.

Peter Max (geb. 1937) malt Pop-Art und psychedelische Kunst, die man auch auf T-Shirts findet.

Marta Toren und **Richard Conte** wirkten mit in »Sirocco – Zwischen Kairo und Damaskus« (1951), einem Thriller mit Humphrey Bogart als Waffenhändler.

Egon Schiele (1890–1918) war österreichischer Maler und Grafiker, ein bedeutender Vertreter des Jugendstils.

Harry Lime ist die von Orson Welles gespielte zwielichtige Figur aus dem Film »Der dritte Mann« (1950), nach einem Roman von Graham Greene.

Vic Damone (eigtl. Vito Farriola, geb. 1928) ist amerikanischer Jazzsänger.

Der Song **MacArthur Park** stammt aus dem Jahr 1968 (Komponist Jimmy Webb) und wurde erstmals vom britischen Schauspieler Richard Harris gesungen; danach gab es zahlreiche Cover-Versionen, unter anderem von Sinatra und Donna Summer. Der Text ist eine nicht leicht zu verstehende Mischung von Liebes- und Drogengeschichte.

Jacques Tati (1907–1982) drehte drei Filme, in denen er den Monsieur Hulot spielte, einen schüchternen, sympathischen Sonderling, dem die Tücken der modernen Welt zu schaffen machen.

Jean Shrimpton (geb. 1942) war Supermodel der Sechzigerjahre und besitzt heute ein Hotel in Cornwall.

Der Karikaturist und Essayist **Max Beerbohm** lebte von 1872 bis 1956 und schrieb 1922 den Roman »Zuleika Dobson«.

Kirk Kerkorian, **Boone Pickens** und **Marvin Davis** sind die Namen von »Firmenjägern«.

David Livingstone (1813–1873) war britischer Missionar und Forschungsreisender in Afrika, entdeckte unter anderem die Victoriafälle. Nach 1867 galt er als verschollen, bis er von **Henry Morton Stanley** (1841–1904) gefunden wurde. Zusammen erforschten sie den Lauf des Nil. Livingstone verstarb auf der Suche, Stanley jedoch entdeckte die Nilquellen.